新思潮文档

总主编 金惠敏

全球化与身份危机

主编 陈定家

河南大学出版社

图书在版编目(CIP)数据

全球化与身份危机/陈定家主编. —开封:河南大学出版社,2003.9(2004.7重印)
(新思潮文档/金惠敏主编)
ISBN 7-81091-088-4

Ⅰ.全… Ⅱ.陈… Ⅲ.知识分子-文集 Ⅳ.D81-53

中国版本图书馆 CIP 数据核字(2003)第 066285 号

出版人　王刘纯
责任编辑　袁喜生
责任校对　高冬可
责任印制　苗　卉
装帧设计　张　胜

出　　版	河南大学出版社
	地址:河南省开封市明伦街 85 号　邮编:475001
	电话:0378－2864669(行管部)　0378－2825001(营销部)
	网址:www.hupress.com　　E-mail:bangong@hupress.com
经　　销	河南省新华书店
排　　版	河南大学出版社印务公司
印　　刷	河南第一新华印刷厂
版　　次	2004 年 1 月第 1 版　　印　次　2004 年 7 月第 2 次印刷
开　　本	650mm×960mm　1/16　印　张　18.5
字　　数	272 千字　　　　　　　印　数　3001－3500 册

ISBN7－81091－088－4/I·203　　定　价：22.00 元

(本书如有印装质量问题请与河南大学出版社营销部联系调换)

目 录

金惠敏	总序	（1）
陈定家	导言	（1）
张世鹏	什么是全球化	（1）
陆　扬	全球化、后现代与人文科学的未来	（16）
王四达	全球化：一个逻辑与历史的进程	（25）
袁　明	全球化大趋势的特点	（35）
杨雪冬	西方全球化理论：概念、热点和使命	（37）
倪世雄　蔡萃红	西方全球化新论探索	（49）
杨金海	全球化研究的历史、现状和热点问题	（59）
张颐武	全球化的文化挑战	（68）
俞可平	全球化研究的中国视角	（77）
金丹元	全球化背景下的解构与建构 ——处于多重后现代语境中的中国影视文化	（89）
杜书瀛	在全球化浪潮面前	（102）
王　宁	全球化时代的文学及影视传媒的功能：中国的视角	（116）
尹　鸿　萧志伟	好莱坞的全球化策略与中国电影的发展	（134）
南　帆	全球化与想像的可能	（172）
姚新勇	世纪的焦虑：全球化、文化认同、中国、民族主义 ——关于中国文化特性/认同思考的反思	（189）
陶东风	全球化、文化认同与后殖民批评	（200）
沈湘平	全球化的意识形态陷阱	（217）

杨中芳　现代化、全球化是与本土化对立的吗？
　　　　——试论现代化研究的本土化……………………（225）
庞中英　另一种全球化
　　　　——对"反全球化"现象的调查与思考……………（250）
徐振东　为什么要"反"全球化……………………………（263）

金惠敏

总　序

　　20世纪90年代以前我们曾经自信地划出了一个相对于"文革"的"新时期",那确乎是群情激扬、光辉灿烂的峥嵘岁月。不过今天从思想史或者思想创新的角度看,"新时期"之"新"似乎仅具有拨乱"返"正的意义,是严格字面意义上的"文艺复兴",它远承"五四"精神,近接50年代的"百花齐放,百家争鸣",其关注的主题如人道主义、人性论、主体性、异化、马克思手稿、美的本质、现实主义等等,均是大半个世纪以来时而低抑、时而高亢的老话题,而且,"左"、"右"对垒,阵线分明。"右"者坚信只要冲破"左"的禁锢,前景就是一片光明;而"左"者则认定,"右"将毫无疑问地导致动乱、无序和资本主义复辟。那时的"思想解放"其实只有两条路好走:要么解放,要么就仍然禁锢着。这种水火不相容的思想对抗从另一个意义上说就是单纯而幼稚、激情而盲目,远称不上理性而深刻的"思想解放"。

　　进入90年代,思想界急剧分化,乱云飞渡,思潮翻涌。当我们感觉"新时期"这个概念已经无法表述我们当前的思想状况时,思想的"新时期"才真正到来。思维创新的佳境不是二元对立、非此即彼,它总是晦暗不明,难分难解,相互渗透,多种可能性并存。具体说,90年代的思想界不再是明朗的"左"与"右",它呈现出思想作为一种精神活动的原生态,即使那些看起来不共戴天的学说如现代性与后现代性、自由主义与新左派也不再能够划出个左右来,更兼以无从捉对厮杀的新儒家、全球化、知识分子、文化研究、身体注视、传媒哲学等等,一个问题甚至可能以其他所有的问题为其语境。

但是如果将思想还原为现实,那么可以说所有这一切都是现代化运动以及当前的全球化与古老中国相遇的产物。对于西方世界来说,其思想界的主要议题是如何让传统发扬光大,如伽达默尔哲学解释学就是让传统自己说话,而在中国则除了这层任务之外,更加之以如何与西方这个"他者"相对话。"传统"与"他者"可能就是当今最大的哲学问题。

将这些90年代以来的思想文本归档整理,决不意味着它们已经成熟或者完成使命。应该承认,这些思想还嫌稚嫩,更谈不上形成什么定论。但是,它们是我们走过或达到的一个个里程碑,是当今中国知识界的思想实录,更蕴涵着无限的发展契机。如果我们还想继续前进的话,那么这些文本之作为历史资料的参照意义甚或作为思想地图的指示作用将都是不言而喻的。

知我者,罪我者,我们一概表示感谢。

惶惶然,谨此为序。

2003 年 8 月 29 日
北京花园村

陈定家

导　言

　　就全球范围而言,"全球化"显然不是一个新概念。但是,在中国学术界,有关"全球化"的研究变成热门话题却是近几年才出现的一种新动向。从《人大复印资料社科研究论文索引》收录的数千万篇论文看,1978 年到 1985 年没有一篇专论全球化的文章。1986 年以后,国内报刊出现了零星的翻译和介绍西方有关全球化研究情况的短文。直到 20 世纪 90 年代中后期,全球化研究才开始引起中国学界的真切关注。但是,论文的数量相对来说还不算太多。1997 年以前,专论全球化的论文总共也只有 200 多篇。此后,相关论文的数量以惊人的速度连年增长,到 2001 年,有关全球化研究的文章数量一年就高达数千篇！在人大复印资料 2001 年卷收录的 169336 篇文章中,仅论文标题中含有"全球化"字样的文章就有 1386 篇。从统计资料看,在新世纪刚刚开始的学术界,几乎很难找到一个比"全球化"更流行的概念。有人套用了一句"红学"研究中的俗语来形容目前"全球化"研究的火热局面:"开坛不说全球化,纵论诗书也枉然"！这个说法也许不尽妥当,但一个不得不承认的事实的确已然摆在了中国当代学人的面前,那就是"言必称全球化"已经形成了当下学术界的一大景观,尽管"全球化"概念的内涵至今还没有一个权威的说法。

　　那么,到底什么是"全球化"呢？这毕竟是我们无法回避的一个最基本的问题。

一 "全球化"的本质和内涵

"全球化"作为一个概念或词语,在世纪之交已被三教九流当做一个包罗万象的新概念,它正经受着五花八门的过度阐释、匪夷所思的随意使用和漫无边际的自由发挥。从词源学的角度看,"全球化"一词至迟在上个世纪40年代就已经出现了。有资料表明这个globalization在1944年就已经出现在西方人的著述中,到1961年,这个词语被正式收录入权威版本的韦伯斯特词典之中。对于我们大多数人来说,也许不曾想到,这个当下时髦至极的词语却原来已历尽沧桑,蹉跎了大半个世纪的青春岁月,如果以人为喻,它其实也经历了一个相当于青丝变白发的曲折而漫长的成名之旅。

然而,这里所说的"全球化",作为一个如此引人注目的学术研究的热门话题,它似乎在新旧世纪交替的前后几年才在不同学科频繁出现"轰动效应"。目前全球化理念正以日渐快捷的步伐强行渗入我们生活的方方面面:为"公平交易"而"交易公平"的WTO、颠覆存在与虚无的因特网、割断历史联系的"刀砍母"(.COM)、超音速国际航班、无边界超级市场、癌细胞一样飞速扩散的城市人口……这一切彷佛突如其来,但是,当我们重温《共产党宣言》时,却惊奇地发现,"全球化"的航船却又仿佛早在几百年前就已经启航了:"资产阶级,由于开拓了世界市场,使一切国家的生产和消费都成为世界性的了……它们的产品不仅供本国消费,而且同时供世界各地消费。旧的、靠本国产品来满足的需要,被新的、要靠极其遥远的国家和地带的产品来满足的需要所代替了。过去那种地方的和民族的自给自足和闭关自守状态,被各民族的各方面的互相往来和各方面的互相依赖所代替了。物质的生产是如此,精神的生产也是如此。各民族的精神产品成了公共的财产。民族的片面性和局限性日益成为不可能……"①日渐密切的"各民族的各方面的互相往来和各方面的互相依赖"与我们今天所说的"全球化"的内涵是否一致?这并不是一个容易回答的问题。毕竟,对于什么是全球化,我们仍然还有太多的困惑。这里,我们不妨换一个角度

---

① 《马克思恩格斯选集》第1卷,人民出版社1995年,第276页。

重新看看另外一些当代学人对"全球化"概念有一些什么样的意见。

当代著名社会学家、经济学家费孝通曾著文把"全球化"概括为"全球各地人们的密切关联",并简要地勾勒出了全球化的历史进程和发展态势。①他认为全球化实际上可追溯到15世纪末的航海大发现。航海技术克服了海洋障碍,人类的洲际交通成为可能,加上后来以机械化大生产为特征的工业革命,使西方那些生产力领先的国家向世界各地的扩张成为可能。它们对世界市场的拓展和向亚非国家的殖民活动是全球化过程开始阶段的根本特征。第二次世界大战以后,运输和通讯技术的革新,使物资与信息的流动可以跨越种种空间障碍。经济交往规模的扩大和频次的提高,促进了经济组织的革新,以跨国公司为代表的经济力量对生产要素和世界市场进行了新的整合。由美国霸权主导的全球化进程,使美国模式的社会制度、文化价值观念等成了许多国家模仿的对象。但我们也应该看到,全球化进程正在摆脱由单一中心为主导的局面,正在形成多元推动、多元共存、多元发展的强大趋势。这是包括中华民族、炎黄文化在内的当今世界各地不同民族、国家和文化共处的历史阶段。总之,世界"各民族的各方面的互相往来和各方面的互相依赖"可以说就是"全球化"的最基本的也是最主要的内容。

有研究者把目前学界对"全球化"基本涵义的认识,归纳成这样五种意见:第一种意见认为,全球化是说整个世界的联系日益紧密,各国之间、各地区之间相互依存。全球化的世界即所谓"大同世界",并非是全球统一到一个模式,同只能存在于不同之中,欲大同则必存大异。第二种意见认为,全球化可区分为广义和狭义二层。狭义的"全球化"是指从孤立的地域国家走向国际社会的进程;而广义的"全球化"则是指在全球经济、文化交流日益发展的情况下,世界各国之间的影响、合作、互动愈益加强,使得具有共性的文化样式逐渐普及、推广成为全球通行标准的状态或趋势。第三种意见认为,全球化是当代世界各种要素流动、融合并构成超国家

---

① 费孝通《经济全球化和中国"三级两跳"中的文化思考》,《教学科研参考》2000年第12期。

的全球体系的过程。全球化的基础是世界经济一体化。第四种意见认为,从文化的角度讲,全球化就是人类社会的整体化、互联化、依存化。第五种意见认为,当前全球化这个词有被泛用的倾向,如政治全球化、文化全球化等。全球化本质上应该是专指经济全球化这个特定的概念。①

当然,还有很多比较具体的看法。例如,"全球化是人类利用先进的通信技术,克服自然地理因素的限制进行信息的自由传递。……包括人类利用现代化的交通工具冲破自然空间和时间的阻隔而在全球范围内进行的自由交往活动。""全球化是经济活动在世界范围内的相互依赖,是世界市场和国际劳动分工的全面形成,是金融资本、物质财富和人员超越了民族国家的界限而在全球的自由流动。"全球化就是"全球资本主义化"(德里克、曼德尔和杰姆逊都提出过类似的论点),"全球化是文化或文明的全球整合",或者"是人类社会经济、政治、文化在全球范围的一体化",②"全球化就是人类不断地跨越空间障碍和制度、文化等社会障碍在全球范围内实现充分沟通(物质的与信息的)和达成更多共识与共同行动的过程。"③全球化就是"跨区域的经济、社会和政治活动的扩展过程,并对地球另一区域的民众和社区产生广泛(extensity)、强烈(intensity)和快速(velocity)的影响。"④……

总之,全球化是一个多元概念,它具有许多层次,研究全球化应当避免单向思维。有学者认为,全球化是一个无主语的模糊概念,包含了"成为全球性的","扩展到全球范围","上升到全球水平","在全球范围内紧密联系在一起","在全球范围内组成一个整体","着眼于全球范围进行思考","在全球范围内采取行动"等多种含义。全球化固然是一个客观的发展进程,同时更多的是一种主观感受,诸如"地球变小了","我们都生活在一个地球上","地球

---

① 参见王玉恒《全球化与价值冲突的讨论综述》,《学术界》2000年第6期。

② 参见杨金海《全球化研究的历史、现状和热点问题》,《新兴学科》2000年第1期,第7—12页。

③ 丁志刚《全球化问题研究综述》,《社会科学战线》1999年第2期。

④ 洪朝辉《全球化——跨世纪的显学》,《国际经济评论》2000年第6期。

村","世界社会"。这些概念和想法很大程度上是由于信息革命、通讯技术革命扩大了人的视听和行动范围的结果。①

以上各种意见,共识多于分歧,虽然它们的侧重点各有不同,但在强调世界各国之间的相互合作、相互依存以及政治、经济、文化的联系日益密切等方面,却是基本一致的。它们的核心内容仍然是世界"各民族的各方面的互相往来和各方面的互相依赖"。就算全球化本质上是"专指经济全球化这个特定的概念",随着经济全球化的迅猛发展,政治和文化也必然会紧跟其后,而不大可能脱离经济"全球化"的影响,逆潮流而动。更何况,"全球化"肯定不会只是一个孤立的经济行为;"全球化"作为一种社会的和文化的想像运动,始终包含了经济和文化的双重权力意志,并且从一开始就为自己内在地确定了"经济全球化"和"文化全球化"这样的关联性目标。甚至,在一定意义上,我们也可以说,"全球化"根本上就是一种以经济行动策略来实现的新的文化整合过程,它的最终结果就是能够在某种"普遍性"设计中,瓦解任何一种保持自身特殊努力的文化自足体,进而完成对于世界文化前景的"普遍化"构造。②

有人说,"全球化本质上应该是专指经济全球化这个特定的概念",作为一家之说,这个论点自然有其存在的价值,学者有权利对自己使用的概念之内涵做严格的限定,这应该是起码的学术自由。但是,用"经济全球化"来否定"文化全球化"似乎显得有些武断。马克思在讨论"各民族的各方面的互相往来和各方面的互相依赖"时强调说:"物质的生产是如此,精神的生产也是如此。"③这里的"精神的生产"理所当然包括"文化"在内。因此,说全球化只是经济领域的一种倾向在我们看来是说不通的。

二 "全球化"作为多元概念的多重意义

人们对事物的认识总会存在一定的差异性。苏轼说"横看成

---

① 张世鹏《什么是全球化?》,《欧洲》2000年第1期。
② 王德胜《文化帝国主义:"全球化"的陷阱》,《东方文化》2000年第5期。
③ 《马克思恩格斯选集》第1卷,人民出版社1995年,第276页。

岭侧成峰,远近高低各不同"。这是认识的地点不同所造成的"空间"的差异;庐山还是那个庐山,它可能有一个相对固定的"真面目",只是"立场"不同的"苏轼"感觉和理解不一样而已。李白说"高堂明镜悲白发,朝如青丝暮成雪"。这是认识的时间不同所出现的"时间"的差异。无情的岁月把青春浪漫的"李白"变成了白发苍苍的老人,无论站在什么角度看"明镜",青丝就是青丝,白发就是白发,镜子毕竟可以相对客观地再现它面前的事物。杜甫说"天上浮云如白衣,须斯变幻如苍狗"。这是对"无时无地无变化"的无常世事的感慨。浮云岂有"真面目"?"白衣苍狗"本无凭!永恒即瞬间,"惟变为不变",这是否可以说是一种不分物理和心理,超越时间和空间的差异?苏轼说的差异是因观察者的"立场"不同所引起的主观感受的不同(尽管它也体现了哲人对感性局限的超然觉悟);李白所说的差异是被观察者自身发生渐变的前后两种不同的存在状态(虽然同时也包含着诗人对感性经验的肆意夸张);杜甫所说的差异实际上是一种浓郁复杂的主观情感和变化莫测的人情世态相互作用的结果。

同样,当我们把全球化作为一个意义相对固定的概念或者把它作为一个"名词"看待时,对全球化的各种不同的认识类似于苏轼所说的情况;当我们把"全球化"看成一种发展状态或者把它看做一个"形容词"时,各种观点之间的差异是否类似于李白所说的情况?当我们把全球化看做一个变化无定的发展过程或者作为一个"动词"看待时,人们对全球化的理解可能更类似于杜甫所说的情况。当然,从语言学的角度看,对"全球化"做这样的词性划分难免有些牵强,甚至显得不伦不类,但我们借词性分类的说法来类比全球化的不同含义和人们对全球化的不同理解,却有可能是一种有意义的尝试。至少,这种类比法隐含着强大的描述功能和深厚的解释潜力。我们相信,要深入理解"全球化"这样一个多元概念的多重意义,多方位、多角度、多层次的复合探索和交叉研究是必不可少的。

西方学者贝克曾把广义的全球化划分为全球性、全球主义,以及作为发展进程的全球化三个层面。从某种意义上说,这三个层面各自的特征多少有点类似于我们所说的全球化的三种"词性":全球性——形容词(偏重既成的事实);全球主义——名词(趋向未来的设想);全球化——动词(注重当下的实践),当然,这种对应关系实际上是游离松散的。此外,我们还可以从多种不同的角度对全球化进行剖析,例如从经济的、政治的、文化的不同角度,或者从历史进程、现实动态、未来构想的不同阶段,或者从自然、社会和人类精神的不同层面对全球化进行系统分析和综合研究。以单向思维或传统的二元对立模式来考察全球化是行不通的,过去那种把难以驾御的复杂事物要么神圣化要么妖魔化的极端做法,再也不能继续下去了。

然而,我们也应该看到,直到今天,"在中国的全球化讨论过程中,有人仅仅抓住全球性一个层面,声称全球化是一种客观发展规律,只能积极欢迎,大力促进。与此同时,有人只抓住全球主义的层面,把全球化看做西方资本统治世界的战略方针,必须坚决抵制。这两种看法都各有片面性。"① 这明显具有片面性的观点盛行一时固然令人为之扼腕,而更为可叹的是某些貌似公允的陈词滥调仍然充斥着有关全球化的各种论述。

那些只看到经济全球化却根本无视政治全球化和文化全球化的论者,其实也与没有充分注意到全球化的多层意义有关。的确,政治和文化的全球化还远远比不上经济全球化的发展程度,但是,这并不等于说政治和文化根本就不存在全球化的发展趋势。

事实上,与经济全球化相对应,文化全球化进程也早就通过高科技的大众传媒迈开了惊人的步子。阿兰·伯奴瓦说到文化全球化的"新奇"现象之一是,资本主义卖的不再仅仅是商品和货物,它还卖标识、声音、图像、软件和联系。它不仅仅将房间塞满,而且还统治着想像领域,占据着交流空间。当然,精神文化生产与物质生产还是有本质区别的,作为精神活动和审美活动,文化生产理所当然要比商品生产更加纷繁复杂、更加丰富多彩。但在经济生活日益"全球化"的语境中,东方与西方,传统与现代,民族与民族之间的文化交流、观念碰撞、相互影响、彼此渗透也必然日益加强。在现代高科技条件下借助于"大众传媒"迅捷地跨越国界的大众文化在这方面表现得尤其突出,"最典型的莫过于动态图像文化的普遍

---

① 张世鹏《什么是全球化?》,《欧洲》2000 年第 1 期。

化与全球化"。① 总之,世界各民族的"互相往来"和"互相依赖"作为一种不可逆转的时代潮流,正以排山倒海之势横扫寰宇、席卷八荒。经济如此,政治和文化也是如此。

生活在当今世界的每一个人,"从他诞生的那天起,他就处在来自全球的文化信息的包围之中,在享受着同时也接受着属于整个地球的物质文明和精神文明,这个潜移默化的过程,使得他首先成为一个地球人,然后才是中国人、美国人、法国人、巴西人等等"。②因此,面对全球化这一前所未有的时代潮流,我们实际上已别无选择,我们只有以实事求是的态度面对现实,顺应时代潮流,积极参与到全球化的浪潮之中。

在全球化大潮铺天盖地而来时,有人高呼要充分发挥中华民族在人类社会健康发展的历史进程中重要作用,决心以"我化全球"的勇气和自信,大胆投身于"全球化我"的历史洪流中,这种大无畏的精神无疑是值得敬仰和珍视的。但是,仅仅有"勇气和自信"还远远不够,要想在全球化的大风大浪中做一个勇立涛头的弄潮儿,没有经济、科学和文化等方面的雄厚实力是难以想像的。

"全球化"确实是一股来势凶猛的时代潮流,但我们毕竟不能把它等同于"洪水猛兽"。虽然我们也应该看到,西方某些发达国家所倡导的"全球化"意识形态,确实有借用全球"共同繁荣"、"全人类的利益高于一切"的旗号,推行其"经济霸权"和"文化霸权"乃至"军事霸权"的嫌疑,全球化的确也是以美国为首的西方发达国家用以掩盖其侵略扩张政策的面纱,在一定程度上"全球化"浪潮已经弱化了发展中国家的主权,某些弱小国家正在变成西方发达国家在形形色色世界组织中的跟班和附和者,但是,有些研究者据此断言全球化就是西方人为发展中国家布下的陷阱,却是我们所

---

① 朱立元《雅俗界限趋于模糊》,《常德师范学院学报》2000年第6期。
② 谭君久《关于全球化的思考与讨论》,《全球化的悖论》,中央编译出版社1998年,第131页。

无法苟同的。①

　　这里列举一个意味深长的例子。美国前总统克林顿说:"某些人把这种不断增加的国际互相依赖视为对我们国家和我们作为美国人的价值观的威胁。但事实几乎恰恰相反,在世界上影响不断加强的正是美国的价值观——自由、自决和市场经济,从国际贸易的迅速发展中获益最多的正是美国公司,当世界其他国家的生活水平提高之后,需求最多的正是美国工人制造的美国产品。"②克林顿的这番言论显然有不同的理解和阐释。"陷阱论"者据此认为,克林顿所鼓吹的这种"全球化"的意识形态是西方发达国家在后殖民时代向发展中国家灌输的一种生活观念和价值观念。也就是让发展中国家实行"门户开放"政策,以便发达国家可以不费一枪一弹,就将西方文化与商品源源不断地输送到发展中国家,同时又将大量财富运回本国。这就是西方发达国家灌输"全球化"意识形态的目的,即进行"和平"的侵略扩张,剥削发展中国家。③

　　这种"和平"侵略说,与其说是经过严密的理性研究而得出的客观结论,还不如说是那些固守冷战思维模式的"陷阱论"者发出的一种饱含情感色彩的告诫。但是,这种在冷战时代看似天经地义的论调,却存在许多让今天的"陷阱论"者难以回答的问题。例如:从克林顿的话语中我们的确可以发现以美国为首的西方发达国家的初始目的是为了维护和扩大其在全球的利益,但是,维护自身的利益就必然要以损害全人类的利益为前提吗?这个"全人类"是否要把"以美国为首的西方发达国家"排除在外呢?发展中国家实行"门户开放"政策,使西方文化与商品源源不断地输送进来,如果这就是遭受"和平"的侵略扩张,那么如何解释中国因近二十年

---

　　① 有一种观点认为,西方发达国家为发展中国家提供的"全球化"意识形态实质上是一种特殊的"认知图式",它主张民族国家应从抽象的全人类共同利益出发,来解决发展、环境等全球问题,其真实目的是要发展中国家放弃主权,成为西方的殖民地,它实际上是发展中国家的陷阱。参见陈安国《论"全球化"意识形态的陷阱》,《社会科学》2000年第10期。

　　② 比尔·克林顿《希望与历史之间:迎接21世纪对美国的挑战》,海南出版社1999年,第117页。

　　③ 陈安国《论"全球化"意识形态的陷阱》,《社会科学》2000年第10期。

来采取"门户开放"政策而获得的巨大成功呢?克林顿认为"某些人把这种不断增加的国际互相依赖视为对我们国家和我们作为美国人的价值观的威胁"是错误的,那么"把这种不断增加的国际互相依赖视为对我们国家和我们作为'中国人'的价值观的威胁"就必然正确吗?"自由、自决和市场经济"是美国人的专利吗?……这些问题,如果在二十年以前的中国,也许是令人困惑的,然而,在21世纪的今天,所有这些问题的答案却是不证自明、不言而喻的。

值得注意的是,克林顿所说的"这种不断增加的国际互相依赖"与马克思所说的"各民族的各方面的互相往来和各方面的互相依赖"是否有本质的区别?克林顿把"国际互相依赖"与"美国的价值观"联系在一起,马克思也认为各民族的"互相依赖"在加强,"物质的生产是如此,精神的生产也是如此"。由此可见,单从经济的角度审视全球化,甚至从根本上否定文化全球化存在的论点是无法令人信服的。那种把"全球化"仅仅理解为经济发展趋势的全球性扩张,仅仅从经济一体化的角度来理解全球化显然是很不全面的。因为,从历史的角度看,当前世界的经济一体化趋势不过是几百年来市场经济发展的一个新阶段;从逻辑的角度看,经济的一体化也必然促进价值观和制度文化的协同互动,加速社会系统的"自组织"过程,从而形成全方位的社会一体化趋势。从本质上讲,全球化实际是一种以经济为先导、以价值观为核心、以政治为辅成、以广义的文化为主体的社会合理化与一体化浪潮。①

三　全球化研究的现状及热点问题

就全球化的历史进程而言,不少学者(如费孝通、李慎之等)认为,全球化实际发端于15世纪末的欧洲,从15世纪末到19世纪70年代大英帝国霸权的确立,是其第一阶段;从1880年一直到1972年美元本位的终止,欧洲中心转向美国中心,是其第二阶段;

---

①　参见王四达《全球化:一个逻辑与历史的进程》,《中山大学学报》2000年第3期。

从20世纪70年代到现在是其第三阶段。①李慎之明确地指出，全球化进程应从1492年哥伦布发现美洲算起。在那一年，从两百万年前诞生以后就分散到世界各地，而且往往相互隔绝的人类实现了最后的会合，随之而来的是探险的热潮（地理大发现）与贸易的热潮（商业革命），终于导致了工业革命和资本主义。李慎之还将1992年作为全球化的下一个500年的开始，因为他认为1992年市场经济体制在全球范围内取得了绝对优势。②

在李慎之看来，市场经济的全球化和信息传播的全球化是全球化时代最重要的标志，当然还有许多其他的标志："环境污染的全球化，人口爆炸以及由之而来的移民问题的全球化，核武器以及其他大规模毁灭武器扩散所造成的对全人类的威胁，恶性传染病、毒品买卖与犯罪活动的全球化……甚至垃圾处理都成了全球性的问题。正因为如此，前联合国秘书长加利在1992年联合国日致辞时说'第一个真正的全球性的时代已经到来了'。"③

就全球化研究的历史而言，有人认为，全球化思想至少在马克思的著作中就已经有了相当明晰的表述。对于这一说法，只要我们读一读马克思的《德意志意识形态》和《共产党宣言》就不难发现，它确有合理的一面。的确，马克思早在150年前就提出了资本主义的发展必然形成世界市场等重要思想。但是，我们并不同意把马克思有关"世界市场"的论述与现代意义上的"全球化"思想完全等同起来。因为，从学理上讲，真正现代意义上的全球化思想的提出和它的系统研究和阐释，实际上还只是20世纪60年代以后才开始的。

有人认为，"全球化"这个概念是"罗马俱乐部"在20世纪60年代提出的。④也有学者认为，最早提出全球化理论的是以埃及

---

① 杨雪冬、王列《关于全球化与中国研究的对话》，《当代世界与社会主义》1998年第3期。

② 李慎之《全球化发展的趋势及其价值认同》，《马克思主义与现实》1998年第4期。

③ 李慎之、何家栋《世界已经进入全球化时代》，《中国的道路》，南方日报出版社2000年。

④ 王小亮、郭芳《"全球化"论争综述》，《天水行政学院学报》2000年第4期。

人萨米尔·阿明为代表的"依附理论"学派。① 有关"全球化"术语的"专利"问题还有许多其他说法。谁最先提出这个概念似乎并不重要,而值得我们注意的是,大多数学者不约而同地把全球化研究的起点定在 20 世纪 60 年代。

20 世纪 60 年代,形形色色的跨国公司将各自的资本触须纷纷由本土伸向异邦,一个全球性资源配置的巨型网络正在纵横交错的各种"触须"的飞速延伸中构织成形。于是,全球化理论的胚芽在对这一时期全球问题研究的基础上破土而出。20 世纪 70 年代,资本、货币和人员的跨国自由流动为沃勒斯坦的"世界体系"理论提供了现实依据。"80 年代初,米歇尔·弗里德曼的新自由主义经济理论被里根、撒切尔夫人采用,金融体系的全球化开始。债券市场阻隔的消除和非规章化逐渐完成,随后又引起了股票市场阻隔的消除和非规章化,金融全球化全面展开。90 年代初,新兴工业化国家加入了这一进程,金融全球化便呈飙升趋势,直到发生世界范围的金融危机。随着金融全球化的发展,政治、文化全球化也发展起来。于是,对全球问题的研究又进入一个新阶段。……90 年代中期金融危机的发生,使全球化研究再度升温。"②

尤其在世纪之交,全球化研究在全球范围内呈现出诸子蜂起、百家争鸣的火热态势,形成了一门名副其实的"跨世纪的显学"。许多有影响的西方学者对全球化思潮做出了及时的反应,其中不少理论和观点具有世界性的影响,例如,詹姆斯·罗斯诺的"全球化动力说"、赛约姆·布朗的"世界政体论"、托马斯·弗里曼的"全球化体系论"、肯尼思·华尔兹的"全球化治理论"、罗伯特·基欧汉和约瑟夫·奈的"全球化比较观"、詹姆斯·密特曼的"全球化综合观"等等,都是 20 世纪 90 年代以后全球化研究所取得的重要理论成果。

就我国学术界全球化研究的情况看,人们对全球化的态度和观点也很不一致。有谈"化"色变、认为一"化"必然就会亡党亡国的"恐惧论"者;有认为全球化正是"帝国主义亡我之心不死"的具

---

① 杨金海《全球化研究的历史、现状和热点问题》,《新兴学科》2000 年第 1 期,第 7~12 页。
② 同①

体表现的"敌视论"者;有"任尔东南西北风,我自岿然不动"的以不变应万变的"漠视论"者;也有对全球化充满憧憬和幻想,以为这样一"化"就把中国和美国"化"得相近相似甚至相同了的"幻想论"者。当然,这里列举的形形色色的极端论调毕竟是少数派的意见,绝大多数论者的基本态度似乎可以"悲观"、"乐观"或"客观"来描述。

比较悲观的看法是,全球化对于发展中国家来说,并不全是福音,它更意味着风险和挑战,而在某种意义上讲也可能是祸水。① 尽管全球化带来了暂时的繁荣,在这繁荣的表面下,一条贫富之间的大峡谷却在无声地裂开,而且愈裂愈宽——经济的发展和全球化不仅没有缩小贫富差距,反而加速了它的发展。② 经济全球化,实际上是全球垄断化,由于两极分化,贫富差距继续拉大,工人失业,市场疲软,产品积压,可能导致全球危机化。③

相对乐观的看法是,经济全球化为发展中国家实现经济发展和赶超发达国家提供了前所未有的大好机遇,可能是发展中国家后来居上,赶超发达国家的惟一的所能选择的必由之路。④ "有充分的理由说明,发展中国家,包括中国在内的东亚发展中国家在经济全球化进程中受益最大。不仅如此,与发达国家相比,包括中国在内的东亚发展中国家得益更多,它们的经济增长速度领先全球就是证明。"⑤

比较客观的看法是,全球化对发展中国家既是机遇,又是挑战。一方面,全球化为发展中国家参与世界经济进程,吸收发达国家的资金、技术和管理经验,缩小与发达国家的差距,并最终赶上发达国家提供了良机;另一方面,经济全球化使发展中国家的主

---

① 高德步《21世纪:经济全球化与全球经济战》,《中国经济时报》1998年5月5日。
② 陈晓薇《全球化仅属于富人》,《环境时报》2000年4月14日第7版。
③ 周光春《"经济全球化、贸易自由化"评析》,《当代思潮》1998年第2期。
④ 刘力《经济全球化:发展中国家后来居上的必由之路》,《国际经济评论》1997年第11期。
⑤ 沈骥如《中国不当"不先生"——当代中国的国际战略问题》,今日中国出版社1998年,第260~261页。

权、经济安全及民族工业受到挑战，一旦不慎，将会为全球化付出沉重的代价。①

就中国学术界而言，目前全球化论争的焦点问题是全球化对中国的影响，中国应采取什么态度去应对，这也有三种基本观点：乐观者主张"张开怀抱，拥抱全球化"；悲观者认为全球化的结果是"资本流遍世界，利润流向西方"，于人有利，于己无益；比较中立的看法是全球化对于发展中的中国是一柄"双刃剑"，得失并存，祸福相倚。扬长避短方可趋利避害，审时度势才能有所作为。

说到底，"全球化过程本质上是一个内在地充满矛盾的过程，它是一个矛盾统一体；它包含一体化的趋势，同时又包含分裂化的倾向；既有单一化，又有多样化；既是集中化，又是分散化；既是国际化，又是本土化。"②全球化是一个相反相成的过程，是一个悖论。"全球化过程将为发展中国家引进资本、吸收现代技术、发展外贸、推动经济市场化，并逐渐进入全球市场提供历史契机。"但是，它也"将使发展中国家的传统主权基础受到侵蚀，受到发达国家某种经济霸权的威胁，一定意义上可以说发展中国家的全球化过程是一个充满痛苦和血泪的过程。"③

当下的全球化研究既有学科性，又有跨学科性，综而论之，主要涉及以下几个方面的内容：1. 何谓"全球化"？2. 如何对待全球化？3. 如何避免全球化带来的种种社会发展问题？4. 如何加强"政府间关系"和"全球治理"？5. 如何解决跨文化问题？6. 如何处理文化的全球化和地方化的关系？7. 世界劳工问题和新国际主义。8. 全球化的前途问题。此外，有的学者还从哲学方面对全球化进行研究，分析了全球化与现代主义、后现代主义的关系；有的从伦理学方面分析全球化，提出了"全球伦理"的概念和思想；有的还从哲学本体论和认识论的高度对全球化进行分析，提出了"全

---

① 王逸舟《全球化时代的国家经济、政治与安全》，《世界经济》1998年第8期。

② 黄卫平《全球经济与中国政治体制改革》，见《全球化的悖论》，中央编译出版社1998年，第50页。

③ 邹树彬《机遇与挑战：经济全球化浪潮中民族国家的两难选择》，见《全球化的悖论》，中央编译出版社1998年，第232～244页。

球观念"、"全球思维"的思想,并对全球社会本体做了全球空间和全球时间的分析,提出了"全球发展"的思想等。例如,社会学家鲍曼认为,在全球化时代,社会的"时间在加速,空间在缩短",因此需要对全球社会及其秩序做现代分析,进行"全球思维"。无疑,这是用相对论原理对全球化所做的社会本体论分析,对我们不无启迪。① 当然,最引人注目的还是有关经济全球化的一些问题,例如:全球化与一体化、全球化与区域化、全球化与民族化、全球化与市场化、全球化与信息化、全球化与均衡化、全球化与贫穷化、全球化与发展中国家、全球化与国际经济秩序、全球化与时代特征等,② 一直是学界关注的热点问题。

对于正在进行的全球化讨论,有学者提出了这样的四项原则:一是定性研究原则。即争论各方需要界定全球化的定义。二是定量研究原则。对全球化的广泛性、强烈性和快速性有一个系统的定量研究和定义。三是学科交叉原则。各领域的学者需要互补,共同推动全球化研究的深化。四是价值中立(value－free)原则。目前全球化的讨论已经出现情绪化、立场化和阶级化的倾向,已经出现以国家和区域划线、以贫富和阶级划线、以政见和价值划线的倾向,其后果必然促使严肃的学术研究流向政治和情绪之争。对此,需要各方努力走向理性、逼近客观。③ 从全球化研究的发展历程和当下的热点问题看,这四项原则的现实针对性是相当明显的。

四 "全球化"与文化认同危机

20世纪90年代初,美国一本专门从事中国研究的杂志说:"在中国面临的各种危机中,核心的危机(The Core Crisis)是自性危机(Identity Crisis)","中国正在失去中国之所以为中国的中国

---

① 杨金海《全球化研究的历史、现状和热点问题》,《新兴学科》2000年第1期,第7~12页。

② 何方《有关经济全球化的十个问题》,《太平洋学报》,1998年第3期。

③ 洪朝辉《全球化——跨世纪的显学》,《国际经济评论》2000年第6期。

性(Chineseness)。"①这个"Identity Crisis"其实也正是我们必须面对的"认同危机"。作为"中国面临的核心危机",这是一个极为沉重的话题,我们在讨论这个沉重话题以前,还是先看看这样一组所谓的"全球化小资料",其中有些数据虽然可能会令人不安,但也有可能会给我们一些启示:

"500家公司控制着33％的全球国民生产总值,75％的全球贸易。""十多家大公司不久将控制全球整个食品生产行业。""在过去十年中,世界最贫穷的五个国家的收入占全球收入的比例从2.3％降至1.4％。""在美国买一台电脑需要花一个月的收入,在孟加拉国则要花掉8年的收入。""世界最富有的3个家族的财富的总和比最不发达国家6亿人口的年收入还要多。""各个国家之间的联系变得越来越紧密……甚至俄罗斯或许不久也将加入北约,而这在过去是不可思议的。""英语已经成为通行的商业用语。英语在网上的优势也是其他语言无法匹敌的。86％以上的网络内容都是英语的。"②

在这样一组数据面前,那些无以数计的"500家公司"以外的公司、那些贫穷落后的国家和非英语国家是否有危机感和紧迫感?在全球化浪潮铺天盖地而来的景况下,发展中国家的生产方式、经济模式、文化传统、政治体制是否还能继续维持其生存和发展的独立性?各民族、国家与地区之间日益密切的相互联系、相互依赖和相互促进的平等友好的关系,是否正在演变成一种依附与被依附、支配与被支配或控制与被控制的关系?民族主义、殖民主义、霸权主义是否会改头换面再次肆虐全球?……这些与全球化进程相生相伴的焦虑和殷忧,可以说一直是大多数多发展中国家的知识分子心中挥之不去的阴影。

正如李慎之和何家栋所说的:"一切迹象都指陈,发生了文化危机,或者(就其本质来说是)价值危机。旧的道德秩序崩溃了,新

---

① 参见李慎之、何家栋《世界已经进入全球化时代》,《中国的道路》,南方日报出版社2000年。

② 参见《焦点》2000年第8期。

的道德秩序还没有能建立起来。危机是全球性的……"①这种危机与"东方/西方、发展/发达、弱势/强势"等等对立统一的方方面面都有密切的关系。例如,它是中国的危机,也是美国的危机。

埃及学者萨米尔·阿明在《不平等的发展》一书中指出,在资本主义世界体系中,外围国家一旦采用了现代化理论,就必然在国际交换中进入西方国家早已设定的国际专业化分工的陷阱,从而进行一种不平等的交换,"从社会观点来看,这种模式导致一种特殊的现象,即:群众的'贫穷化'——换句话说,导致若干贫困化的机制:农业小生产者和手工业小生产者的无产阶级化,农村的半无产阶级化,以及组织在村社里的农民趋于贫困化而没有无产阶级化,城市化,城镇地区公开失业与就业不足的大规模增加,等等。……在这个多样化和不发达深化的阶段,就出现了新的统治和依附的机制。那是文化上,政治上,也是经济上的技术依附以及受跨国公司的统治。"②在"不平等的发展"过程中出现的"新的统治和依附的机制",必然会使为数众多的"外围国家"产生深刻的"认同危机"或"自性危机"。

有资料表明,在西方发达国家的把持和操纵下,非洲私有化浪潮使 6000 多家国营企业将近半数转归私人,国民经济支柱产业包括金融、能源、电讯、交通等部门大多落入西方人的手中。在拉美,从 1990 年到 1996 年,西方跨国公司抢占了 57.3% 的市场销售份额,最大的 100 家跨国公司的子公司年平均销售额比拉美自己最大 100 家企业平均销售额多 5.34 亿美元。③ 这些数据似乎从不同角度说明阿明在 20 世纪 70 年代提出的"依附理论"具有相当准确的预见性。

阿明的"理论"在某些中国学者那里有更激烈的表述。例如,有学者认为,随着以西方为模式的现代化进程的突飞猛进,一些不

---

① 李慎之、何家栋《世界已经进入全球化时代》,《中国的道路》,南方日报出版社 2000 年,第 148 页。

② 萨米尔·阿明《不平等的发展:论外围资本主义的社会形态》,商务印书馆 1990 年,第 162~163 页。

③ 傅佑《全球化对第三世界的消极影响》,《国外理论动态》1999 年第 6 期,第 5 页。

发达国家原有的传统文化也遭到西方文化的彻底摧毁,人们在西方话语的控制下,无法表述自己独立的思想和历史,从而不能不失去自己的主体性,屈从于西方意识形态,同时也成为政治和文化上的"被压迫者",这就引发了发展中国家对于"后殖民主义"的自觉反抗并重新燃起对于独立的渴望。"彻底摧毁"、"压迫"与"反抗"等在"文革"期间使用率最高的术语所包含的情绪化成分是显而易见的。

那么,全球化是否必然导致一种新的殖民主义呢?著名作家王蒙对这个问题有比较精辟的见解。他说:"全球化是一个大的趋势,任何卷入其中的集团和个人都在利用这个大的趋势,我不能说利用这个大趋势的人个个都怀着善良的和天使般的动机,如果他是殖民主义者,他会利用全球化来推行殖民主义,如果他是恐怖主义者,他可以利用全球化来推行恐怖主义,比如互联网,据说就被用来指挥恐怖活动,邪教也利用全球化。你如果是一个民族主义者,一个相当激烈的反霸权主义者,那你也可以利用全球化。全球化本身并不能保证价值的取向,它是一个客观的趋势。全球化有很强的高科技色彩,它带来了很多方便,比如交通高速公路和信息高速公路,这都是全球化的成果,但怎么使用它,将会因国而异,因人而异。"①

当然,也有研究者认为全球化就是在推行新的殖民主义。他们认为,全球化与资本主义原始积累时期的血腥掠夺和野蛮倾销没有本质区别:"西方资本主义国家所倡导的'知识工业全球化'就像工业革命时期形成'世界工场'一样,是对不发达地区的资源的掠夺和制成品的倾销。不过是资源由'硬'变'软',由财富的掠夺变成通过'购买大脑'方式进行的人才掠夺;制成品由物质产品变成知识产品,由传统工业品变成芯片与软件。"②我们认为,对全球化保持一种审慎的质疑态度是可以理解的,甚至可以说是难能可贵的。与西方国家出现的抗议全球化的示威相比,把全球化说成是这样或那样的"陷阱",并不失理论研究者的温和。不过,正如前

---

① 王蒙《入世后全球化能把中国文化怎么样》,2001 年 11 月 26 日 13:13"南方网~南方周末"。
② 参见本书沈湘平《全球化的意识形态陷阱》。

文所说的,"陷阱论"者遇到的"陷阱"更多的时候是自己为自己铺设的。如果说全球化这个"陷阱"是西方人精心构筑的,那么最先说破"陷阱"的也同样是西方人。一个被说破的"陷阱"是否还能算得上是一个"陷阱"呢?我们知道,当全球化运动轰轰烈烈地向全世界蔓延时,"反全球化"运动也在大张旗鼓地向全球铺开。

有资料表明,"'反全球化'已经成为一场'全球运动',原因在于最近几年来,全球范围的反全球化运动不断,一些重要的全球会议已经接连不断成为示威者所称的'全球行动日'目标。示威者声称他们的行动是非暴力的直接抗议,但实际上往往与警察发生不幸的暴力冲突。既具有讽刺意味又十分有趣的是,反全球化运动本身已经全球化了。"①值得注意的是,大多数反全球化游行示威活动发生在西方发达国家的著名城市,如纽约、伦敦、西雅图等,即使示威发生在发展中国家,那些策划者或带头人也大多是西方发达国家各界的精英人物。

既然"反全球化运动本身已经全球化了",中国当然也就不能例外。虽然中国迄今没有发生过反全球化的游行示威,但中国学界部分学者批评全球化的声音却一直是很激烈很尖锐的,那些担忧全球化会"彻底摧毁"中国文化的言论仍然时有耳闻。当然,在各种文化阵地上占有主导地位的似乎是那些对全球化持乐观态度的论者。有论者认为,"没有全球化就没有中国这20年的进步,我们改革开放的目的也就是为了使我们能进入这个世界经济的体系。……(尽管)现在比较占绝对优势的是好莱坞的大片。属于消费的文化也可能美国的东西所占比例会越来越大,但还有一些深层次的东西,属于精神建构性的东西,我不知道中国人到底能接受多少美国人的哲学,他们接受了多少爱默生多少富兰克林呢?我们的脑子里装的恐怕更多的还是孔孟啊,老庄啊,一直到孙中山、章太炎、鲁迅、胡适,然后到毛泽东、邓小平,大家还是接受这些比较多一些。"②可见我们不必过分担忧全球化会把中国文化怎么

---

① 参见本书庞中英《另一种全球化——对"反全球化"现象的调查与思考》。

② 王蒙《入世后全球化能把中国文化怎么样》,2001年11月26日13:13"南方网—南方周末"。

样,全球化浪潮中的中国也未必真的像美国媒体所说的,正在"失去中国之所以为中国的中国性",至于那种发展中国家的文化注定会在全球化过程中"彻底毁灭"的悲观论调,则更是缺乏可靠的依据。

其实,即使在美国学界,关于文化全球化的趋势也有很多不同的看法,其中有两种截然不同的观点最引人注目。一种是美国政治学家福山的"历史终结论",一种是亨廷顿的"文明冲突论"。福山认为,自由民主作为一种人类的理念已经很完美,无论在什么方面都取得了主宰世界的正统性,因此,历史终结了,即历史上的许多问题已经得到解决,已经形成了合理的制度与行为模式。这种观点,本质上是一种文化趋同论,即世界统一于自由民主。与福山的观点相反,美国政治学家塞缪尔·亨廷顿的"文明冲突论",则强调文明的冲突是一切冲突的根源和对世界和平的最大威胁,突出的是文明之间的矛盾与对立。其实,福山与亨廷顿的观点有一点是相同的,两者都在为西方的文明地位考虑——福山认为西方的文明已经取胜,体现出一种优越感;而亨廷顿却在为西方文明忧虑和担心。①

就中国的情况而言,自 20 世纪 90 年代以来,"中国学界经历着知识体系的深刻转型,这种转型体现出中国知识分子超越冷战思维模式、现代化意识形态与西方中心主义的努力,而它们均关涉全球化语境中文化认同与知识体系的重建。在关于后殖民主义、第三世界批评、社会科学的本土化(中国化)、现代性与中华性、'五四'白话文运动的功过等讨论中,都不难发现这种重建认同的努力。"②这种努力,无论其目的多么纯洁多么崇高,却都不可以文化的纯洁性为追求的目标。否则,一切宏大的民族文化的重建计划都将在现实生活中无情地化为泡影。

王蒙说得好:"半坡村的'半坡文化'很纯粹,埃及的卡纳克神殿,它的金字塔文化、木乃伊文化和圣殿文化很纯粹,但是古埃及

---

① 参见戴路《关于文化全球化的几点思考》,2001 年 12 月 10 日《中国青年报》。
② 陶东风《文化本真性的幻觉与迷误——中国后殖民批评之我见》,1999 年 3 月 11 日《文艺报》。

人现在一个也找不到了。所有活的文化都是充分利用开放和杂交的优势,在和异质文化的融合和碰撞当中发展的,……纯洁性的提法是一个逆历史潮流而动的提法。"①严格地说来,即使是"半坡文化"也未必真的很纯粹,埃及金字塔文化、木乃伊文化和圣殿文化同样杂合着多种远古文化的痕迹。可见,任何谈论文化纯粹性的言论,都只具有相对性的意义。

值得一提的是,在众多"反全球化"的示威活动中,著名的麦当劳快餐店常常成为人们发泄不满的对象,在多次声势浩大的抗议全球化的大型国际集会中,都无一例外地发生过攻击麦当劳的事件。在中国有关全球化的讨论中,"麦当劳现象"也常常会受到学者们的高度关注。例如,麦当劳开始在中国流行时,就有人为臆想的"中国文化的麦当劳化"而忧心忡忡,甚至危言耸听地惊呼殖民主义已卷土重来,其实这"只不过是一种情绪的宣泄,并没有多少经验的依据。因为在中国,所谓中国文化的麦当劳化是与麦当劳的中国化同步发生的现象,在中国吃过麦当劳的人想必都知道,中国人并不只是把麦当劳当做一种速食快餐(吃完就走),他们常常拖家带口或三五成群地在那儿边吃边聊。这种带有独特的中国文化特征的用餐方式必然使得麦当劳这种起源于西方的快餐中国化。结果是中国的麦当劳既不同于传统的中国饮食文化,也不同于它的西方'原型'——它是一种典型的杂交品种。"②王蒙也认为,即使喝美国的可乐,中国人一定也会喝出中国人独特的方法来,而不会跟美国人一样地喝。

全球化确实会表现出一定程度的趋同倾向,但"趋同"绝不等于"趋一"。"我们不能把'本真性'的标准绝对化,不能把族性的标准无条件地凌驾于其他价值标准之上,成为文化评价的最高的甚至惟一的标准。我们应当提出一种流动主体性、多重自我与复合身份的概念,来阐释文化身份(认同)与语境之间的关联性,化解而不是加深文化认同危机。这种流动性的文化身份概念将使得中国

---

① 王蒙《入世后全球化能把中国文化怎么样》,2001年11月26日13:13"南方网—南方周末"。

② 陶东风《文化本真性的幻觉与迷误——中国后殖民批评之我见》,1999年3月11日《文艺报》。

的知识分子得以在全球化与文化多元主义的时代,在本土与西方、现代与传统、中华性与世界性、自由主义与民族主义等之间进行灵活的选择与穿越,在争取国际间平等文化关系与争取国内自由知识分子身份之间形成良性关系。"①

在当代文学研究领域,有些学者从文学文本出发,对全球化思想给中国文学艺术和文化发展所带来的影响进行了卓有实绩的理论研究。例如,张颐武以冯小刚的《不见不散》为例,认为《不见不散》中没有《北京人在纽约》中的强烈的认同危机。全球化的剧烈冲击使得中国对于美国的理解有了前所未有的演化。"美国在此被'解除神秘'了,空间的移动带来的文化震撼已经远远没有往日那样强烈和紧张了。这个例子说明'全球化'不仅仅是一种时髦的话语,或者一种新的知识,而且是我们的文化经验本身。"②"空间的移动带来的文化震撼",常常是短暂的,但要使不同价值观念的摩擦和冲突得到融合或调和却需要一个相当长的"磨合"时间。

我们相信,全球化所产生的文化认同危机,必将由全球化来克服或消除。"中国人只要回想二十多年前恢复在联合国的席位给我们带来的欣喜与因此而来的巨大变化,就不能不更加感到恢复我们在关贸总协定(即国际贸易组织)席位的迫切性。不过也许很多人没有理会到,参加这样的国际经济组织,事实上也就是参加正在形成中的全球文化的创建。"③

地球只有一个,人类本是一家。我们实际上再也无法找出一条不可替代的理由拒绝全球化。当全球化的浪潮以摧枯拉朽之势铺天盖地而来时,我们应该有勇气和信心向不可预知的未来发出这样的呐喊:让暴风雨来得更猛烈些吧!

---

① 陶东风《文化本真性的幻觉与迷误——中国后殖民批评之我见》,1999年3月11日《文艺报》。
② 张颐武《全球化的文化挑战》,《文艺争鸣》1999年第4期。
③ 李慎之、何家栋《世界已经进入全球化时代》,《中国的道路》,南方日报出版社2000年。

张世鹏

什么是全球化

90年代初全球化问题开始引起西方学术界的重视。①将近十年的全球化学术辩论从一个侧面反映了西方资本主义的最新发展趋势,反映了70年代中期第三次科技产业革命以来西方社会以及整个世界的巨大变动,这种变动涉及政治、经济、社会、文化等领域,涉及经济基础与上层建筑、国内政策与国际关系、发达国家与门槛国家以及不发达国家的相互关系、世界基本格局与人类前途等不同范畴的重大问题。这场学术讨论对于学术界本身的冲击和影响反映在"全球化社会学"、②"全球化政治经济学"、③"全球化政治学"、"全球化国际关系学"、"全球化文化学"等一系列新的学科概念与学科领域的建立。在一定意义上可以说,全球化讨论是对于20世纪资本主义与人类社会发展的历史总结,也是对于21世纪世界发展的展望。

什么是全球化?这是在目前的全球化讨论中一个基本的,也是争论最多、分歧最大的问题。它涉及全球化研究的一系列问题。本文拟集中讨论这个基本概念问题。首先介绍西欧学术界一些有代表性的看法,然后提出自己的见解,与大家讨论。

施密特论全球化现象

赫尔穆特·施密特1974至1982年曾经担任联邦德国总理,下野以后成为颇有影响的政论作家。1998年施密特写作出版了《全球化,政治、经济与文化的挑战》一书,这本书是他1997年12月15日至1998年1月12日在杜塞尔多夫海因里希·海涅大学做客座教授系列讲座讲稿基础上修订扩充而成的。该书试图从对全球化现象的具体描述入手,从形象到抽象逐步深入探讨全球化问题。

　　施密特认为,全球化是一个实践政治命题,也是一个社会经济命题,还是一个思想文化命题。他列举了跨国界收看电视节目、德国轮船航运事业的发展、乘飞机旅行、国际金融等四个方面的事例,④说明"在20世纪的发展进程中,在地球五大洲之间,在世界二百多个国家之间的联系与接触无论在数量上还是在质量上同时经历了巨大飞跃。总而言之,2000年的世界与1900年的世界有着很大的不同。这种差异要比1900年的世界与1800年的世界之间的差异大得多。现代交通技术的发展——不仅是飞机,还有集装箱船和大型油轮——现代通讯交往技术、现代贸易技术和现代金融技术的发展使世界发生了强有力的变化。这种发展在19世纪就已经加快速度,20世纪更是大大加快速度,特别是本世纪的下半叶。"⑤

　　施密特把全球化笼统地界定为世界五大洲之间、各国之间联系与接触在数量与质量方面的巨大飞跃,界定为世界经济的新发展。他描述的4个全球化的事例分别涉及社会文化(电视文化)的全球化,公司企业经营方针的全球化,交通运输的全球化,以及金融市场的全球化。他在围绕这些事例发挥的论述中谈到世界人口的爆炸,在短短几年内参与世界经济的国家成倍增加,技术进步与先进技术的传播以前所未有的速度推进;谈到贸易的自由化,工商企业经营的自由化,货币与资本流通的自由化,发达国家劳动岗位的转移;谈到世界大国力量对比的新格局。他没有给全球化下一个明确的定义,这是一个比较聪明的办法。他的论述虽然并不十分精确,不完全,语言也有些啰嗦,但是基本意思还是清楚的,抓住了全球化的核心内容。他这本书的主要篇幅用于讨论如何迎接全球化的挑战,作为年过八旬的社会民主党的老政治家,思路清晰,目光锐利,敏感地抓住了世界最新发展趋势。

达伦多夫的全球化预言

　　拉尔夫·达伦多夫作为著名的自由主义政论家在西欧政治文化领域独树一帜,自成一派。这位德裔英籍学者曾担任伦敦经济学院院长,现任牛津圣安东尼学院院长。1998年他发表了《论全球化》一文,文章不长,但很有影响,很多人的文章都引述他的观点。

达伦多夫认为,70年代的生态危机,80年代的核武器辩论(特别是切尔诺贝利核电站事故以后),使人们产生了全球意识。"信息革命把人类居住的整个世界变成现实的空间。从电话经过电子计算机到国际互联网的发展道路消除了人们的空间界限,这是以前的任何技术发展所无法实现的。"⑥他强调,除了技术因素以外,80年代以来各国普遍实行的新自由主义政策(放松控制、私有化、自由化)是推进全球化的前提条件。"新的技术能力首先是在一种广泛流行的放松控制的气氛中实现的。""这种情绪在大国中,首先是在美国、英国这些国家中渗透,但是远远超出了这个范围。美元作为拟议的储备货币身份的终结——1971年取消美元与黄金的固定兑换比价——是一个重要步骤。伴随汇率浮动开始了一个至少有利于金融市场全球化的发展过程。而且开始了两个贸易自由化的多轮谈判。当时的关税与贸易总协定组织的乌拉圭回合在某种范围内还包括了服务业。它导致了一个新的调节机构的出现,这就是1945年人们曾经努力追求,但是当时毫无结果的世界经贸组织,或者世界贸易组织。"⑦在这种条件下,世界经济发生了巨大变化。"在90年代经济发展不再是少数几个国家的事情。它实际上已经成为全球性的事业。"⑧

达伦多夫同样没有为全球化做出明确定义,但是他批评了目前人们对于全球化的片面认识。"全球化概念不仅被人们(错误地)想像为一条单行道的路线,而且还是一条以同样的方式涉及所有方面,所有的人、所有企业、所有国家的道路。全球化看起来确实像是一个伟大的平均主义者。然而这是一个轻率的又危险的错误。"⑨他认为"全球化是具有极限的,它既有区域上的、也有经济和社会方面的极限"。首先,并不是世界上所有国家都参与了经济全球化,"称为全球化的这一过程"仅仅"遍及发达国家经济",⑩事实上仅仅是"为数不多的几个公司企业在整个世界进行活动"。⑪其次,达伦多夫认为,并不是所有领域都应该全球化和市场化。例如国家对于法律和秩序、对于福利、对于教育、对于税收的行政管理,还有服务业的某些领域,某些生产部门,某些区域性经济空间都应该摆脱全球化的压力。"总之有一个全球化的限度问题,无论如何全球化不是未来经济与社会的惟一重要的因素"。⑫

达伦多夫用更多的篇幅论述全球化的后果。"从益处方面来说,全球化为千百万人开辟了一种出乎意料的生活机遇","在很久以前就已经十分发达的世界中,全球化意味着新的经济增长","总体看来,经济合作与发展组织国家越来越富"。⑬"全球化意味着把竞争两个字写得很大,把团结互助几个字写得很小。""全球化使得使用很少的人力劳动就可以满足生活需要的产品与服务,比以往在有限的经济空间内所需要的劳动力要少得多。""由于全球化导致的劳动世界的变化导致了一种社会失控。""全球化剥夺了迄今发挥作用的代议制民主惟一的家园,即民族国家的经济基础。""全球化损害了市民社会的团结。""走向全球化的发展及其社会后果与其说会助长民主法制,不如说助长专制的法制。""对于21世纪来说,一个集权主义的世纪绝对不是难以相信的预言。"他的这个预言引起人们的重视,并且被广泛讨论,显示出他在目前西欧学术界的巨大威望和影响。

哈贝马斯的全球化定义

德国著名的社会哲学家于尔根·哈贝马斯1998年发表了《超越民族国家?——论经济全球化的后果问题》一文,明确地把全球化界定为"世界经济体系的结构转变"。哈贝马斯认为:对于市场全球化必须要做出概念的专门界定,因为现在还没有一个无所不包的世界市场。它指的是一个过程,对于这个过程主要有4个显示指标:

▲国际贸易在地域上的扩大,相互作用的密集程度日益增多。首先是工业商品的贸易,把各个局部市场上的各国国民经济越来越多地变成了一个世界经济的附属品。与此同时,这种贸易的结构组成也在发生变化:新的通讯交往技术的引进使得各个大洲之间能够借助服务业进行国际贸易,在相隔很远的地方进行生产、储存与消费(如软件生产转移到发展中国家)。

▲金融市场的国际网络化促进了短期投资,加快了资本流通,运动中的资本很容易摆脱各国税务机构的干预,在国际交易所的压力下,政府陷于一种局外人的地位,这些交易所可以对于各国政府的利率政策、财政预算政策等方面的决策做出反应。结果使得外汇投机与金融衍生物投机组成了一种独立的"符号经济"。

▲在其他国家越来越多的直接投资归功于跨国协调合作的发展,这种协调合作在决策中越来越独立于本国生产基地,因为它们

可以使用资本外逃的选择权（并以此进行威胁）。在这方面，关于所谓"劳动岗位的出口"，例如从西欧转移到东亚、拉丁美洲，以及中欧、东欧等低工资国家，正在引起人们的争论。在发达国家里，这首先冲击到技术装备较差的工业中技术水平较低的劳动力。

▲从"门槛工业国家"出口的工业商品直线上升，这加强了对于经济发展与合作组织国家的竞争压力，推动它们在优先发展高新技术产业部门的方向上，对于本国经济进行改造。⑭

哈贝马斯文章的重点在于论述全球化的后果问题，所以他用很大篇幅分析经济全球化如何"摧毁了一种历史上曾经使得社会福利国家的妥协成为可能的政治力量对比格局，也许这种妥协绝对不是解决资本主义内部问题的理想方式，但是至少可以把所出现的社会代价维持在人们可以接受的界限之内"。⑮"全球化的经济剥夺了调控国家进行干预活动的基础。"⑯"在经济全球化的条件下，凯恩斯主义再也无法在一个国家范围内发挥作用。"⑰"全球化的进程，不仅是经济全球化，使我们逐渐习惯于另一种观察问题的角度。从这个角度，我们越来越清楚地看到社会福利活动范围变得日益狭隘，看到人类共同承受的风险以及集体命运把人们紧紧地联系在一起。"⑱哈贝马斯说："今天，社会科学绝对没有对于全球化这个已经引起人们惊慌失措的事实状况和影响置之不理，而且少数几位社会学家已经用他们的时代预言向广大公众发出警报。"

哈贝马斯和达伦多夫都已经发出了他们的警报。

贝克的《什么是全球化？》

在理论概念多元化的西欧学术界，关于全球化概念始终没有统一的定义。就本文作者目前所读到的全球化著作视野内，德国著名社会学家、慕尼黑大学乌尔利希·贝克教授在1997年出版的一书中所下的定义比较全面细致。他把广义的全球化概念细划分为客观现实、主观战略与主客观相互作用的发展进程三个不同的层次，分别使用了全球性、全球主义与全球化三个不同的概念。

贝克写道："全球性指的是，在封闭空间的设想全是虚幻的意义上的，我们长期生活在一个世界社会中，没有一个国家，没有一个集团能够与外界相互隔绝，所以各种不同形式的经济、文化、政治相互碰撞，这是理所当然的，就是西方模式也必须为自己重新辩护。在这里,世界社会指的是各种社会关系的总和,它不会被整合在某一民族国家政治中,也不会被某一民族国家所支配。""在世界社会的词组中,世界是存在差异、多样性的,社会是非一元化的社会,这样人们就把世界社会理解为没有实现统一的多样性。这个世界社会是以千差万别的差异为前提条件的:跨国的生产形式与劳动市场竞争、新闻媒介的全球消息报道、跨国的买方联合抵制、跨国的生活方式、全球关注的危机与战争、核能的军事与民事应用、自然界的破坏等。"⑲

是什么东西使得这种全球性变得不容修正?首先要说到8个理由:1)国际贸易地域的扩大,相互作用关系日益频繁,金融市场的全球网络化,跨国康采恩力量的增长;2)信息与通讯交往技术的持续革命;3)全面贯彻人权的要求——也就是全面贯彻(言论)民主的原则;4)全球文化工业的影像流动;5)后国际的、多元行动主体与客体的世界政治——除了执掌政权的政府以外,还有大量的、越来越多的跨国行动主体(康采恩、非政府组织、联合国);6)全球贫困问题;7)全球环境破坏问题;8)各地的跨国文化冲突。⑳

"在这种条件下,社会学获得了一种新的意义。也就是说,它所研究的是这样一个问题,是什么东西使得人们的生活具有组成一个世界的意义?全球性描述的是这样一个事实:从现在起,在我们星球上发生的事情失去了地域的局限,所有发现、所有胜利与灾难都与整个世界息息相关。我们必须把我们的生活与行动、我们的组织与机构,按照地方～全球的坐标重新定向,重新组织。"㉑

贝克接着写道:"我用全球主义描述的是这样一种观念,用世界市场排挤或者取代政治行动,这也就是说,世界市场统治的意识形态,新自由主义的意识形态,他们单一地仅从经济上处理问题,把全球化的多范畴性简化为单一的经济范畴,而且是直线思维,把所有其他范畴——生态的、文化的、政治的、市民社会的全球化都置于世界市场体系支配下。当然,如果不赋予经济全球化一种核心意义,公司企业活动主体的选择权与行动就会被否认或者贬低。全球主义意识形态的核心在于,在这里消除了第一次现代化的基本分歧,即政治与经济的差异。本来政治的中心任务就是要创造出法律的、社会的、生态的基本条件,在这样的条件下经济活动才能在社会上顺利运行,并获得合法性。现在却跳出了这种视野,或者说,完全颠倒过来。全球主义设想,领导诸如德国这样一个如此复杂的上层建筑——也就是国家、社会、文化、对外政策——就像领导一个公司企业一样。从这个意义上说,这是一种经济帝国主义。公司企业要求这种帝国主义创造出能够以最佳途径实现自己目标的基本条件。"[22]

在对于全球性、全球主义做出如此解释之后,贝克提出了他的全球化定义。他说:"全球化描述的是相应的一个发展进程,这种发展的结果是民族国家与民族国家主权被跨国活动主体,被它们的权力机会、方针取向、认同与网络挖掉了基础。"[23]"全球化指的是在经济、信息、生态、技术跨国文化冲突与市民社会的各种不同范畴内可以感觉到的、人们的日常行动,日益失去了国界的限制。归根结底,无论人们是否相信、是否理解,这些都与可以感受到的日常暴力一起从根本上发生变化。一切都被迫适应这种变化,并做出回答。金钱、技术、商品、信息、毒品都超越了国境。这些原来都是无法设想的。甚至政府也情愿让一些东西、人物、思想(毒品、非法移民、对于破坏人权的批评)在国外寻找出路。按照这种理解,全球化指的是空间距离的死亡。人们被投入往往是很不希望、很不理解的跨国生活形式中。根据安东尼·吉登斯的解释,这是超越空间距离(由不同民族国家、宗教、区域、大陆组成的似乎是相互隔绝)的世界。"[24]

贝克把目前的全球化称为第二次现代化。他认为:"全球化向第一次现代化的基本前提提出了挑战,这个基本前提就是著名思想家亚当·斯密所说的方法学的民族主义。即一个社会的基本轮廓与民族国家的基本轮廓完全重合在一起。由于全球化使得国家与社会之间在它们的所有范畴内都出现了与此相对的、多种多样的、纵向与横向联系。以前把民族国家与社会当做地域上用边界相互隔离的组织与生活单位,现在这种基本设想结构不断崩溃。全球性说的就是民族国家与民族社会单位的破裂,一方面是民族国家单位、民族国家活动主体,另一方面是跨国活动主体、跨国认同、跨国社会空间、跨国形势与发展进程,两者之间形成新的力量对比、新的竞争关系、新的冲突与相互关联。"[25]

贝克作为全球化社会学的创始人,他的全球化概念得到学术界的广泛认同,他与那种把全球化仅仅作为经济现象、仅仅作为跨国公司发展战略的狭隘作法相比,视野显然更加广阔,更加全面。在西欧的全球化辩论中,许多学者都把全球化看做是一种多元范畴的发展进程。

里斯本小组论全球化范畴

90年代初,欧洲委员会自然科学与技术评估预测计划的领导人、比利时勒芬天主教大学经济学教授里卡多·比德雷拉倡议建立由欧洲、北美、日本等发达国家的近二十名专家学者组成的"里斯本小组",集中研究全球化问题。1995年出版了《竞争的极限——经济全球化与人类未来》一书。在这本书中,里斯本小组对于全球化的概念、基本范畴与发展动力做了比较权威的界定。里斯本小组写道:"经济与社会的全球化是一种新的现象,它可以采取各种不同的形式与表现方式。其中一些形式与表现方式在今后十至十五年内也许会消失,或者失去意义。民族的因素,还有国民经济与社会的变化都不断受到全球化的影响。目前还没有一个行之有效的全球化模式,所以今天人们很难找到一个普遍承认的定义。""然而,对于全球化所做的任何一种类型划分都不能示范性地概括出全球化的全部本质与特点。任何一位居于领袖地位的理论家都不能说自己能够比别人更准确地说出这一伟大真理的内容。"

"在最近十五至二十年内,在如此众多的领域发生如此重大的变化(金融、通讯交往网络、基础设施、公司企业的组织、交通运输业、商品与服务的流动、消费行为、价值体系、民族国家的作用、人口增长、土地政策),诸如国际化、跨国化之类的概念已经不能准确地描述目前的发展和它的意义。全球化这种新概念的普遍流行绝对不仅仅是一个时髦现象,它反映了人们要求理解这一发展进程的需求,这个进程使得传统概念已经变得毫无意义,或者变得很不明确。当然,并不是所有关于全球化的理论都是很正确的,简单地把各种各样的概念混合到一起也无法接近真理,我们的定义依据安东尼·迈克劳和他的助手的建议:全球化涉及了国家与社会之间多种多样的纵向与横向联系,从这些联系中产生了今天的世界体系。全球化由两种不同的现象组成:作用范围(或者横向扩展)与作用强度(或者纵向深化)。这个概念一方面解释了一系列发展进程,这些进程或者席卷了这个星球的大部分地区,或者在世界范围内产生影响。所以这个概念具有一种空间内容。另一方面,它还意味着在组成世界共同体的国家与社会之间相互作用、横向联系、相互依赖关系的强化。横向的扩大与纵向的深化同时进行——因此全球化远远不是一个抽象概念,它说出了现代生活的众所周知的典型特征——当然,全球化并不意味着这个世界已经从政治上实现统一,经济上已经完全一体化,文化上已经同文同质。全球化在很大程度上是一个十分矛盾的过程,它的影响范围十分广大,它的结果又是多种多样的。"㉖

里斯本小组认为,人们可以区分出许多不同的全球化发展进程:

金融与资本占有的全球化。包括金融市场的放松控制,国际资本的流动性,公司兼并与收购的增加,处于早期阶段的股票占有的全球化。

市场与市场战略的全球化。生意进程在世界范围的一体化,在国外一体化的工作程序的稳定化(包括科研与发展),在全球寻找组合与战略联合。

技术和与它相联系的科研与发展,以及知识的全球化。技术成为关键因素,信息技术与通讯交往技术的发展使得在一个公司内部,或者在几个公司之间能够建立起全球网络,作为"丰田化"/减肥生产过程。

生活方式与消费模式以及文化生活的全球化。居于优势地位的生活方式在各国之间相互转换与移植,消费行为的趋同,媒体的作用,关贸总协定的规则被用于文化交换。

调节能力与政治控制的全球化。民族国家政府与议会的作用被削弱,人们努力创造新一代的全球控制规则与机构。

作为世界政治统一的全球化。在一个中心权力的领导下,在一个全球经济与政治体系中,对于世界社会的一体化做出以国家为中心的分析。

观察与意识的全球化。以"第一世界模式"为榜样的社会文化发展进程,以"世界公民"为基准的"全球化运动"。㉗

综上所述,全球化这个概念涉及如此众多领域的众多现象,所以,全球化问题研究是一个跨学科的巨大工程,而要想寻找全球化历史的开端则是十分困难的事情。在理论多元化、研究方法多元化的西欧学术界,硬要找出一个被大家公认的全球化起始年代,恐怕是徒劳无功的难事。在这个问题上,目前的分歧是如此巨大,就经济全球化而言,把全球化等同于跨洋远程国际贸易的学者,自然把15、16世纪荷兰、西班牙商船远征看作全球化的起源。㉘把全球化界定为世界经济结构变化的人,当然会把本世纪初世界经济概念的出现说成是全球化的开端。㉙如果把全球化解释为统一的世界货币体系的形成,那么就要从第二次世界大战以后布雷顿森林货币体系的建立开始起算。㉚而1972年布雷顿货币体系崩溃,美元与其他货币实行浮动汇率,则被那些把全球化定义为西方资本跨国自由流动的学者当做资本全球化的序幕。㉛还有人声称全球化就是市场经济的世界化,他们把1989年苏东巨变,苏联东欧地区抛弃社会主义计划经济模式,实行彻底的自由主义市场经济作为全球化发展的历史界碑。

在全球化研究中有两种极端态度,一种把全球化的标准定得很高,断言只有当一个无所不包的、完全一元化的世界市场最终形成的时候,才真正谈得上全球化。换句话说,现在根本没有什么全球化,目前的所有全球化宣传不过是子虚乌有,夸大其词。另一种极端态度把全球化的标准定得很低,宣布早在资本主义诞生以前,世界就已经开始全球化,至今已有五六百年的历史,今天的全球化是历史发展的继续,没有什么新东西。

迄今为止,本文作者所读到的全球化著作就基本立场而言,基本上可以分为三派。一是传统自由主义与新自由主义立场,他们认为全球化不过是建立在亚当·斯密比较成本优势理论基础之上的国际分工与国际贸易在目前的发展。他们对于全球化的评价基本上是积极的。他们呼吁,为了加强在世界市场的竞争地位,必须加强科研,改革教育,降低工资成本,减少国家福利开支,削弱工会力量㉜。与此截然相反的是左翼知识分子的全球化著作,基本上应用马克思主义立场观点方法研究全球化问题。在德国比较著名的如西柏林自由大学政治系主任埃尔玛尔·阿尔特法特教授撰写出版的《全球化的极限》、《涡轮资本主义》,格奥尔格·科内特教授出版的《从金融资本到全球化》,《明镜》杂志记者彼德·马丁与哈拉特·舒曼合作的《全球化陷阱》等。他们认为,全球化是80年代初新保守主义政党执政以来所大力推行的新自由主义政策的结果,全球化带来了世界金融市场的严重危机,使得西欧社会的大规模失业的劳动社会危机,社会福利国家危机,以及民主制度的危机进一步加剧,无论是西方资本主义国家内部还是世界范围内,贫富分化不断扩大,达到威胁现存制度稳定的地步。他们把全球化研究与资本主义批判结合起来,在社会上产生了很大影响,基本打破了80年代垄断西欧社会的新自由主义市场崇拜的社会气氛。第三种立场属于社会改良主义立场的学者,他们认为全球化既是挑战又是机遇,既带来了社会风险,又会使社会财富进一步的增长。他们一面呼唤效益,一面祈祷社会公正。对于全球化所带来的一系列负面影响做了许多批评。特别是一批社会改良主义的学者,一些哲学家、社会学家,如德国的乌尔利希·贝克,英国的安东尼·吉登斯,他们以全球化问题为契机,在政治文化领域掀起了一场革命。针对政治领域的全球化,提出了"建立新的超越传统左右概念的政治坐标"、"世界公民权利"、"世界公民社会"、"世界国家"、"世界管理"等一系列新的政治概念。在西欧社会同样产生了很大影响,基本上代表了以科技知识分子为骨干的新中间等级的社会心理与意识形态。里斯本小组的《竞争的极限》基本可以划入这个范畴。

那么,我们在全球化研究中,究竟应当如何理解全球化这个基本概念?

首先需要强调的是,全球化是一个多元概念,它具有许多层次,研究全球化应当避免单向思维。就字面而言,全球化是一个无主语的模糊概念,包含了"成为全球性的"、"扩展到全球范围"、"上升到全球水平"、"在全球范围内紧密联系在一起"、"在全球范围内组成一个整体"、"着眼于全球范围进行思考"、"在全球范围内采取行动"等多种含义。全球化固然是一个客观的发展进程,同时更多的是一种主观感受,诸如"地球变小了"、"我们都生活在一个地球上"、"地球村"、"世界社会"。这些概念和想法很大程度上是由于信息革命、通讯交往技术的革命扩大了人的视觉听觉范围,扩大了人的行动范围,使人长了"千里眼"、"顺风耳"、"日行万里"的飞毛腿以后的主观感受。所谓"全球意识"也就是对于人类共同面临的许多全球问题的观察与感受。所以我们认为,贝克把广义的全球化划分为全球性、全球主义,以及作为发展进程的全球化三个层面的作法值得重视。在中国的全球化讨论中,有人仅仅抓住全球性一个层面,声称全球化是一种客观发展规律,只能积极欢迎,大力促进。与此同时,有人只抓住全球主义的层面,把全球化看作西方资本统治世界的战略方针,必须坚决抵制。这两种看法都各有片面性。

全球化这个词汇本身没有主语,很模糊;如要加上一个主语,这个主语实际上也是多元的,变化不定的。全球化涉及社会、经济、文化、政治等人类生活的一切领域,正像里斯本小组在《竞争的极限》中所说,目前还没有一个行之有效的全球化模式,也还没有一个普遍认可的定义。人们很难(几乎无法)用一句明确的解释准确地描述全球化所涵盖的全部内容。而现在人们谈论全球化主要是指经济全球化,而且主要把目光集中在80~90年代世界经济的发展变化。而经济全球化包含的内容一方面是世界经济领域客观发展进程,另一方面又是某些经济活动主体(例如跨国公司)的运筹行动战略。

在经济发展进程的层面上,全球化确实存在着极限,存在对于地域范围、发展程度、发展水平、发展阶段的冷静估计问题。目前确实远远没有形成一种一元化的世界经济,没有形成一个无所不包的一元化的世界市场。事实上主要是北美、西欧与日本、东南亚这个世界范围的三角地带经济联系日益紧密。广大第三世界国家,特别是非洲国家完全被甩到全球化进程的外面。真正谈得上全球化的主要是金融市场,资本流动实现了全球化。而劳动力市场目前主要还局限于民族国家范围的流动,虽然国际劳动移民问题的严重性被大肆渲染。全球化的活动主体主要是西方跨国公司,它们的全球化发展战略正在讨诸实施,并且从中获取超额利润。金融市场的全球化与跨国公司的全球化发展战略直接牵涉到改革开放的中国的利益。前者一方面使我们有可能获得外国资本的投资,另一方面则意味着金融投机的全球化,金融风险的全球化。这是对于发展中国家的巨大威胁。而跨国公司进入发展中国家,利弊得失需要认真计较。总之都有一个趋利避害的问题。经济全球化从这个意义上说,对于我们是"双刃剑",需要冷静思考,灵活处理,特别要有长远打算。"明知陷阱需谨慎",不能落入西方经济活动主体布下的陷阱之内。

在谈论经济全球化的时候,另一个不容回避的问题就是我们正在面对一个全球化资本主义。如加拿大多伦多约克大学教授、著名左派学者埃伦·伍德在1996年发表的《现代主义,后现代主义,还是资本主义?》一文中所写的:"资本主义第一次接近成为一种世界体系","资本主义已成为一种真正的全球现象",资本主义本身正在普遍化,"它的社会关系、它的运动法则、它的矛盾正在普遍化——商品经济、资本积累和追求最大限度利润的逻辑已经渗透到我们生活的各个方面"。"资本主义已经成熟。我们看到的也许是作为一种无所不包的体系的资本主义所产生的最初的真正影响。我们看到的是资本主义作为这样一种体系的后果,这种体系不仅再也没有一个真正的竞争对手,而且也没有一条真正的出路。资本主义带着它自身的内在的矛盾孤独地生活着。它在自身内在机制之外找不到任何帮助,来纠正或者补偿这些矛盾及其破坏作用。甚至被称为资本主义最后避难所的帝国主义也不像当初那样了。"㉝

对于我们来说,这个命题具有极其重要的意义。它意味着西方资本主义正处于发展的颠峰阶段,它的内部发展潜力还没有挖掘净尽,还具有相当旺盛的生命力。经济尚且处于落后阶段的社会主义中国目前正面对世界资本主义体系的包围,而在今天全球化的历史条件下,关起门来进行现代化建设已不可能。这种形势又向我们提出了两个方面的问题。第一,如何在改革开放的过程中,在引进西方先进科学技术、管理经验与西方资本的同时不会被西方"套牢",落入"陷阱"? 第二,作为社会主义国家如何与资本主义划清界限? 特别是与新自由主义划清界限? 在西方的全球化辩论中,新自由主义派别有意识地宣传一种强者生存,胜者通吃,弱肉强食的竞争主义,片面强调在世界市场上的竞争实力,而否定社会公正、团结互助的重要价值。苏联在改革过程中,改革路线不断向右调整,最终在彻底资本主义化的新自由主义路线下闹得国家崩溃,民族分裂,天下大乱,少数权贵一夜暴富,绝大多数人跌入贫困化的深渊。对此我们必须引以为戒。

至于政治领域,目前远远没有实现全球化。相反在经济全球化不断发展的同时,政治上的民族利己主义、民族霸权主义、种族分裂主义、种族排外主义、资本帝国主义的霸权政策、新干涉主义的战争行动日益升级。人们称为"全球化的悖论"。西方资本国家在政治全球化的口号下,提出"世界公民权利"、"世界社会"等十分超前的新概念,实则贩卖霸权主义,要求把一部分民族国家主权交让给被霸权力量控制的某些国际组织,企图用人权高于主权的口号剥夺发展中国家的民族国家主权。对于全球化辩论中的这个方面的问题我们需要进一步加强研究。

注释:

① 据加利福尼亚大学国际政治研究所1991年公布的资料,1990年在主要经济杂志上总计有670篇文章在标题中使用了"全球的"或"全球化"的词句。与此相比,在整个80年代研究全球化的文章总计不过50篇。参见里斯本小组《竞争的极限》,第199页,注释27。
② 参见乌尔利希·贝克《什么是全球化》,祖尔卡姆出版社1998年。
③ 参见阿洛伊斯·普林茨与汉诺·贝克《全球化政治经济学》,[德]《议会周报——政治与现代史》,1999年第23期,第11~16页。
④ 详见赫尔穆特·施密特《全球化,政治、经济与文化的挑战》,德国出版社,斯图加特,1998年,第12~14页。
⑤ 同④,第14~16页。
⑥ 拉尔夫·达伦多夫《论全球化》,收入乌尔利希·贝克主编《世界社会的前景》,祖尔卡姆出版社,美因河畔法兰克福,1998年,第41页。
⑦ 同⑥,第43页。
⑧ 同⑥,第44页。
⑨ 同⑥,第53页。
⑩ 同⑥,第46页。
⑪ 同⑥,第44页。
⑫ 同⑥,第45页。
⑬ 同⑥,第46页。
⑭ 于尔根·哈贝马斯《超然于民族国家吗?》,收入贝克主编《全球化的政治》,祖尔卡姆出版社,1998年,第70~71页。
⑮ 同⑭,第73页。
⑯ 同⑭,第73页。
⑰ 同⑭,第72页。
⑱ 同⑭,第76~77页。
⑲ 乌尔利希·贝克《什么是全球化》,祖尔卡姆出版社,美因河畔法兰克福,1997年,第27~28页。

⑳ 同⑲,第29~30页。
㉑ 同⑲,第30页。
㉒ 同⑲,第26~27页。
㉓ 同⑲,第28~29页。
㉔ 同⑲,第44~45页。
㉕ 同⑲,第46页。
㉖ 里斯本小组《竞争的极限——经济全球化与人类的未来》,联邦德国政治教育中心,1997年德文版,第47~50页。
㉗ 同㉖,第49页。
㉘ 参见伊曼纽尔·沃勒斯坦《现代世界体系》,圣迭尔出版社1974年,第一卷。又可参见狄特玛尔·布洛克《全球化时代的经济与国家》,[德]《议会周报副刊——政治与现代史》,1997年第33/34期,第12~19页。
㉙ 参见格雷厄姆·汤普森《全球化与国内经济的可能性》,德国艾伯特基金会出版《国际政治与社会》杂志,1997年第2期,第161~171页。
㉚ 参见塞拉斯·比纳与贝扎德·亚格梅安《战后的全球积累和资本的跨国化》,收入王列与杨雪冬编译《全球化与世界》,中央编译出版社1998年,第28~50页。
㉛ 参见约阿吉姆·比朔夫《全球化,世界经济结构变化分析》,收入张世鹏与殷叙彝编译《全球化时代的资本主义》,中央编译出版社1998年,第23~54页。
㉜ 参见[德]《国际政治杂志》,1998年全球化特刊。这期杂志收录了世界经济组织、国际货币基金组织、世界银行、联合国等国际组织有关全球化的文件,还收录了德国基督教民主联盟、基督教社会联盟、德国政府首脑、跨国公司领导人关于全球化的谈话。这期杂志基本反映了新自由主义的全球化观点。
㉝ 埃伦·米克辛斯·伍德《现代主义,后现代主义,还是资本主义?》,收入张世鹏、殷叙彝编译《全球化时代的资本主义》,中央编译出版社1998年,第276~277页。

原载《欧洲》2000年第1期

陆 扬

全球化、后现代与人文科学的未来

一

"全球化"是作为一个经济概念于 80 年代被提出来的。迄至今日,它早已越出单纯的经济范围,而全面影响到科学、文化和社会政治等领域。全球化的推进过程被认为明显具有两个特征,其一是西方势力以经济和军事为后盾,进行世界范围的扩张;其二是西方发达国家和跨国公司,在全球化舞台上出演主角。以至有人直言不讳,全球化就是美国帝国主义化。但是以苏联解体为标志的冷战时代结束以后,就人文科学的研究来看,无论是传统的人文主义哲学,还是将标新立异引为己任的后现代主义文化,都有倡导兼收并蓄、融会贯通,让古代和现代、西方和东方展开对话的趋势。本文拟就这一趋势作一些述评和分析探讨。

先说全球化有帝国主义之嫌的观点。1998 年,我在苏州和北京分别参加过两次以全球化为题的会议。盛夏 8 月的北京会议上,令许多与会者精神为之一振的,是哥本哈根大学查尔斯·洛克教授的发言,发言的题目就叫做《全球化是帝国主义的变种》。洛克本人是英国人,所以严格来说他的发言还算不上边缘世界的呼声。他直言不讳全球化就是帝国主义的另一个名称,指出他作如是说是因为现在大家都异口同声否定将全球化同帝国主义混为一谈。所以事实是对全球化与帝国主义作任何牵连,都会受到压制。这里可以见出人文科学工作者的不幸命运,他们被时代的大潮冷落一边,却勇敢地向这大潮挑战,可是到头来,他们的发现和见解却反而常常被他们所不赞成的文化机制加以利用。就好像人类学家和种族学家的学术兴趣,早就沦为服务于帝国主义的工具了。洛克声明他上述论点的逻辑是:全球化包括我们所有的人,又排除了我们其中任何一个人的责任。大家都是它的臣民,因为臣民当中实在推举不出任何一个领导、一个中心、一个起源和一个权威。我们无法验证权力的出处,无法找出怨恨的起因。经济学家已经断言,在不久的将来的全球化时代,世界上将有 1/4 的人生产维持其余 3/4 的人过上小康生活的一切必需品。随着工人阶级无望地变成少数,传统意义上的阶级斗争将被顺利地消除。然而全球化光顾的只是那上过上幸福生活的 3/4 的世界公民,留给其余 1/4 劳力者们的,只能是令人沮丧的"本土化"。

　　洛克的以上看法并非危言耸听。事实上在 1998 年苏州会议上,当主持人提议与会者各人用两个词来描述对全球化的理解时,虽然"希望"、"机遇"、"多元统一"等中听的话儿不断,但是也同样出现了类似"危险"这样的警惕之音。但总的来看这种观点市场不大,这不但是因为世界的全球化趋势已经成为我们不以人的主观意志为转移的生存现实,以指责它是帝国主义的变种来开脱我们自己的应变责任,无论如何不是一种现实主义的态度,而且全球化说到底至少是机遇与风险并存。特别是在人文科学领域,它无疑是为新的理论建树提供了一块丰实的土壤。同洛克的激进立场针锋相对的是美国哲学家乔治·麦克林的人文主义全球化哲学思想。1998 年 6 月的苏州会议上,麦克林这样描述了全球化的图式:60 年代末宇航员阿姆斯特朗登上月球,举目所及的是一片死寂在酷热和严寒之间游移,没有半点生机。但是阿姆斯特朗看到的另一景象意味深长。像他的几位宇航先辈一样,阿姆斯特朗得以把一个整体的地球尽收眼底,这在人类历史上是没有先例的。人类千万年以来习惯了逐一推进审视片段,现在他第一次把自己居住的这个星球,整个儿收入了视野。

　　麦克林注重在传统与当代反传统思潮之间寻找新的契合点,提出"多元统一"为全球化哲学研究的标识。多元统一是一句老话,但是旧话重提未必没有新的启示,这一点上或许正可见出人文主义哲学的某些特征。为此麦克林所举的例子也出人意表。他举的是 15 世纪德国哲学家库萨的尼古拉的例子,15 世纪正在西方思想的转折点上,库萨本人则多被描述为最后一个中世纪人,最早一个现代人。麦克林引杜威《哲学重构》中语,指出古代的宇宙观是托勒密地心说的一统天下,以地球为中心,太阳和行星在不同层面上围绕地球运转,而这一切都发生在一个有限的、秩序有定的宇宙之中。与此相反,现代的宇宙观是缘起于哥白尼的日心说,日心说的宇宙是无限的,没有中心,没有方向,一切都有可能,一切都没有可能。就在这两种宇宙观中间,麦克林发现,库萨的尼古拉正扮演了一个沟通新旧文化的重要角色。他的依据是库萨哲学一方面可以见出托勒密地心说的鲜明印记,即以天体的等级为人文等级的原型,以人体小宇宙为天体大宇宙的缩影;另一方面,又早于哥白尼几乎一个世纪,意识到地球也不过是围绕太阳运转的一颗行星。不但如此,甚至对于人文关系,麦克林发现库萨的识见也走在了他的时代前面。他指的是库萨作为教皇使节,出使当时为土耳其人攻占的君士坦丁堡,用欧洲的眼光来看,土耳其人是非我属类的异民,然而库萨不但与土耳其人相交无事,还在对方身上发现了欧洲人所不具有的另外一些足以称道的气质。麦克林认为这里库萨极好地体现了多元统一的全球化作风。他甚至说,库萨奉行的哲学,其实与孔子倡导的中庸之道非常相似。库萨的意义在于,他充分认识到了整体之中的每一个部分都是不可化解的,都有它们无以替代的独到意义。而人类在宇宙中的独特位置,就在于将一切可能形式的存在,无论是无机物、生命、意识以及精神,融合组构成为一个生机勃发的整体。这样一种多元统一的宇宙观,麦克林发现,正可以用来诠释今日弥漫到这世界每一个角落的全球化的话题。

二

就麦克林对全球化的以上描述来看,基本上是旧话重提,用传统来阐释当代。旧话重提似乎是当代哲学一个乐此不疲的所好。不光是力图守住传统立场的人文主义哲学是这样,即便追逐新异惟恐不及的后现代理论,似乎也没有什么两样。对此称得上当代西方马克思主义和后现代主义头号理论家的弗雷德里克·杰姆逊,在他1998年出版的新作《杰姆逊论后现代主义》中,就指出所谓旧话重提,是因为后现代主义经常被概括为什么东西的终结。

但是说到底,现在要应对的,并不是某种如此这般新的生产方式,而是一个早已存在的资本主义制度的变种。所以在现实中,一个更为广阔的哲学本身的复兴,带着它全部陈旧不堪的学院和学科形式,正在扑面而来。关于时下流行的"主体"回归,杰姆逊则认为,这个十分中听的新话题,实是来自对昔年"主体死了"命题的矫正。它的直接结果,是后结构主义的铺天盖地滚滚而来,伴随着重又勃兴起来的马克思主义和60年代的精神。但诚如当年福科等人多有阐释的"主体死了"的命题,其反传统中却见出对传统的依赖,"个体的回归"也很有一些叫人啼笑皆非的意味。一个引人注目的事实是,在当代西方对马克思的新禁忌留出的真空当中,"政治哲学"最是声势不凡、旗帜鲜明地复兴了自身。

后现代主义据一些西方理论家的定义,被认为是一个包括文化研究、主权主义研究、同性恋研究、科学研究和后殖民主义理论等等在内的反传统学术大拼盘,众声喧哗之下要说有什么共通之处,恐怕只能是一种可以大致名之为激进和左倾的政治态度。根据杰姆逊对全球化的最新理论描述,全球化背景下后现代性的产生,至少包括这样三个条件:一、资本的全球性运作,二、信息时代的来临和高科技的冲击,三、后现代社会的消费文化。以近年来在后现代思潮中锋芒毕现的后殖民主义理论而言,爱德华·赛义德1993年在上述全球化背景中出版的《文化与帝国主义》一书的导言部分即讲到他所说的文化主要是有两个方面的含义。其一是指一切相对独立于经济、社会、政治领域的活动,就像形形色色描述、传播和表现的艺术,时常是以审美的形式出现。故而它所追求的主要目标之一,就是快感。这毋宁说指的就是上文杰姆逊提及的后现代社会的消费文化。其二则取马修·阿诺德1860年代的说法,以文化网罗起每个社会中最好的东西,让人在一片光辉中观照自身,观照自己的民族、社会和传统。究其实质,却是在给血腥强暴、铜臭气味十足的都市社会生活,披上一块遮羞布。不消说,文化这两个方面的内涵,在赛义德看来正体现了英、法、美帝国主义的文化特征。后者讲的也是文化认同问题,据赛义德的观点,这一方面与其说是弘扬传统,不如说是推波助澜,搞惟我独尊的文化排他主义。此一文化观,显然很大程度上正是赛义德东方主义理论的由来,它所针锋相对的正是全球化过程发轫之初,咄咄逼人扑面而来的西方主义。

但东方主义作为挑战西方主流文化的"少数者话语"之一,实际上是走到了另一个极端。就赛义德的后殖民主义理论在国内的接受来看,其置于民族主义框架加以阐释的倾向也非常明显。一味强调全球化的同质化方面必然会忽视全球化也是一个异质化的过程。打个未必恰当的比方,好莱坞影片的长驱直入早已让今日许多人对国产影业的前景忧心忡忡。但是这担忧并不能成为国人偃旗息鼓,拱手交出市场的理由。美国是一个多民族和多种族的国家,一向以大熔炉的称谓而自豪。但是随着全球化进程的推进,大熔炉理论已经明显黯然失色下去。即以电影而言,中国人的电影,印度人的电影,墨西哥人的电影,各领风骚,自成体统。而且它们的观众绝不仅仅限于本民族的移民或者后裔。我清楚记得前些年在美国的时候,学生们是怎样眉飞色舞谈起《大红灯笼高高挂》和《霸王别姬》,女教师们又是怎样传授该带着手帕去看《喜福会》的经验。比较同一性,无论是在哲学还是在文化认同方面,差异性的命运其实历来是要幸运得多。但是强调差异性的目的是为了展开平等对话还是制造新的对抗,是寻求价值共识还是加深价值危机,这却是值得我们认真思考的。

所以不妨鼓励对话沟通。卡尔·荣格当年在为佳丽·贝恩斯女士英译《易经》所作序言中,曾指出中国哲学是一种以瞬息来含永劫的哲学。故《易经》作者坚信于一瞬息间占出的卦象,不仅在时间上,而且是在性质上应合了后事,卦象即是某种特定情势在某一时刻对其本相的展示。今天的后现代理论中,我们同样可以发现中西哲学的对话。一个例子是法国哲学家雅克·德里达对东方文化特别是对汉字文化的向往,以及期望假道文学来突破西方逻各斯中心主义哲学传统的设想。公认为解构主义经典之作的《论文字学》中,德里达多次谈到过汉字同西方文字的差异,这主要是指汉字超越了时间、空间和历史的限制,所以也超越了逻各斯中心主义的局限,因为它不必亦步亦趋去同声音纠缠。对此他援引过1703年莱布尼兹一封信中就埃及文字和中国文字所做的比较,结论是前者是通俗的、感性的、比喻的,后者是哲学的、理智的,故"中国字也许更有哲学意味。它们似乎是建立在更为成熟的,诸如数、秩序、关系等等的思考上面。因此,除了偶尔有几笔例外,它们的结构很像一种人体。"①关于汉字诉诸直觉的审美特征,德里达注意到对19世纪浪漫主义以后的西方文学产生过显著的影响。在《论文字学》中他提到费诺罗萨和艾兹拉·庞德,认为意象派诗歌之接受东方文化的影响是一个绝好的例子,它说明打破逻各斯中心主义,不可能是一种哲学的或科学的活动,相反在文学和诗的文字中,这一突破具有更为强大的震撼力量,足以从根基上动摇"存在"的超验权威,中国表意文字赋予庞德文字的那种瑰奇想像,具有无以估量的历史意义。且不论德里达对汉字的理解是不是同庞德一样有误解的成分在内,耐人寻味的是曾经紧抓住柏拉图《斐德若篇》中"药"(Pharmakon)一语来解构柏拉图的德里达,也给在他看来是已入穷途的西方哲学开出一剂"药"来,虽然个中的是是非非,还是大可讲究的。德里达的上述思想,在麦克林看来是体现了以美学来补充哲学不足的必然趋势。麦克林在孔子哲学中见出了美学,他认为孔子的美学主要见于他的乐论,而中国的古乐是载歌载舞的。此外他对孔子兴于诗、立于礼、成于乐的思想印象尤其深刻,指出诗、礼、乐三端虽则都是以形象来演绎"礼"的内容,然而当中的区分,讲究起来也是意味深长,特别是诗可以兴、观、群、怨,其与人的精神世界的密切联系,其被强调远较西方传统为甚。但传统是历史,传统如何解读则是一个当代性的问题:"孔子很可能是用鉴赏和保守的视野来观照美学,而不是把它看做充满独创性和创造力的自由表现。这意味着在孔子的著作中,有着足以开拓出现代视野来的重要资源,那是孔子本人和他的诸多学派们也未及开发过的。"②这样一种关注学术和感性生命的倾向,可以说是全球化语境中哲学话语体现出的一个新的特征。在这一点上,传统的人文主义和激进的后现代主义倒似乎出现了惊人的一致性。

三

全球化当然不是一个普世福音。它给我们带来的危机感和压迫感,恐怕要超过我们对它的期望值。特别是迄至今日仍然是阴影未散的亚洲金融危机,不但动摇了亚洲30年来经济发展的神话,同样也动摇了以儒家哲学为中心的亚洲文化传统。这传统昔日曾经以经济起飞的巨大成就为资本,被自信的亚洲人用来向焦头烂额的西方人炫耀自己在价值观念上占据的优势。但是三十年河东,三十年河西,风水轮转下来,亚洲人的自信已经不复存在,即便当初叫许多西方人甘拜下风的儒家伦理,现在也疑神疑鬼,成了别人指手画脚的对象。这真使人想起林语堂当年开过的一个玩笑,说是假如中国早先也有几支无敌舰队,一举攻下纽约和巴黎,没准那个叫妇女们痛苦不堪的缠足文化,还能远渡重洋,发扬光大呢。这是一个玩笑,可是也未必不能解释今日全球化的风行与影响中发人深思的西方化倾向。

全球化因此是一个挑战,这是毫无疑问的。全球化的规则并不是我们制定的,全球化的主导者们似乎也是在西方而不是在东方。然而全球化又是一个我们别无选择必须参与其中的进程,用批判全球化中帝国主义等这样那样的倾向来掩盖我们自己的弱点并无助于问题的解决。但是,经济的失败果真能够就等于文化的困顿吗?答案并非如此简单。东方哲学天人合一的宇宙观和以审美与诗的精神来看世界的认知传统,从而让西方人心仪并不是一天两天的事情。它的魅力西传既远早于亚洲经济的起飞,它的同一性和独特性也必将在亚洲经济的困境之中和之后保持下去。正是在这样的视野中,我重读我的老师蒋孔阳先生刊于1996年《文艺研究》的《杂谈中英文化》一文,又有一番不同的感受。蒋孔阳指出,审美文化是文化与美的结合,是对于文化高标准的要求。它要求我们的文化,不仅有实用的和功利的价值,而且有精神的价值、审美的价值。关于文化的审美价值,他认为主要能满足以下三个方面的要求。其一,能够满足人们赞美的天性,因为盖人都有爱美的天性。其二,能够满足人与人交流感情的需要。盖真正美的东西,都是充满了感情的。感情有它极富个性色彩的一面,故审美文化在这一方面,就是通过美的形象的塑造,成为人与人之间相互交流感情的重要途径。其三,能够满足人们追求自我表现的愿望。盖所有人类的精神活动,无不带有自我表现的愿望。当这一要在感性形象中实现自身的冲动超越自我物理和生理的存在,而在历史中积淀起来的时候,就是人的本质力量。

蒋孔阳对审美价值的这三点说明,我以为不容忽略的是其中对感性因素的形象阐释。审美文化本来是感性的文化,可是感性被理性压抑得太久,以致于由表及里,从感性上升到理性一类话语,差不多成了口头禅。即便言说感性,不拉过理性的虎皮,也显不出理直气壮。因此,蒋孔阳这里对审美中感性的强调,可以比照来读英国马克思主义美学家特里·伊格尔顿在《美学意识形态》(1990)中提出的"肉体"(body)主题。肉体是感性的存在,其与审美的血亲关系,在伊格尔顿看来是被康德用理性压抑苦了。对于美学,伊格尔顿则认为美学固然是一个资产阶级的概念,因为它萌芽和发育于启蒙运动时期。但自《共产党宣言》问世以来,马克思从来就没有停止赞扬过资产阶级大革命的遗产,美学绝不能因此被视为资产阶级意识形态的帮凶。反之美学作为早期资本主义社会中人类主体性的秘密原型,作为人类力量的幻象和追求境界,是一切专制思想和工具主义的死敌。美学标志着向感性的肉体作创造性的转移,也标志着用细腻的法则来强制雕塑肉体。这是一对矛盾,但是这一对矛盾将是有可能得到调和的。

　　上述比较或许可以表明,东方和西方,以及西方人文主义传统哲学与反传统不遗余力的后现代思潮之间,沟壑并不如人所想像的那么巨大。传统其实也是麦克林近年来反复有过阐述的一个话题,他在《传统的概念》一文中,提出西方传统留下的足迹,或许也可以为东方文化的发展提供一个借鉴。他说,西方的现代化是以两个并非是彼此相安无事的特征为标识的,其一是自由和人文意识的空前觉醒,其二是科学知识的迅猛发展。到 20 世纪初叶,许多人以为科学已臻成熟,足以为人类开出一个和平与自由的新时代。然而,不说 30 年代的经济大萧条,同时出现的法西斯主义和以压迫世界其他部分为己任的殖民主义,也使嗣后半个多世纪的世界史中,一直不见安宁。先是 40 年代反对纳粹的第二次世界大战,然后是年复一年争取解放的斗争在前殖民地、少数民族和妇女中间相继展开。对于东方文化来说,若要避免重蹈覆辙,麦克林认为,就有必要对现代社会中一笔勾销人文意识的极端客观主义有一个清醒的认识,要反过来旗帜鲜明地重构传统,突出其中的人文主体性。这里与前面杰姆逊谈到的后现代思潮中的主体回归主题,又呼应起来,虽则同样的话题,两人的旨趣明显大相径庭。

　　关于后现代文化的特征,杰姆逊多次讲到过他认为当今文化正在从现代主义的语言中心,转移到后现代主义的视觉中心上来。电视、电影、电脑和因特网,加上广告和 MTV,后现代社会因此在成为一个视觉文化或者是影像信息文化社会。但文化和理论尽管如赛义德所言,有意独立于经济和政治,但如上文林语堂的玩笑所示,它根本就独立不起来。当全球化与后现代携手并进,通过种种途径迎面而来,就中国本身的情况而言,它已经带来了两个方面的后果。其一,中国改革开放以来的经济腾飞,相当程度上是得益于资本的全球化,而人文科学工作者与国外学术交流前所未有的畅通,也很大程度上得益于文化的全球化趋势。其二,由于全球化来势迅猛,我们的经济体制还没有来得及充分调整过来,以致于迎接全球化的冲击时明显产生了一些负面效果,在文化方面,惊呼本土文化"失语"的,也大有人在。

全球化背景下人文科学的交流早已越过了双边的途径而发展为多边和多元的全方位交流。在这样的新形势下,以人为根本对象的人文科学,可以说它的使命不是淡化了而是更加深化了。我们的人文科学工作者有责任去深入研究人类全球化的复杂过程及其历史规律,因为说到底,全球化对我们几代人梦寐以求的中国文化走向世界,同样也是一个前所未有的机遇。

注释:
① Jacques Derrida, *Of Grammatology*, London, 1974. p. 76.
② George Mclean, "Tradition, Modernization and Creativity," *Beyond Modernization: Chinese Roots for Global Awareness*, ed. by Wang Miaoyang et al., Washington, D. C., 1997. p. 26

原载《上海社会科学院学术季刊》1999年第4期

王四达

全球化：一个逻辑与历史的进程

全球化浪潮正席卷全球大地,这是当今世界众所瞩目的大事,也是国内传媒热炒的问题。然而笔者以为,目前国内对全球化的讨论还是多谈现象,少论本质;只讲当前,少及历史;对经济一体化关注较多,对全球化背后所蕴涵的社会转型意义则重视不够。这与全球化对世界发展走向的巨大影响是极不相称的,特别是在人们对东南亚金融风暴心有余悸、对中国加入世贸心存疑虑的今天,我们更应该注意把握大趋势,从哲学与历史的高度来认识这个问题。本文仅就全球化本质特征及其逻辑与历史的进程做一个初步的探讨。

一 "全球化"的定义及其本质特征

如果仅从字面上看,"全球化"这个概念的含义是不明确的,它只表示某种发展趋势的全球性扩张。国内传媒通常是从经济一体化的角度来理解全球化的,其实这并不全面:从历史的角度看,当前世界的经济一体化趋势不过是几百年来市场经济发展的一个新阶段;从逻辑的角度看,经济的一体化也必然促进价值观和制度文化的协同互动,加速社会系统的"自组织"过程,从而形成全方位的社会一体化趋势。因此,全球化是一种以经济为先导、以价值观为核心、以政治为辅成、以广义的文化为主体的社会合理化与一体化浪潮。

首先,人类的社会进步与社会变革,归根结底都是以经济为先导的,因为生产力是社会发展最活跃最革命的因素与最终决定力量。没有从石器到铁器的变革及由此引起的农业化浪潮,就不会有古代文明;没有蒸汽动力革命及随之而来的工业化浪潮,就不会有现代文明。如果说古代文明是以封闭的自然经济为基础的,那么,体现现代文明的全球化浪潮则是以开放的、具有全球扩张能力的市场经济开其先河的。

其次,人类的一切社会实践、社会运动与社会变革又都是以一定的价值观为导向的,全球化也不例外。《共产党宣言》庄严宣告:"每个人的自由发展是一切人的自由发展的条件。"① 而"民主"、"法治"这些核心价值观自近代以来更是全世界人民追求自身解放的崇高理想与奋斗目标。在现代,它们已为《联合国宪章》所认同,并作为现代文明的"灵魂"深深地渗入政治、经济、文化领域之中,成为全球化浪潮的核心力量。

再次,不管是价值观的演进、时代精神的嬗变,还是经济基础的变革,最终都需要政治制度的配套,这是经济基础与上层建筑的辩证关系使然。以"自由"、"竞争"为基础的市场经济,以"民主"、"法治"为核心的价值观,必然追求与之相适应的民主政治。没有制度上的民主化与法治化,市场经济及社会运作就无法在公正有序的状态下进行。尽管民主政治并不先行于市场经济,但却是市场经济的必然产物与现代文明的根本保障。

又次,时代精神、市场经济、民主政治必然在"自组织"的作用下形成一个有机的社会文化系统。它包括体现核心价值观的各种社会意识形态及与之相适应的政治架构、经济体制、司法运作、教育体系、新闻制度等一系列制度模式及组织形式。因为市场经济、民主政治是与经营自由、法规管理、司法独立、分权制衡、舆论监督等密切相关的。近现代以来,这种广义的文化已呈现出明显的趋同现象,充分体现了全球化博大的外延。

最后,上述诸要素的良性互动必然使全球化浪潮朝着合理化与一体化的方向推进。所谓"合理化",从理论上说就是在实践中对真理不断认识、不断追求、不断接近的过程。从历史上看,合理化从来就是人类进步的阶梯,特别是在科学与理性精神高扬的现代社会,它更成了全球化活泼生动的生命。所谓"一体化",则是指人们在追求合理化这一目的时整合社会系统各要素,使之向优化模式看齐的方法手段。早在古代人们就认识到社会分裂,关卡林立,税制不一,文字、货币、度量衡各异严重阻碍了经济交流与社会发展。近现代以来,随着全球经济体系的形成,社会系统的"协同"要求及其"自组织"力量更是有力地推动经济一体化向社会一体化与合理化的方向迈进。可以说,合理化与一体化分别体现了全球化的内在本质和外部特征,二者密切相关,相辅相成:只有在合理化的感召下,一体化才会为诸多民族国家所接受;反之,只有在一体化的推动下,合理化才能冲破狭隘民族主义的框框而获得广阔的发展空间。因为对追求现代化、希望繁荣富强的任何国家来说,发展才是硬道理,一切束缚发展的旧观念、旧模式终将被时代的浪潮所淘汰,所以,任何不愿自我淘汰的国家都应该认准时代潮流,以合理化为"舵",以一体化为"桨",坚决果断地汇入全球化浪潮之中,参与百舸争流,搏击潮峰浪尖!

二 全球化的理论前提与逻辑进程

种族不同、文化迥异的人类社会之所以会朝着全球一体化的方向迈进,是有其深刻的内在根源的,那就是人类共同的本质。无论是马斯洛的"人类需要层次论",还是弗洛伊德的心理结构学说,或者是现代文化学所提出的"普同文化现象",都是以人类本质属性的普遍性为前提的。尽管各民族在各自的历史实践中形成了各具特色的民族文化,但共同的本质属性却是超越种族与文化差异的。马克思主义认为,劳动是人最有决定意义的本质属性:一方面,劳动造就了人本身;另一方面,劳动又使人成为社会的动物,并由此形成共同的心理基础。即使是不同民族的文化,它们之间也存在着相似的文化结构或文化要素(即所谓的"文化公分母"或"文化常数"),这一点已被现代文化人类学的研究成果所证明。

共同的本质属性与心理基础又决定了人类社会有着共同的发展规律。尽管世界上各民族的社会发展起步先后不一,进步快慢有别,但都必然经历一个由低级到高级、由蒙昧到文明的进步过程。即使是落后民族在与先进民族接触的过程中,也会跳跃式地实现社会转型,无可避免地被卷入主流社会之中。因此,无论是斯大林总结的五种社会形态理论,还是托夫勒创立的三次浪潮学说,或者是孔德、摩尔根、斯宾塞等人提出的形形色色的社会进化理论,都是以承认人类有着共同的发展规律为前提的。尽管各民族国家的发展模式都有其自身的特殊性,但人类共同的本质属性与心理基础却决定着大趋势的普遍性。既然特殊性与普遍性是无法割裂开来的,这就为全球一体化提供了必要的理论前提。

众所周知,社会生活在本质上是实践的。如果说实践的目的性,即人类对自我发展的追求是社会进步的内在动力的话,那么,由实践的社会性所导致的相互联系则成了社会进步的外在条件。对全球化来说,前者是它的主观因素,后者是它的客观基础。

首先,作为"万物之灵"的人类,无论是个体还是群体,均具有自我发展的心理需要,并由此产生了积极进取的人生态度与争强好胜的竞争精神。没有人类的欲望,就没有社会的发展,对真善美的追求自不必说,即使欲望以"恶"的形式出现,客观上也使社会充满活力。恩格斯指出,"自从阶级对立产生以来,正是人的恶劣的情欲——贪欲和权势欲成了历史发展的杠杆"。② 就欲望本身而言,它虽源于个体的心理需要,但如果表现在君主、权贵或思想精英身上,则转化为群体行为,或凝聚成阶级阶层的要求,甚至成为民族共识。众所周知,发展不平衡是人类社会的一种普遍现象。个体发展的不平衡通常会导致社会成员的分化与个人的沉浮;而群体发展的不平衡则会造成先进与落后、文明与野蛮、强大与弱小的差别,并直接改变着历史的面貌。在古代,大吞小、强并弱、优胜劣等现象就是在强大的群体(民族、国家)追求自我发展的驱动下产生的。在近现代,民族国家追求自我发展同样成了全球化的根本动力。所不同的是,近代以西方殖民扩张为特征的全球化还处在强制推行的自发阶段;而在文明理性高扬的今天,全球化已进入了择善而从的自觉阶段。

其次,人类的自我发展又是离不开社会联系的。世界是一个相互联系的整体,人类社会也不例外。联系是事物和现象存在的基础,当然也是社会进步的基础。人类的社会性决定了人们必然生活在各种社会联系的网络之中。而联系无疑是个体及群体发展的必要条件:在狼群中长大的"狼孩"虽有人的遗传基因,但却是一个白痴;原始森林中与世隔绝的土著部落也只能是一个停滞的群体。只有人与人、群体与群体、民族与民族的联系才能产生学习模仿、比较鉴别、取长补短,从而促进双边或多边的良性互动和文化传播。所以传播学派认为,全部人类文化史归根到底是文化传播、借用的历史,而联系则是传播的媒介。人类历史就是在"联系～传播"的过程中发展的:从原始群团发展成氏族部落,由部落联盟演变为民族国家,直到形成大国势力范围或地区文化圈,这就是一个通过联系由小到大、由地方性到地区性的文化传播与社会同化的过程。华夏民族的形成、中国的建立、疆土的扩大及中华文化的传播也是一个这样的过程:从夏商周到清代,无论在民族同化,或者在疆土拓展、文化传播方面,均呈现出扩大化、地区化的明显趋势,中华文化的辐射甚至超出中国的疆界,扩展到朝鲜、日本及东南亚地区。在南亚的印度、西亚的阿拉伯、地中海的古罗马、奥斯曼,同样因联系、兼并、传播、同化而出现地区化的现象。尽管不能把这种古代的地区化看作全球化的先声,但它也预示着人类联系的扩大化与深化是一种历史的必然。因此,只要社会还在进步,只要联系还在加强,它必将在广度和深度上不断拓展,古代的地区联系也必将被现代的全球联系所取代。由此可见,全球化是社会发展逻辑演进的必然结果,是不以人的意志为转移的!

三 全球化浪潮的历史进程

逻辑的与历史的统一是我们把握事物的本质及规律的基本方法之一。人类实践的社会性、追求自我发展与相互联系的内在必然性,以及社会系统各要素相互作用的关联性,都向我们揭示了社会发展走向全球化既是一个逻辑的进程,也是一个必然的历史进程。

综观历史,可以发现人类社会的发展呈现出明显的性质演变与阶段特征:从纵的方面看,我们可以把人类社会的历史进程划分为"一元化"、"多元化"、"全球化"三大阶段。这是一个由肯定到否定再到否定之否定的发展周期,也是一个"趋同"与"趋异"对立统一的矛盾运动过程,即由"同"向"异"分化(从"正题"到"反题"),再由"异"向"同"整合(从"反题"到"合题")的螺旋上升。在趋同与趋异的矛盾运动中,同与异往往不是截然对立的,而是相互依存相互转化的:总体的趋异往往伴随着局部的趋同;而全局的趋同也蕴涵着局部的趋异。分离是异化的起点,而联系是同化的动因。同异互化也体现了质量互变的辩证法：由同到异的量变是从"一元化"到"多元化"质变的必要准备；由异向同回归又是从"多元化"到"全球化"的量变的必然结果。而其中还交织着量变中的部分质变与质变中量的扩张。我们认为，人类社会的发展史极其生动地展现了这个动态的过程。

众所周知，人类是森林古猿在进化过程中异化的结果，但却以一元化的"同"为其社会历史的起点（"一元"本指宇宙初始的混沌状态，这里用来指人类社会初始的混同状态）。现代生命科学研究表明，人类有着共同的起源与共同的生理心理基础，所以才有共同的本质属性与相似的发展规律。全人类均起源于非洲的同一族群，因而有着共同的生活方式及原生文化，即群聚而居，搜集为生，打石为器，平等共享。这是人类的"群落史时代"，部落族群是该时代的主角，居住地就是他们的舞台。然而，"同"的起点也是"异"的开始。随着猿人散居到世界各地，在漫长的进化过程中逐渐出现人种的分化。到旧石器时代晚期，民族开始形成；至新石器时代晚期，民族国家陆续出现，世界历史从此进入了"多元化"的阶段。"多元"在这里指的是多民族的形成与文化的多样化。在这一阶段，人类社会的发展呈现出全球性趋异与区域性趋同之特征：一方面，新的民族在异化过程中不断形成，新的国家以民族为依托不断产生，新的民族文化也在不断发展，真可谓"异彩纷呈"。另一方面，由于民族国家发展的不平衡，地区性的强势民族及优势文化逐渐脱颖而出，并在战争兼并、民族融合、文化征服过程中推进本地区的"趋同化"，形成一个个相对独立、各具特色的地区"单元"，汤因比把它们称之为"文明"，他认为历史上先后存在过26个这样的"文明"。由此可见，众多"文明"的形成既是全球"多元化"的反映，又是各地区局部"一元化"的结果。于是，继"群落史"时代之后，人类又进入了以大地区为舞台，以诸多"文明"为主角的"地区史"时代。在这个时代，由于全球性的优势经济与全球性的主流文化尚未出现，因此，"多元文明"处在相对平衡的状态之中。

16世纪以来，资本主义经济开始在西欧兴起。对于尚处在农牧时代的世界大部分地区来说，资本主义的出现无疑是一种新质的突破，而这支新生力量一诞生，即以它先进的生产力快速地进行量的扩张，"地区史"时代多元文明的相对平衡被打破了，世界性的优势经济与主流文化开始形成,并随着西方列强的殖民扩张而逐渐在全球范围内扩展开来,人类社会从此由"地区史"进入了以全球为舞台、以发达国家为导演的"全球史"时代,多元化的趋异开始向全球性的趋同转化:随着全球贸易、全球投资的兴起,过去那种闭塞的自然经济、民族经济逐渐为全球经济所取代;与此相伴的是发达国家的价值观日益向全球渗透,它们的制度模式、社会文化也同时在全球推广……在这个由"异"向"同"整合的大趋势中,尽管微观的"趋异"亦在同步进行,如专制一统逐渐被地方自治、信仰自由、个性解放所冲垮,但宏观的趋同是不可阻挡的,特别是在冷战结束后的当代世界,全球化已成为一种全球性的共识,再次获得迅猛发展的势头。

从横的方面剖析,人类社会的发展史又可粗略地分为经济、政治、文化的发展史,它们同样呈现出与"一元化"、"多元化"、"全球化"相呼应的性质演变与阶段特征。

就经济的发展而言,它大致经历过搜集经济、自然经济及市场经济三大阶段,这是由生产力的发展水平所决定的。在石器时代,人们靠原始的狩猎和采集为生,经济活动只懂"搜集",不懂"生产"。在铁器时代,农业生产成为主要的经济活动,但落后的生产工具仍限制着人们的生产规模与活动范围,故形成了自给自足的自然经济。在蒸汽、电气时代,能源动力革命和交通工具的进步导致了工业化的兴起,促进了全球经济体系的形成,这就决定了孤立闭塞的自然经济必将被全球流通的市场经济所淘汰的历史命运。

就政治的发展而言,则大致经历过原始公社制、集权君主制、及分权民主制三大阶段。在极端落后的蒙昧时代,既没有成文法,也不存在所谓的"政权"统治,社会成员平等,经济利益共享,氏族部落的生活秩序全靠自发的习惯规范维持。在等级压迫的野蛮时代,政权来自暴力强权,少数人垄断政治权力与经济利益,社会政治本质上是一种以暴力为后盾的自上而下的威权统治。在理性觉醒的文明时代,政权的来源由无序的群雄逐鹿转向有序的民众选举,政治运作也相应地由威权统治转向法规管理,并日渐成为一种普遍认同的全球模式。

就文化的发展而言,又可分为原生文化、民族文化、普同文化三大阶段。在原生文化阶段,由于社会原始,生存不易,人们的文化活动自发地为生存服务,如氏族组织与石器文化;其朴素的意识形态则以"祖谕"(如习惯法)、"神谕"(如问卜)为价值取向。在民族文化阶段,由于阶级已形成,国家已出现,统治阶级所控制的意识形态有意识地体现统治的需要,这就使文化带有浓厚的"权谕"色彩。但各国各民族的文化又表现出鲜明的民族特征。在普同文化阶段,由于民主思想勃兴,理性精神觉醒,故主流价值观以"理喻"为导向,意识形态理性化、制度规则合理化有力地推动着文化的整合。不合时宜的民族文化将逐渐衰落,或日益被世界优势文化所同化。——这是一个严酷的现实!

四 与全球化相关的若干问题辨析

既然我们把"全球化"作为人类社会发展周期的第三阶段(即"合题"阶段)来看待,并承认它的进步性与必然性,那么,一些与此相关的问题便随之而来。

其一是全球化与西化的关系问题。不言而喻,全球化并不等同于西化。但这个问题要从过去、现在、未来三个时段来具体考察。在过去西方工业化兴起的时代,全球化是与殖民扩张相伴随的,它确实带有一些西化的色彩。因为在16世纪,东方地区大多尚处在农牧经济与专制政治的时代,西方资本主义的崛起的确代表了新生产力与社会发展的方向。但是,事物总是变化着的,在西方资本主义发展过程中,它本身也在变,在产生否定它自身的异己力量。例如,自从资本主义进入机器工业时代以来,由资本主义发展而产生的马克思主义和国际共运即对资本主义制度发出严重的挑战;西方资本主义对亚非拉的殖民统治,也促进了当地近代工业的产生及工业无产阶级和民族资产阶级的形成;而西方思想在亚非拉的传播,则唤醒了被压迫民族的独立意识,催发了民族解放运动的兴起。从这个意义上说,殖民体系的掘墓人正是殖民主义本身。在现在,即冷战结束后的今天,以信息革命和知识经济为动力的世界现代化进程更是超越了西化的狭隘范畴,而具有全人类的意义。因为,全球化的实质就是合理化,所以优化选择成了全球化的根本取向:哪种文化有优势,哪种模式合理,大家就向它学习,参与它并发展它,而不拘泥于它是哪个民族哪个国家的。例如,80

年代日本公司在世界各地称王称霸,西方即掀起一股学习日本企业文化的热潮;日本泡沫经济破灭后,新加坡模式又一度受到人们的赞赏。小平同志早就指出,不要争论姓"社"姓"资",而要看是否符合三个"有利于"。可见问题不在于贴谁家商标,而在于以优越性来取得别人的认同。况且过去的历史已经表明,发展不平衡是一种规律,后起国家可以通过采取正确的发展战略跳跃式地赶超先进国家,在万舟竞渡的情况下,西方岂能永远独领风骚?因此,展望未来,全球化的西方色彩必将日益消退。美国未来学家托夫勒曾指出,信息化浪潮将对人类社会生活的各个方面产生深刻的影响,从而给社会带来根本变革,包括资本主义的政党制度、代议制度和权力结构都将被第三次浪潮冲垮,第三次浪潮不是资本主义的胜利,而是它的"政治陵墓"。不管托夫勒的预言是否正确,我们都可以断言,未来的全球化是真正属于全人类的!

其二是全球化与现代化的关系问题。"现代化"这个词与"全球化"一样也是歧见甚多、莫衷一是的。如果我们把现代化理解为代表社会发展的最高水平,理解为对先进、合理、优越的追求,那么,体现时代潮流的全球化与现代化就是基本重合的,它们的历史起点也是大致同时的:16世纪资本主义的兴起既是"全球化"的序幕,也是"现代化"的先声。这是二者的联系。当然,全球化与现代化也有区别:一般说来,现代化是全球化的目的,全球化只是现代化的手段。现代化是相对于传统社会而言的;全球化则是相对于多元时代而言的。因此,全球化主要是一个历史的范畴,代表着人类社会的某一阶段。我们无法预见千百年后它会不会过时,会不会出现不同的发展趋势,因为即使到了"否定之否定"阶段,事物的发展也不会终止。而现代化则与此不同,它是一个常新的概念,总是随着社会的进步更新它的内容,即使千百年后,先进、合理、优越仍永远是人们追求的目标。

其三是全球化与理想化的关系问题。应该承认,全球化并不是尽善尽美的社会发展模式,对具体国家来说尤其如此。全球化虽然追求"世界大同"或"地球村"的理想,但却立足于冷酷的现实,因为缺乏现实基础的理想主义只会比现实主义更远离理想。在19世纪的欧洲,空想社会主义者傅立叶搞的"法郎吉"和欧文搞的"劳动公社"均以失败告终。在改革开放的中国,过去被理想化的计划经济最终也让位于有竞争、有破产、有失业的市场经济,但国民经济却比以前更强大,人民生活也更美好。由此可见,现实主义反而比理想主义更接近真正的理想,而这种接近,是一步一个脚印地走过来的。当前全球化的推进方式也是这样,它不要求飞跃式的"一步到位"——从发展的眼光来看,社会进步也不应有"到位"的时候——因而在理论上坚持可能性与现实性相统一的原则,在实践上则脚踏实地地为可能性向现实转化创造条件,绝不拔苗助长,急于收成,果实成熟一颗,方可摘取一颗。关于这一点,东南亚国家在条件尚不成熟的情况下过早开放资本市场、引发金融危机就是一个惨痛的教训。反观欧盟一体化的每一项进展和关贸总协定(世贸)的每一个"回合",都是经过长期酝酿、艰苦谈判、互相让步妥协才取得的,然而,每前进一步,也就向理想靠拢了一步。这就是全球化进程中理想与现实对立统一的辩证关系。

　　冷战结束后,和平与发展成了世界的两大潮流,全球化浪潮正在欧盟、东盟、WTO等一体化进程中蓬勃发展。中国在东南亚金融风暴后加入 WTO 的决心仍不动摇,这表明我们政府是有远见卓识的,她必定能克服全球化的某些负面影响,把我们国家带向美好的未来!

注释:

① 《共产党宣言》,《马克思恩格斯选集》第 1 卷,人民出版社 1972 年,第 273 页。
② 《路德维希·费尔巴哈与德国古典哲学的终结》,《马克思恩格斯选集》第 4 卷,人民出版社 1972 年,第 233 页。

原载《中山大学学报》2000 年第 3 期

袁 明

全球化大趋势的特点

冷战结束,"全球化"更多地表现为市场化、信息化。这可以被更确切地称为经济全球化。总体来说,它推动着和平与发展。20世纪末,史无前例的科技革命使它的进程更加快了。如果说市场是一只"看不见的手",那么科技则是一部看不见的引擎,它推动着人们的经济活动走向更复杂、更有效的层次。

在全球化趋势下,超国界的、全球性的力量在行动,全球性的问题在蔓延。全球化带有全局性,但目前只有经济和科技全球化是一种现实趋势,其他如政治制度、宗教文化、生活方式有相互影响,但远未"全球化"。在许多地方,全球性力量正在遭到本土力量的强有力的抵制。

我认为"全球化"有以下特点:

1. 推动世界经济发展,加快资本流动,引发管理方式、组织生产以及金融体制上的革命。

2. 加速科学领域的探索与创新。就人们的科学思维而言,20世纪是分析的世纪,21世纪则走向综合。复杂系统理论、非线性科学、模糊理论等发展推动着人们的思维从分析式向整体式转变,向分析与综合的结合转变,而这一变化将进一步加速科技领域的革新与革命。

3. 加快世界上国家、民族间的竞争,大家纷纷抢占市场,抢占资源,尤其是抢占科技制高点。

4. 促使人力资源加快流动,其中最重要的是精英人才流动,优秀人才流向西方尤其是美国。人才竞争的激烈程度超过以往任何时期。

5. 推动文化间交流,文化交流是双向或多向的。但目前英语文化,尤其是美式英语文化以强势在全球扩展,美国文化成了一种新型的"大众文化"。

6. 推动国际政治民主化,国际组织作用增大,多边主义、地区主义呈上升趋势。国际政治经济活动中的各种法律与规则在加速制定。

7. 推动各国国内改革。但在全球化背景下,改革进程变得十分复杂和困难,反改革的力量也在形成和扩大。

8. 刺激非经济的跨国活动,如环境污染和治理环境、跨国犯罪和打击跨国犯罪、恐怖活动和反恐怖活动、武器扩散和限制扩散等。

9. 世界发展不平衡加剧,贫富悬殊拉大,南北差距拉大。哥伦布与黎塞留在几百年前开创的西方主导态势还没有从根本上改变。

10. 超国家的经济行为体出现了,并且迅速发展,如跨国公司。它们与发达国家一起进行着生产力要素的优势组合,垄断着资金和技术。

11. 发达国家,尤其是美国,依然是目前全球化进程中的推波助澜者。

总的来说,在"看不见的手"和"看不见的引擎"的推动下,全球化是一个无法阻挡的历史趋势。根据本国国情和战略目标,对大趋势下的国家利益做出最实际的判断,是我们面临的一个大课题。

从目前最普遍的意义上讲,寻求"全球化"大潮中的国家利益首先就是加速经济发展,提高科技竞争力,维护国家安全(周边安全、金融、贸易、投资安全),加强民族凝聚力和认同感。同时,寻求国家利益更多的不是靠武力,而是靠谈判协商,靠互相妥协。

原载《世界知识》1999年第2期

杨雪冬

西方全球化理论:概念、热点和使命

80年代以来,在西方社会中,"全球化"(globalization)一词逐渐从学术界进入了日常生活;从一个许多字典里难觅的生僻之词成了很多人信手拈来的熟语,从简略地概括世界未来的趋势成了整个社会各个层面追逐的时尚。

西方理论界在势不可挡的全球化进程中被迫进行调整。学者们一方面清算着各自学科中的传统,辨别着原有的理论缺陷;另一方面则以革新迎接挑战。他们不仅密切关注现实中全球化带来的各种影响,产生的各种现象,而且调整着原来的理论基础以更合理地解读变化万千的世象。这其中最根本的革新是以社会、个人、人类或者文化、文明来替代传统的理论基础——民族国家或某种体制。这种革新带来的是一场对人类命运的深刻思考。

一 澄清全球化的概念

在西方理论界中关于全球化的确切定义众说纷纭。纵观现有的理论,全球化概念大致有如下几种界定:

1. 从信息通讯角度,全球化被认为是地球上的人类可以利用先进的通信技术,克服自然地理因素的限制进行信息的自由传递。马歇尔·麦克卢汉(Marshal Mcluhan)在其1960年出版的《传播探索》一书中提出的"全球村"(global village)恐怕是这种认识的始作俑者。而且这种认识影响了许多把全球化归于技术进步的学者。

2. 从经济角度,全球化被视为经济活动在世界范围内的相互依赖,特别是形成了世界性的市场,资本超越了民族国家的界限,在全球自由流动,资源在全球范围内配置。这种经济全球化是自由派经济学家心目中经济发展的最终和理想状态,也是众多跨国公司希望的结果。这种认识把经济全球化的根本动力归结为市场的发展,从而把国家在理论上推到了全球化障碍的一面。

3. 从危及人类共同命运的全球性问题角度,全球化被视为人类在环境恶化、核威胁等共同问题下,达成了共识。著名的罗马俱乐部是这方面的突出代表。

4. 从体制角度,全球化被视为资本主义的全球化或全球资本主义的扩张。在这方面,毫无疑问,沃勒斯坦的世界体系理论是最有代表性的尝试。①他认为不平等交换形成了中心——半边缘——边缘结构的世界体系。这个体系的本质是资本主义世界经济。在他之后,美国学者德里克(Dirlik)认为"全球资本主义"也可以称做"灵活的生产",也是欧内斯特·曼德尔所说的"晚期资本主义"。它指的是在新的经济"规则"(regime)下商品、金融交易,以及生产过程本身的前所未有的流动。②英国学者斯克莱尔(Sklair)则更直接提出资本主义为核心的全球体系(global system)正在世界范围内扩展。③他强调资本主义在全球扩张不仅是一个经济过程,而且是政治、文化过程,更确切地说是三者统一的过程。另一个左翼学者阿尔博(G. Albo)明确地说"全球化必须不仅被视为一种经济规则,而且是一种社会关系体系,它植根于社会权力特有的资本主义形式中,而且这种权力控制在私人资本和民族国家手中。基本上讲,全球化意味着市场作为一种经济规范者(regulator)日益普遍化"。他还进一步强调"全球化只是资产阶级的国际化"。④

5. 从制度角度,把全球化看做是现代性(modernity)的各项制度向全球的扩展。英国学者吉登斯(Giddens)是这方面的突出代表。他认为全球化不过是现代性从社会向世界的扩展。它是全球范围的现代性,因为"现代性骨子里都在进行着全球化"。⑤吉登斯这种制度主义观点被罗伯逊批评为忽视了文化和文明在定义全球化中的意义。

6. 从文化和文明角度,把全球化视为人类各种文化、文明发展要达到的目标,是未来的文明存在的文化。它不仅表明世界是统一的,而且表明这种统一不是简单的单质,而是异质或多样性共存。这一派学者更强调全球化是一个动态的、矛盾冲突的过程,它没有一个单一的逻辑,而且也不会出现其他学者所说的某种统一、一致的局面。在这方面,最早系统阐述该思想的是埃利亚斯(Elias)。此后有罗伯逊、费舍斯通(Featherstone)等人。费舍斯通在给一专题杂志写的导言中提出了全球文化(global culture)出现的可能性。⑥他认为全球文化的相互联系状态(interrelatedness)的扩展也是全球化进程,它可以被理解为导致全球共同体(ecumene)——"文化持续互动和交流的地区"——的出现。值得注意的是,90年代以来越来越多的学者成了这种观点的拥护者。

当然,上面列举的只是几种有代表性的观点。除此之外,有的学者用更加极端的眼光看待全球化,把它等同于西方化、美国化,有的还形象地把它称之为"可口可乐化"、"麦当劳化"。有的学者把各家观点综合起来,以图得到一个全面的定义。例如,姆利纳尔(Z. Mlinar)在一篇文章中把全球化概括为:世界层次上不断增强的相互依存;统治和依赖的扩大;世界的同质化(homogenization);"区域共团体"(territorial communities)内部的分化;以及克服时间间断(discontinuities)的手段。⑦还有的学者试图排除价值判断,得出一个中性的定义。如麦克格里(A. G. Mcgrew)认为,全球化是"组成当代世界体系的国家与社会之间的联系和相互沟通的多样化",是"世界某个部分发生的事件、决定和活动能够对全球遥远地方的个人和团体产生重要影响"的过程。⑧

以上诸多定义充分说明全球化具有多维特征,因此在定义全球化时应该避免以下偏颇:(1)不能只从一个方面,一个领域考虑全球化;(2)不能只用现有的分析单位,如国家、个人、跨国或国际团体等考虑全球化,要把不断增加的各类行为者——他们的意识和存在的目的是跨国的或全球性的,而且对于世界秩序有着迥异的看法——考虑进来;(3)不能把全球化过程归结为一种"逻辑",如沃勒斯坦将其归为不平等交换创造的国际劳动分工。

纵观这些定义,我们可以对全球化做以下界定:
(1)全球化是一个多维度过程;
(2)全球化在理论上创造着一个单一的世界;
(3)全球化是统一和多样并存的过程;

(4) 现在的全球化是一个不平衡发展过程。除了全球经济初见端倪之外,没有出现全球政治体系、全球道德秩序或世界社会;

(5) 全球化是一个冲突的过程。国家、个人,各种各样的团体、组织以及不同的文化都涉及进来;

(6) 全球化是一个观念更新和范式(paradigm)转变的过程,正如意大利学者 M. I. 康帕涅拉所说:"全球化不是一种具体、明确的现象。全球化是在特定条件下思考问题的方式。"⑨

二 全球化进程中的几个热点问题

全球化是一个充满矛盾、冲突的变动过程。在这个过程中不断涌现出新问题、新事物,同时传统的事物也受到冲击,甚至被淘汰。尤为重要的是,这种新旧更替不仅涉及物质层面,而且影响到精神领域,因此可以说全球化进程是一个重新评价的过程,一个重新确立认知坐标的过程。这里介绍全球化理论所关注的几个突出问题。

1. 民族国家的命运

民族国家是现代社会的主要制度,其产生在一定程度上标志着全球化进程的开始。可以说,至少在 20 世纪 60 年代之前民族国家一直是全球化进程的受益者和最主要的推动者。但是,全球化进程在 60 年代以后的新变化挑战了国家原有的稳固地位。这种新变化主要体现为跨国活动和跨国主体的急剧增加,以及个人和国内团体力量的增强。前者超越国家传统意义上的主权和边界;后者削弱了对国家的依赖和信任。因此,如麦克格里所说,全球化经常与"地域性民族国家的(意义)危机"密切相关。

麦克格里和海尔德(Held)在 1993 年为《政府与反对派》杂志合写的一篇文章中详细分析了国家目前的这种处境。他们认为:一方面国际的、地区的、全球的权力结构限定了国家的实际行动。这些权力结构包括国际规制和组织,世界经济日益居于主导地位的逻辑,国际法的约束以及民族国家安全能力的下降;另一方面民族国家,特别是被削弱的国家无法控制亚民族力量和行为者。这种认识被英国学者保罗·肯尼迪形象地称为国家权力向上、向下的转移。⑩

关于民族国家命运的讨论更多的是集中在国际政治学界和国际法学界。学者们关心的是国家能否以传统的主权者身份发挥严格意义上的作用。但是一些文化学者也从国家是否具有赋予其成员以身份的权力的角度来探讨国家存在的可能性。综合这些认识,可以发现,这些学者大致是从三个方面说明国家的"衰落"的:(1)国际主权原则的变化,国家权力是传统意义上无限的,还是有限的;(2)国家在政策制定与执行的关键领域中的自主性问题,是国家决定还是其他主体决策;(3)国家作为民族身份的表现形式问题,即民族主义是否仍然有效。尽管许多学者都试图论证国家的权力的受限制和地位的下降,但没有几个人敢预言全球化将带来国家的消亡。

2. 民族主义和民族性(ethnicity)

在全球化进程挑战民族国家的时候,民族主义也受到了强烈的冲击。实际上,民族主义面临着来自国内和国际的两种冲击。在国内是曾经被民族主义召唤到一起、被民族国家统一在一起的种族(ethnic)。在争取民族独立的年代,这些居于少数地位的种族和居于多数地位的民族团结在一起,彼此间关系是和谐的。但是,随着这一使命的完成,国家的稳定,这种和谐关系开始出现裂缝。造成这种现象的原因一是全球化进程的加速,提高了各种族的自我意识、巩固了其身份意识。与外界的频繁交往以及内部沟通的及时,都使这些种族愈加认识到自我的不同。二是国内的政治、经济、文化等问题恶化了种族与主导民族之间的关系。这在前苏东国家体现得最为明显。鲍曼(Bauman)认为虽然前苏联尽最大力量统一各民族,但是少数民族内部的少数种族不可思议地发展着,扩大了民族、种族和国家间的距离。在前苏联的部分地区、前南斯拉夫、中部非洲,以及部分西方国家中种族冲突带有强烈的暴力色彩。⑪这些现象充分说明了民族性已经成了全球化进程中一个不可忽视的问题。许多学者,如罗伯逊、费舍斯通等都认为这是全球化进程的必然产物,是这些种族重新认识自我的体现。而史密斯(1990)则进一步分析到,在民族主义中一直存在着前现代与现代因素的紧张关系。前现代因素是一种原始依恋的民族身份,史密斯称之为"种族身份"(ethnie);现代因素是与启蒙现代性相联系的"文明"(civic)传统。二者构成了民族主义的基本紧张关系。而目前则是前现代因素势头正盛的时期。⑫

客观地讲,如果"民族性"只是停留在宣扬本族文化和文明的领域中,那将是对全球化进程的极大促进,但是如果它带来的是国内战乱,以及丧失人性的种族清洗,那将是逆全球化主题——共同生存,必然会被历史淘汰。

当然,我们还应该看到民族主义得到加强的一面。尽管学者们注意到经济全球化、全球文化交流等跨国活动有削弱民族主义的可能,但是他们也不得不承认在经济领域、文化体育领域以及政治领域中民族主义仍然非常强大,只不过它由原来简单地依靠军事武力转向了鼓励多方面竞争,民族主义依然是个人寻找自我身份的最佳途径。

3. 新认同政治(The new politics of identity)

近年来,身份(identity)成了一个非常时兴的概念。许多学者用它来说明政治生活中出现的新问题,即个人对传统政治和阶级身份的认同越来越淡漠,越来越归附于亚团体或者重归个人。这实际上就是政治生活的个人化和分散化,也表明了个人和团体对替代传统政治价值观念和实践行为的探索,是身份贴附对象的转移。具体而言,新身份政治表现为女权主义、绿色和平运动、民族性、新地方主义,以及个人疏离政治,以及民粹主义等。

在传统政治中,实现国家的政治统一通常采用的是现代化过程,如城市化、工业化以消解地方传统,或者用主导文化取消文化差异和政治抗拒,或者在教育部门以及政治代表的民族份额分配上实行多文化主义。进行政治动员则多以阶级为基础。代表某阶级的政党用阶级的政治要求把选民动员起来,夺取政权或在选举中成功。的确,这些措施在一定时期起到了应有效果。但是随着全球化进程的加速,阶级界限的模糊,个人、团体选择机会的增多,多种认识世界方法的出现,传统政治的弊端,如腐败、官僚主义等日益明显。冷战的结束,意识形态压力的骤减等使得这些个人、团体开始重新确定自我身份的归属。正如埃尔金斯(Elkins)所说的,全球化增加了个人身份的选择机会和数量,使个人的独特性更加突出。"全球化越广泛——而且根据定义各种团体认识面越广——个人的团体选择对那种独特性(uniqueness)的支持越大。标准越具有全球性,地方选择的独特性越明显。"⑬新认同政治对传统政治的冲击是相当大的。这体现在:(1) 由于民族身份、少数民族和种族身份、地方身份以及性别身份问题日益明显,使得身份政治在西方由边缘问题成了政治的中心问题。(2) 威胁着民族国家的存在。由于对国家忠诚的转移,使得国内种族、地方以及小团体和个人分散了国家的权力。例如雅克魁斯(Jacques)提出民族国家行将"熔化"(melt down)。他以意大利为例,贝鲁斯科尼领导的"自由联盟"在意大利选举中的获胜是因为他使选民们相信他不是腐败的政治阶级的一分子,这种意识威胁着脆弱的意大利。(3) 造成传统政治中的价值理念的消解或被替代。比如,泽格(Gergen)认为,当身份和忠诚变得更加多样时,公民的概念分解了(unbundle)。一个人的身份越来越受到环境的制约,而且在这些环境下,身份的组成部分受到了不仅是一国或地方之内的事件,而且是广泛的公共事件的动员与威胁。⑭ (4) 个人化的政治成了西方政治选举中的一个突出现象。从近几年西方几个大国的选举过程中可以看到,获胜的重要原因也许不是什么派别的观点而是候选人个人的魅力。这在美国的克林顿和英国的新首相布莱尔的获胜中体现得最为明显,翩翩的英姿、出众的口才成了吸引选民的拿手武器。

总之,新认同政治是目前世界政治中的一个新现象,其产生的深远影响和发展的前景有待我们进一步观察和分析。

4. 现代性、后现代性与全球化

现代性/后现代性,现代化/后现代化这两对概念经常出现在许多全球化理论文献中,其关系如何呢?

总的来看,这两对概念是描述第一次工业革命以来整个社会发展出现的两种状态,这两种状态是相互联结的,但是现在还没有出现完全现实化的后现代性,它更多指的是一些现象和心理反应,或者仅仅停留在哲学概念层面。但是无论如何,这两个概念对于描述全球化进程是相当有用的。

现代化是推动全球化发展的重要力量,但不是惟一力量。因为在现代化之前,早已出现了全球化力量,如"基督帝国"等理念。现代化为全球化提供了制度力量和保证,如工业主义、资本主义以及民族国家等,同时,这些现代化制度也实现了本身的全球化。应该承认的事实是,现代化在相当长的时期里是西方的现代化,并且在一段时期内,西方模式也是一种全球模式。从这个意义上讲,全球化在一定时期内是西方化的过程。但是,不能就此否认其他国家,尤其是非西方国家在现代化过程中的有益探索以及它们对全球化的贡献。

后现代性的出现既是对现代性的反动,也为多种文明参与全球化提供了机会。后现代性反对欧洲启蒙时代形成的价值理念和它维护的西方中心式的制度,倡导非中心化和多元化。当然也有的学者不同意用后现代性描绘目前的世界状态,比如吉登斯提倡用激烈的(radicalized)或繁盛(high)的现代性说明目前阶段。但无论用什么样的概念,起码大多数人都承认,现代性的最近发展削弱了它的整体化方面,而且"解构"了秩序、进步、理性这些启蒙时代形成的经典信条,代之以机会、风险和更多的偶然性。因而,更准确地说,全球化进程现在没有扩大现代性,而是成了其转变的加速器。正如罗伯逊和莱彻纳(Lechner)所说:"现代性的许多主题——生活世界的分裂、结构的分异、认知和道德上的相对性、体验范围的扩大——在全球化进程中已被加深。……现代性问题已经扩展成在归类意义上的全球性(globality)"⑮

特别需要强调的是,虽然在实践层面上,全球化推进了现代性的转变以及后现代性的某些实现,但是在理论层面上,现代性和后现代性这对概念的提出与探讨说明了西方人对自己的反思,对自己在全球化进程中的地位的重新确认。这对概念本身是西方式的。

5. 文明之间的关系

在西方学术界,自斯宾格勒、汤因比以来,一直关注着文明的问题,虽然在早期学者们注意到看待文明问题上的"西方中心论",但没有人做进一步深入研究。80年代以来,随着全球化进程的进一步多元化,一些学者意识到西方文明与非西方文明之间的关系对于全球化的重要性,并且在这方面进行了颇有益处的深入研究。

90年代以来,全球化理论更是关注文明问题,而且都非常坚定地抛弃了文明标准。有的学者,如沃勒斯坦进一步从概念上清算了这种文明问题上的西方中心论。大部分学者都认为全球化进程必然是文明的多元化共存。谈到文明关系,必然涉及亨廷顿构建的文明冲突论。他用文明替代了民族国家和意识形态并设计出一幅未来多种文明冲突的景象,声称西方文明的最大对手是儒家文明和伊斯兰文明。他实际上把现实政治中存在的一些矛盾系统化抽象化了。虽然他在以后的著作中有所调整,但他在文明关系上是彻头彻尾的文明竞争论者。

之所以在全球化进程中文明关系问题极为引人注目,原因在于:(1)文明的差异是根本和持久的,这是现代政治意识形态和体制不可比拟的。随着"冷战"的结束以及西方文明霸权地位的下降、西方文化解释的乏力,这种差异将更加明显。(2)全球化进程带来的时空紧密化推动了"文明意识"的加强。人们在与其他文明交流过程中既了解了对方,又清楚了自己。虽然现代化和全球化在一定程度上削弱了地方民族国家的凝聚力,但更加强了对身份归属的紧迫要求。文明无疑是确立身份和意义的有效源泉。(3)随着民族性和宗教影响力的增强,文明的作用将更显重要。

三 全球化理论的使命:粉碎"中心论"的桎梏

在西方全球化理论的发展过程中,各种理论一直徘徊在"中心论"与"反中心论"之间,"中心论"和"反中心论"基本上可以把全球化理论分成两个阵营,而这两个阵营又基本上与右派学者群和左派学者群吻合。右派学者更多的是"中心论"者(鲜明的或潜在的);左派学者则是鲜明的"反中心论"者。

所谓的"中心论"、"反中心论"实际上是一种看待全球化发展进程的观念或态度。"中心论"认为全球化进程源于一个中心,是这个中心模式在全球的扩展,全球化的结果就是这个模式的全球普遍化。在不同的"中心论"者那里,这个"中心"是不同的,但基本可以归纳为"欧洲"、"西方",甚至"美国"。之所以这样,主要原因是:在全球化的早期阶段,全球化进程实际上就是欧洲国家海外拓殖的过程,资本主义全球扩张的过程,或者说是西方文明挤压非西方文明的过程。在这个阶段中,"中心"的地位是无与伦比的,其力量不仅控制着政治、经济,而且掌握着文化意识形态。这个阶段中的西方主流社会科学和人文科学都或多或少带有"欧洲中心论"或"西方中心论"的色彩,直接或间接地充当了资本主义或西方文明扩张的文化意识形态,其中最典型的当推自由主义经济学,以及

"二战"之后出现的现代化理论。

如果说"中心论"代表了在全球化进程占据优势并获得利益的团体的话,那么"反中心论"则代表着处于劣势并失去利益的团体。事实正是这样。从一开始,"反中心论"者基本上都是左派,他们认为全球化的进程不是由某个"中心",而是由众多主体推动的,全球化的结果不是一个模式的推广,而是众多模式的共存。作为"中心论"的对手,"反中心论"一直为推翻"中心论"在全球化理论中树立的霸权而努力着。它的努力显然受到了全球化进程的客观限制。至少在"一战"结束之前,全球化进程实际上等同于资本主义或西方的扩张进程。苏联的出现虽然使替代资本主义制度成为可能,但同力量强大的美国霸权相比,依然难以抗衡。以至于在"二战"结束后相当长时期,充满"中心论"色彩的现代化理论仍然主导着西方理论界。

60年代以后,"反中心论"力量开始逐渐强大起来,这主要得益于非西方社会力量的强大、自我意识的觉醒,以及美国代表的西方力量的相对削弱,全球化进程日益同资本主义全球扩张拉开一定的距离,表现为多种主体共同参与的特点。"反中心论"主张的全球化将是一幅多元化图景的观点得到了长期受到西方力量挤压的非西方社会的认同以及它们实践的支持。"反中心论"开始在全球化理论中取得了与"中心论"抗衡的力量,甚至略胜对方一筹。由于"反中心论"力量的壮大,使得全球化理论在主流上摆脱了原有的狭隘的"地域"观念以及意识形态色彩,端正了看待全球化的基本态度。虽然苏东剧变一度使"反中心论"的力量有所削减,但并没有动摇它在全球化理论中的中坚地位。这点可以通过福山的"历史终结论"和亨廷顿的"文明冲突论"由盛到衰的急剧过程看出。

可以说,相对于"中心论"来说,"反中心论"的力量在于:一是抓住了全球化进程的本质,即全球化不是一元化而是多元化,不是资本主义的普遍化,而是多种文明的共存;二是"反中心论"者的左派立场使其长期站在大多数的一边,处于劣势的一边,扮演着"中心论"霸权的挑战者角色。这种角色决定了其态度更冷静些,目光更远一些,更具有革新意识。这点可以在90年代"反中心论"者把文化、文明引入理论分析看出。用文明或文化替代体制分析或民族国家不仅能够把更多的全球化主体包容进来,而且更能加深对人类共同命运的认识。

虽然"反中心论"占据了西方全球化理论的主导地位,但其前进之路仍很漫长,这一方面是因为其本身仍有不完善之处,另一方面则在于其面前是更强大的"中心论"——根深蒂固的整个西方理论。

注释:

① Immaneul Wallerstein, *The Modern World—system*,第1卷,纽约:学术出版社。
② Arif Dirlik, *After Revolution*,威斯利延大学出版社。
③ Sklair, *The Global System*,哈威斯特·威特谢夫出版社。
④ G. Albo, "The World Economy, Market Imperatives and Alternatives",载于 *Monthly Review*, 1996 vol. 12, pp. 16~17.
⑤ Anthony Giddens, *The Consequence of Modernity*,剑桥:政体出版社,第63页。
⑥ M·Featherston, "Global Culture: An Introduction",载于 *Theory, Culture and Society*,第7卷。
⑦ Z. Mlinar, "Individuation and Globalization: The transformation of Territorial Social Organization",载于姆利纳尔主编,*Globalization and Territorial Identities*,英格兰:爱佛伯瑞出版社。
⑧ A. G. Mcgrew, "Conceptualizing global politics",载于麦格里等主编,*Global Politics: Globalization and the Nation—state*,剑桥:政体出版社,1992年,第5页。
⑨ 康帕涅拉,《全球化:过程和解释》,梁光严译,《国外社会科学》1992年第7期。
⑩ 保罗·肯尼迪,《未雨绸缪:为21世纪做准备》,何力译,新华出版社1994年。
⑪ 西格蒙特·鲍曼(Zygmunt Bauman), "Modernity and Ambivalence", Featherstone(ed.), *Global Culture*.
⑫ Anthony Smith, "The Supersession of Nationalism," *International Journal of ComparativeSociology*, 1990 Vol. 31, pp. 21~32.
⑬ D. J. Elkins, "Globalization, Telecommunication and Virtual Etnic Communities," *International Political Science Review*, 1997 Vol. 18, pp. 139~152.

⑭ K. J. Gergen, *The Saturated Self: Dilemmas of Identity in Contemporary Life*, 纽约：基础书店 1991 年。
⑮ R·罗伯逊, F·莱切纳, "Modernization, Globalization and the Problem of Culture in World—system Theory", *Theory, Culture and Society*, Vol. 2, 1985, p. 108.

原载《国外社会科学》1999 年第 3 期

倪世雄 蔡萃红

西方全球化新论探索

"全球化"这个概念,是20世纪60年代由"罗马俱乐部"提出的,只是到80年代中下叶,全球化概念才在知识界、传媒界、商界和其他各界被广泛使用,全球化理论的探索也因此成为国际学术界的热点之一。冷战的结束又给全球化的发展趋势以极大的推动。有关全球化的著述与日俱增,学派纷起,众说纷纭。由于西方学者在这一研究领域显然已捷足先登,因此了解西方关于全球化的种种理论可以为我们思考这一重大历史现象提供借鉴,对于加深我们自身所处历史境遇的理解能有所帮助。

关于全球化的定义,人们从不同的角度进行了不同的表述。经济学家往往将其视为世界各国在生产、分配、消费等方面的经济活动的一体化趋势,主要表现在生产、贸易、投资、金融等领域全球性的自由流动,或指生产要素的全球配置与重组,及世界各国经济高度相互依赖和融合的表现。政治学家往往把它看做民族国家的世界体系的最后形成及世界新格局的战略体现。文化学家则多将其视做不同文化间的相互渗透与融合,不同文明的全球整合和知识体系的全球传播,或指人类利用高科技成果,克服自然界造成的客观限制而进行的全球信息传递和交流。社会学家、未来学家则更多关注的是全球性问题,认为全球化是生产力和社会关系在时间与空间维度上的全球扩散。

全球化作为一种现实运动,可以分为广义和狭义。狭义的全球化是指"从孤立的地域国家走向国际社会的过程";而广义的全球化则是指"在全球经济、文化日益发展的情况下,世界各国之间的影响、合作、互动日益加强,使得具有共性的政治、经济、文化样式逐渐普及推广成为全球通行标准的状态或趋势"。①在全球化动因问题上,西方学者分为两派。一派主张单因论(如技术或经济),另一派主张多因论。单因论者强调某一特殊动因的首要性,多因论者则认为全球化是一个复杂的、非连续的和偶然的过程,是由一系列不同的而又相互交错的逻辑推动的,是一个不均衡的发展过程。②一般认为,全球化,特别是经济全球化,是现代生产力发展的必然,是世界经济发展推进的结果,是"当今世界发展的客观进程,是在现代高科技的条件下经济社会化和国际化的历史新阶段"。③国际分工、世界市场的扩大和深化为全球化提供了体制上的保障,全球信息网络化的发展为全球化提供了技术上的保证,两者构成了全球化的基本动因。

全球化是一种偶然的辩证过程,一种矛盾的过程,"因为它不是把一系列变化总括起来按照一个统一的方向来行动,而是由相互对立的趋势构成的"。④岳长龄教授曾分析了全球化讨论中一般涉及的五组对立趋势,即普遍化与特殊化(Universalization versus particularization),同化与分化(Homogenization versus differentiation),整合与分离(Integration versus fragmentation),中心化与离心化(Centralization versus decentralization),并立与融合(Juxtaposition versus syncretization)。⑤因此,全球化是一个复杂的动态过程。它是时间与空间互动的多维度过程,是参与者不平衡发展的过程,是一体化与多样性、合作与冲突共存的过程,是概念更新、范式转换的过程。全球化是一把双刃剑。它并非一首田园牧歌,而是利弊都有。它既加快世界经济的发展和科技的普及,又包含风险和挑战,使"世界发展不平衡加剧,贫富悬殊拉大,南北差距拉大"。⑥全球化是加快经济增长速度,传播新技术和提高富国与穷国生活水平的有效途径,但也是一个侵犯国家主权、侵蚀当地文化和传统、威胁经济和社会稳定的一个有很大争议的过程。

何方教授也曾列举了有关经济全球化的十个问题,⑦即全球化与一体化(认为经济全球化就是全球经济一体化)、全球化与区域化(认为是矛盾的统一)、全球化与民族化(认为全球化一方面使主权行使受到限制、主权属性受到削弱,另一方面也使民族化加强)、全球化与市场化(市场化是全球化的基础)、全球化与信息化(两者犹如"风助火势,火趁风威",互相促进,相得益彰)、全球化与均衡化(全球化加剧不平衡～平衡的互动发展)、全球化与贫穷化(在促进改革世界经济和增加社会财富的同时,也导致了贫富差距的扩大)、全球化与发展中国家(全球化向发展中国家提出了严峻的挑战)、全球化与国际经济秩序(相互影响)、全球化与时代特征(全球化是和平与发展的重要支柱和推动力量,和平和发展是全球化的根本前提)。这十个问题为我们研究西方学者的全球化理论提供了一个较完整的框架。这不仅进一步证明了全球化为一个辩证过程,同时也暗示了全球化与国家主权的关系。全球化要求其参与者做出一定的主权让步,特别是经济主权的让步,但这并不等于民族国家的消解。甚至有西方学者认为全球化可能带来民族国家的再生或"重新安排的国际政治空间"。[8]

如今,随着全球化现象的日益扩展和这一概念的日益普及,对全球化的研究热情有增无减。90年代中期,全球化成了西方国际关系理论的一个热门话题(a buzz word),成为国际问题研究的一个核心概念。一些有影响的西方学者提出了以下几种主要观点:

1. 詹姆斯·罗斯诺的"全球化动力说"

1996年,罗斯诺发表一篇重要论文,题为"全球化的动力"[9],他文中列举了几种全球化的同义表述:世界社会、国际化、普遍性、全球主义(globalism)、全球性(globality)。罗斯诺认为,全球化最具有动态特征,体现一种强劲的动力。全球化的动力来自"条件、利益和市场"的扩散。这些跨国扩散的内容包括六个方面,即人们的活动、商品与服务、观念与信息、资本与金融、机构的运作、行为的模式与实践。他还认为,全球化是对地域化(localization)的超越。地域化是国界的限制,全球化则是国界的扩展;地域化意指分权、分散和分解,而全球化意指集权、一致性和一体化。此外,罗斯诺概括出推动全球化的四种基本途径:(1)通过双向的对话和沟通机制;(2)通过大众媒介的变革性影响;(3)通过榜样的力量和效仿的过程;(4)通过机构和制度的同质化。而同质化往往又是沟通、媒介、榜样的互动的结果。罗斯诺强调,从长远来看,全球化的动力必然会持续下去,要做到这一点,关键是逐步形成全球化运作的规范。

2. 赛约姆·布朗的"世界政体论"

1996年,赛约姆·布朗的《变化中全球体系的国际关系》一书经修改后出了第三版。布朗认为,世界政体论(theory of world polity)不同于国际政治理论,它是人们摆脱国际关系中主要困境的需要。世界政体可界定为"处理和解决冲突、制定和实施规则的全球的结构和过程模式",或"关于强制性的社会关系体系的世界结构"。⑩如果说,全球化是对地域化的超越,那么,世界政体就是对民族国家体系的超越。世界政体是全球化的重要体现,它所涉及的全球问题包括:从无政府状态到世界有序的治理、国际合作、战争与合作、财富与贫困、生态以及人权。⑪

3. 托马斯·弗里曼的"全球化体系论"

1999年,在西方学术界发生了一场关于全球化问题的颇有意思的争论。争论是由美国《纽约时报》外交事务专栏作家托马斯·弗里曼的《凌志车与橄榄树——理解全球化》一书引起。凌志车是日本丰田汽车公司生产的一种高级轿车品牌,代表全球化体系,而橄榄树则意指古老的文化、地理、传统和社会的力量。凌志车与橄榄树表述的就是两者之间紧张的矛盾关系。弗里曼指出,当今世界已经进入了全球化时代,从这个意义说,"世界刚刚满十岁"。他认为,全球化并非一种选择,而是一种现实。全球化不仅仅是一个现象、一个潮流,更重要的是,它代表了取代冷战体系的一种新的国际体系。弗里曼将全球化界定为"超越国界的资本、技术和信息的整合"。它正在创造一个单一的全球市场,从而在某种程度上,也在构建一个地球村。全球化也涉及"市场、技术和国家的一体化",它"使个人、公司和国家能更进一步、更快、更深入、更有效地接近世界"。⑫在弗里曼眼里,全球化就是自由化、市场化和资本主义化。

该书的有趣部分是冷战与全球化的比较。弗里曼认为:(1)如果冷战和全球化都是一种竞技,那么冷战可能就是一场柔道比赛,而全球化则可能是一场百米赛跑。(2)冷战的最大忧患是担心被你非常了解的敌人所消灭,而全球化的最大忧患是担心你看不见、摸不着的"敌人"的飞速变化——你的生活随时都可能被经济和技术力量所改变。(3)冷战体系的文本是条约,全球化的文本是交易。(4)冷战的标志是一道墙,将人们分隔开来;全球化的标志是世界网页,将人们联系起来。(5)冷战期间,人们依靠白宫和克里姆林宫之间的热线联系,因为尽管当时世界被分裂为两大阵营,但至少两个超级大国在负责任;在全球化时代,人们依托因特网,每个人都彼此联系着,没有人专门在负责任。(6)在冷战时,提得最多的问题是"你的导弹有多大?";而在全球化时代,提得最多的问题是"你的电脑调制解调器速度多快?"

　　同年,《外交政策》的秋季号以"全球化的双重性:托马斯·弗里曼和伊格纳西奥·拉蒙内特之间的辩论"为题,分别发表了两人的争论文章。⑬弗里曼在《重新定义冷战后时代:全球化辨析》一文中进一步阐明了他关于全球化的观点。他认为,"后冷战世界已经终结。……一种新的国际体系现已明确地取代了冷战体系,这就是全球化。……全球化不只是一种经济趋向,也不只是一种时尚。和所有旧的国际体系一样,它直接或间接地改变着差不多所有国家的国内政治、经济政策与外交政策。"他指出,全球化体系是建立在三个相互重叠、相互影响的平衡基础上的,即民族国家间的传统均衡、民族国家与全球市场间的关键均衡、个人与民族国家间的协调均衡。弗里曼指出,世界应该学会与全球化"平衡共存"。他的结论是:"我视全球化为现实,意思是首先理解全球化,然后研究如何从全球化中获得好处,并趋利避害。这就是我的政治学。"

　　法国《世界外交》杂志的编辑伊格纳西奥·拉蒙内特认为,弗里曼关于冷战体系与全球化的两分法是一种"令人厌烦的简化式",冷战与全球化成为时代的主导并不能说明它们是两种体系。他还指出,弗里曼未能观察到全球化的负面强化了世界上两个相互矛盾的动力源:融合与分裂。此外,弗里曼也未能看到全球化会导致社会不公正现象的增加,贫富的悬殊和公共事物状况的恶化。他反对弗里曼提出的"全球化即是美国化的扩展"观点,对弗里曼的"政治是经济的结果,经济是金融,金融即是市场"的观点提出异议。他认为,以弗里曼为代表的全球化支持者将"一切权力居于市场"变为一种教条式的主张,因此弗里曼的全球化说教"便成了一种新的极权主义"。⑭

4. 肯尼思·华尔兹的"全球化治理论"

　　以结构现实主义蜚声于世的肯尼思·华尔兹也开始关注全球化问题。他在1999年12月的《政治科学与政治》杂志上发表了题为"全球化与治理"的文章。从理论上来说,治理(governance)不同于政府(government)。政府是一种组织机构,而治理是一种管理和协调的方式和过程,它可以是国家层次的治理,也可以是国际或全球层次的治理。全球治理一般指在全球范围内个人、公共机构以及私人机构用以指导、决定和管理他们共同事务的各种方法和规则的总和,是"对不同集团关心的共同事务做出集体选择"。⑮这种治理不是世界政府,它不存在一个凌驾于所有行为者之上的、至高无上的权力机构。华尔兹在其全球化治理论中,关于全球化的基本观点是:⑯

(1)全球化是90年代涌动的趋势,它渊源于美国,"自由市场、透明度和创新性成了主要口号"。

(2)全球化不是一种选择,而是一种现实。

(3)全球化是由市场,而不是由政府造成的。

(4)全球化意指同质化,即价格、产品、工资、财富、利润趋于接近或一致。

(5)全球化也意指跨国发展条件的相近或一致。

(6)全球化不仅仅是一种现实的反映,而且也是一种未来的预测。

(7)全球化实际上并不是完全"地球的",它主要是指地球南北关系中的北方,可悲的是,南方与北方的差异依然很大。

(8)20世纪是民族国家的世纪,21世纪同样也是。这是全球化条件下治理的出发点。

(9)过去的时代里,是"强者消灭弱者",弱肉强食;在经济全球化时代里,"快者为王,慢者为败",败者遭殃。

(10)在全球化条件下进行治理,相互依存再次与和平联系在一起,而和平又日益与民主联系在一起。

5. 罗伯特·基欧汉和约瑟夫·奈的"全球化比较观"

1977年,基欧汉和奈合著出版《权力与相互依存》一书,成为政治现实主义与新自由主义承上启下的一本重要专著。10年后再版,加了再论权力与相互依存的序,产生了很大的影响。而2000年由朗门出版社出版的该书第三版中,作者又加了全球化的内容。《外交政策》2000年春季号刊登了第三版的部分章节,题为《全球化:什么是新的?什么不是新的》,⑰对全球化与相互依存做了精彩的比较。

基欧汉和奈认为,全球化在90年代成为热门话题,正如相互依存在70年代成为热门话题一样。但全球化所涉及的现象已完全不同。那么,相互依存和全球化是不是描述同一事物的两个概念呢?有没有新的内容呢?

(1)他俩指出,这两个词不是同一概念。相互依存意指一种条件,一种状态,它可以增强,也可减弱。而全球化仅指事物的增长或增强。因此,在讨论定义时常常从"全球主义"(globalism)开始,而不是从"全球化"(globalization)开始,因为全球主义可指增强或减弱,而全球化只说明全球主义的增强。全球化是全球主义的一种特殊形态。自古以来即有的"稀薄"的全球主义就是全球主义,只有日益"浓厚"的全球主义才能称为"全球化"。

(2)相互依存适用于以不同国家之间互动为特征的种种情况,全球主义则是一种反映全球相互依存网络的世界状态,因此,它实质上是一种相互依存。

(3)相互依存和全球主义均体现多方位的现象,与相互依存一样,全球主义或全球化呈现出不同的形式:经济全球主义、军事全球主义、环境全球主义、社会与文化全球主义。

(4)用全球化或全球主义的话来说,复合相互依存是指经济、环境和社会全球化或全球主义的水准提高了,军事全球化或全球主义的水准降低了。

(5)参与复合相互依存"并不意味着政治的结束",相反,权力依然重要。在全球化的条件下,政治反映了经济、社会、环境的非对称发展,这一情况不仅发生在国家之间,而且也发生在非国家行为者之间,复合相互依存"不是对世界的描述,而是一种从现实抽象出来的理想式的概念"。

6. 詹姆斯·密特曼的"全球化综合观"

詹姆斯·密特曼为美利坚大学国际事务学院教授。自1996年来,他先后出版了四本关于全球化的专著或编著《全球化:批判的反思》(1996)、《全球化、和平与冲突》(1997)、《全球化的未来》(1999)和《全球化综合观——变革与阻挡》(2000)。

密特曼认为,如今,我们生活在全球化加速发展的时代,全球化已成了一个热门话题。这首先反映在各种不同的对全球化定义的综合表述上。典型的表述有:

(1)全球化代表一个历史阶段,它不断地排除人员及其观念自由流动的障碍,把许多不同的社会融入一个体系。[18]

(2) 全球化实际上是全球政治经济一体化的商品化形式的深化,是一种"市场乌托邦"。[19]

(3) 全球化是不同的跨国过程和国内结构的结合,导致一国的经济、政治、文化和思想向别国渗透。全球化是"一种市场导向、政策取向的过程"。[20]

(4) 全球化是减少国家间隔阂,增加经济、政治、社会互动的过程,反映为相互联系、相互依存的不断加强。[21]

(5) 全球化强调时间和空间的压缩,时间和空间的旧模型开始改变,直接推动世界范围内社会关系的强化。[22]

最后,密特曼强调,他的全球化核心观点是,"全球化不是单一的统合现象,而是过程和活动的综合化"。"综合化"这个词意指全球化的多层面分析——经济、政治、社会和文化的综合分析,全球化是在全球政治经济框架内人类活动环境特征的最高模式。[23]密特曼的独到之处,是他关于"全球化本体论"(the ontology of globalization)的分析。他认为,从根本上来说,全球化是"世界范围内的互动体系",[24]本质是全球政治经济一体化的趋势。全球化涉及宏观区域、次区域、微观区域,也涉及市民社会对这一趋势的积极的或消极的反应,同样地,全球化也反映了其对上述区域和社会的正面或负面的影响。密特曼还提示人们要注意全球化的"霸权思想意识"(the hegemonic ideology of globalization)。[25]

以上介绍了近几年来西方关于全球化问题的六种主要论点与看法。从中可见,全球化是世界历史发展到一定阶段的一种趋势,全球化新论则是对这一趋势的最新的理论分析。毋庸置疑的是,大部分西方全球化新论均带有明显的"西方中心论"或"美国中心论"。一个突出的例子是托马斯·弗里曼在《凌志车与橄榄树——理解全球化》一书提出的"五个加油站"比喻:日本的、美国的、西欧的、发展中国家的、共产党国家的。其中美国的"加油站"最好,油价低、自助式。全球的车辆到后来都到美国的"加油站"加油了,因此,全球化就是美国"加油站"遍布全世界。在作者眼里,全球化即是美国化。更有学者尖锐地指出,全球化"不仅增加财富,还扩展民主","美国克林顿政府战略的核心是全球化概念"。因此,在这

些学者眼中,全球化已经成为美国的世界领导作用的"同义词"。㉖

但是,这并不说明所有美国学者都认为美国全球化程度最高。最近,美国《外交政策》杂志和卡尼咨询公司合作,创建了一个全球化指数(the A. T. Kearney and Foreign Policy Magazine Globalization Index)㉗,对全球化的性质、速度、范围提供了一种三维衡量标准,从而挖掘了全球化问题的另一量化层面。依照该标准,国家大并不意味着全球化程度高。全球化程度最高的国家一般是那些开放程度允许国民能获得他们在国内无法直接得到的货物、服务和资本的小国家。新加坡因此被评为世界上全球化程度最高的国家,紧随其后的是荷兰、瑞典和瑞士。此种衡量标准的合理性还有待进一步研究,比如说,各种不同侧面的权数如何确定等。由此可见,虽然"全球化"这个概念进入了各个领域、各门学科,对"全球化"的真正全球性讨论,其实才刚刚开始。对这个充满了悖论的命题,还有待更多更深入的研究和探索。

注释:

① 孙嘉明《全球化的发展趋势及其对我国现代化的挑战》,《复旦学报》(社会科学版)1996 年第 6 期。
② 岳长龄《西方全球化理论面面观》,《战略与管理》1995 年第 6 期,第 86 页。
③ 汪道涵《经济全球化与中国经济增长的前景展望》(在达沃斯世界经济论坛上的演讲),1999 年 1 月 30 日。
④ A. 吉登斯《现代性的后果》,1990 年,第 64 页。
⑤ 同③,第 87 页。
⑥ 袁明《全球化大趋势的特点》,《世界知识》1999 年第 2 期。该文分析了全球化 11 个特点。
⑦ 何方《有关经济全球化的十个问题》,《太平洋学报》1998 年第 3 期。
⑧ D·赫尔德《当代政治理论》,1991 年,第 222 页。
⑨ James Rosenau, "Dynamics of Globalization: Toward an Operational Formulation", *Security Dialogue*, September 1996.
⑩ Seyom Brown, *International Relations in a Changing Global System*, Westview Press, 1996, pp. 5~7.
⑪ Seyom Brown, *International Relations in a Changing Global System*, Westview Press, 1996, pp. 2~4.
⑫ Thomas Friedman, *The Lexus and the Olive Tree——Understanding Globalization*, Farrar Straus Giroux, 1999, pp. 7~8.

⑬ "Dueling Globalizations——A Debate Between Thomas Friedman and Ignacio Romonet", *Foreign Policy*, Fall 1999.
⑭ "Dueling Globalizations——A Debate Between Thomas Friedman and Ignacio Romonet", *Foreign Policy*, Fall 1999.
⑮ Albert J. Paolini(eds), *Between Sovereignty and Global Governance: The United Nations, the States and Civil Society*, Macmillan Press LTD, 1998, p. 5.
⑯ Kenneth Waltz, "Globalization and Governance," *Political Science and Politics*, December 1999.
⑰ Robert Keohane, and Joseph Nye, "Golbalization: What's New What's Not," *Foreign Policy*, Spring 2000.
⑱ James Mittelman, *Globalization: Critical Reflections*, Lynne Rienner Publishers, 1996, p. 230.
⑲ James Mittelman, *Globalization: Critical Reflections*, Lynne Rienner Publishers, 1996, p. 231.
⑳ Kenneth Waltz, "Globalization and Governance," *Political Science and Politics*, December 1999, p. 3.
㉑ JamesMittelman, *The Globalization Syndrome: Transformation and Resistance*, Princeton University Press, 2000, p. 5.
㉒ James Mittelman, *The Globalization Syndrome: Transformation and Resistance*, Princeton University Press, 2000, pp. 5~6.
㉓ Seyom Brown, *International Relations in a Changing Global System*, Westview Press, 1996, p. 4.
㉔ Seyom Brown, *International Relations in a Changing Global System*, Westview Press, 1996, p. 9.
㉕ Seyom Brown, *International Relations in a Changing Global System*, Westview Press, 1996, p. 29.
㉖ Audrew Bacevich, "Policing Utopai~the Military Imperatives of Globalization," *National Interest*, Summer 1999.
㉗ "Measuring Globalization," *Foreign Policy*, January/February. 2001, p. 56.

杨金海

全球化研究的历史、现状和热点问题

一 全球化研究的历史与现状

全球化思想的最早提出者当属马克思。他在 150 年前的《德意志意识形态》和《共产党宣言》中就提出了资本主义的发展必然形成世界市场等思想。但真正在现代意义上提出并全面论述全球化思想,还是近几十年的事。

最早提出全球化理论的是"依附理论"学派。埃及人萨米尔·阿明是这一学派的代表,他最早建构了世界资本积累和发展模式。他认为,资本积累是通过全球分工发生的;在分工中,世界资本主义体系各个阶层的关系的本质特征是不等价交换和剥削;但边缘国家有可能摆脱资本主义世界体系,建立自己的社会组织并形成自己的发展模式。早在 1957 年的博士论文中,阿明就提出了这一思想的框架,其后发展了它。到 60 年代,这一理论逐渐为人们所接受。从 1963 年开始,安德烈·冈德·弗兰克逐渐成为该学派的重要成员。他丰富了阿明和保罗·巴兰的思想,提出了自己的发展理论,尤其是提出了"不发达的发展"的概念,指出不发达的现象是以资本主义世界范围的兴起和扩张为开端的,也是这一进程的结果。巴西学者费尔南多·恩里克·卡尔多左进一步用辩证法研究了世界的结构和历史,提出了"中心区"和"边缘区"的思想,认为处在边缘区的不发达国家在两个层次上依附于处在中心区的发达国家,即受外部力量(包括外部发达资本主义国家的跨国公司、外国技术和外国金融体系)的支配和内部力量(即与外国势力相联系的当地阶级和集团)的支配。此外,当时许多思想家都讨论了这些问题。1961 年,"global"(全球)一词被收入韦氏辞典,次年收入牛津英语辞典。之所以如此,是有社会背景的,正像英国学者查尔斯·洛克所说的,当时已经出现了跨国公司在财源、功能、责任方面替代国家,国家囿于疆土之内而对此无能为力的现象。①可以说,这一时期对全球问题的研究是全球化理论发展的第一阶段。

到了 70 年代,随着资本、货币的跨国自由流动,人员自由流动现象也出现了。于是,对上述问题的讨论进一步深入,出现了沃勒斯坦的"世界体系"理论。沃勒斯坦从新马克思主义的角度批判了以西方现代化发展道路为模式的"现代化理论",指出现代世界结构是一种"生产模式";其中,中心区与边缘区的关系是重要关系,是一种空间共存关系。从这个意义上讲,各国社会的发展不存在"传统"与"现代"之分,所有社会都是现代的;差别只在于有的在中心、有的在边缘;而在边缘的社会必然是不发达社会。他在方法论上的特别贡献是,主张把"全球关系"、"世界体系"作为"分析单位",而不要采取传统的以独立的民族国家的经济、社会、政治为"分析单位"的方法。沃氏的著作颇丰,其代表作是他的三大卷的《现代世界体系》,分别发表于 1974、1980 和 1989 年。近年来,他又与 T. K. Hopkins 合作出版了《转型时代:世界体系的轨迹,1945～2025》、《世界体系分析的理论和方法》等。

80 年代初,米歇尔·弗里德曼的新自由主义经济理论被里根、撒切尔夫人采用,金融体系的全球化开始。债券市场阻隔的消除和非规章化逐渐完成,随后又引起了股票市场阻隔的消除和非规章化,金融全球化全面展开。90 年代初,新兴工业化国家加入了这一进程,金融全球化便呈飙升趋势,直到发生世界范围的金融危机。随着金融全球化的发展,政治、文化、全球化也发展起来。

于是,对全球化问题的研究又进入一个新阶段。从 70 年代末兴起的罗马俱乐部在对全球化问题做了多方面的定性和定量研究并提出了不少研究报告之后,又从哲学的高度进行探讨,例如拉兹洛推出《用系统的观点看世界》等,在当时产生了不小的影响。1985 年 R. Roberson 和 Frank Lechner 发表《现代化,全球化和世界体系理论中的文化问题》,②明确提出了"全球化"(globalization)一词,并提出了与全球化有关的许多问题,引起了人们的广泛注意。

80年代中后期,后结构主义、解构主义和后现代主义兴起,提倡解中心、消结构、消边界和多元化,反对中心论、大叙事、一元化和绝对真理,可以看做是全球化理论研究的哲学表现。在这里,被人们所描述的那种还说不清道不明的所谓"后"状态,实际上就是今天所谓全球化状态的深层的但却是初期的表现。这在当时对人们做深入的全球化问题研究起了很大作用。

直接由此引起的90年代初期新思潮是"后殖民主义"。它以上述思想为武器,提出了反对全球化过程中的"西方中心主义",反对西方大国对其他国家尤其是对发展中国家实行霸权,包括经济的、政治的和文化的霸权,反对"文化帝国主义";主张各个民族国家都有自己的特殊文化背景,可以有各自不同的发展道路,力图摆脱西方势力的束缚,获得自己独立发展的自由。直到今天,后殖民主义仍在发展中,并成为全球化问题研究中的一支重要力量。它所提出的许多问题都成为人们普遍关心并在未来全球化过程中力图解决的问题。

随着90年代初苏东剧变,由美国所主导的全球化迅速升级。1992年美国总统克林顿和联合国秘书长公开声称,"真正的全球化时代已经到来"。于是各国政府纷纷研究并制定自己国家的全球化战略,力图在全球化过程中找到有利的位置。这无疑调动了理论界各个学科的力量,展开了对全球化的全方位的多学科的综合研究。90年代中期金融危机的发生,使全球化研究再度升温。但与先前不同的是,人们多半不再像先前那样对全球化只抱乐观态度,而是抱谨慎态度,有的甚至抱悲观态度,因而,不仅研究自己国家或集团的发展战略,也研究防御金融风险的战略和措施;许多有责任感的学者纷纷呼吁并积极研究全球化的秩序问题,包括全球化的伦理、规则、法律、政府间关系、全球治理等问题。

最近,全球化研究更是高潮迭起,关于全球化研究的文章、著作不断推出。Samir Amin 于1997年出版了《全球化时代的资本主义》;Fredric Jameson 于1998年组织国际研讨会并编辑出版《全球化的文化》;Zygmunt Bauman 于1998年推出《全球化:人类的结果》;Dean Baker 于1999年编辑出版《全球化和进步的经济政策》;ThomasKlak 于1997年编辑出版《全球化和新自由主义》;

Robert Holton 于 1998 年出版《全球化和民族国家》；Peter Waterman 1999 年出版《全球化、社会运动和新国际主义》；Tony Spybey 于 1996 年出版《全球化和世界社会》；Ankie Hoogvelt 于 1997 年出版《全球化和后殖民世界：发展中的新政治经济》；Birgit Meyer 和 Peter Geschiere 于 1999 年编辑出版《全球化和认同：流动和关闭的辩证法》；Raimo Vayrynen 于 1999 年编辑出版了美国～加拿大举行的关于全球治理的联席会议文集《全球化和全球治理》；Avtar Brah 等人于 1999 年编辑出版《全球未来：移民、环境和全球化》；哈贝马斯也发表了《全球化评论》等。著名的美国纽约时报专栏作家 T. 弗里德曼不久前出版通俗读物《理解全球化》，在美国引起大众讨论全球化的热潮。

最近召开的大型国际会议几乎都与全球化问题有关。1999 年 2 月 12～13 日美国"全球化与地区化研究中心"等主持召开会议，讨论"正义与全球经济"；1999 年 4 月 27 日"国际贸易与经济政策研讨会"在美国召开，会议主题是"危机继续：反思全球化"，国际货币基金组织第一副总裁斯坦利·弗希尔发表题为"危机的教训：做什么？不做什么？"的讲话；1999 年 5 月 5 日，"'99 世界经济论坛"召开，讨论处在 21 世纪大门口的人类应当如何对待经济发展中的"责任全球性"问题；1999 年 7 月 11～15 日世界著名的国际社会学学会在以色列举行本世纪最后一次大会，会议主题是"全球化时代多样性的现代性"；1999 年 10 月 27 日，泰国曼谷将召开全球化问题国际研讨会，目的在于总结东亚危机的经验教训，制定东亚各国发展战略；2000 年下半年法国马克思园地协会将在巴黎举行"全球化与人类解放"国际大会等。

近年来，还出现了全球化研究的专门机构和组织。如设在美国 Warwick 大学的"全球化和地区化研究中心"；"全球化增长协会"；"全球基金组织"；"全球发展中心"等。同时，还出现了为全球化研究和学习、工作服务的企业，如"Bowne 全球解答"（公司），它能够为人们提供"全球化术语表"、"自动语言转化（工具）"等。在美国的许多大学还开设了与全球化有关的"跨文化研究"和课程，出版了不少的书籍和教材。可见，对全球化问题的研究和思考已经超越了政府、学术部门，成为全球各界人士所普遍关心的问题。

二 全球化研究的热点问题

全球化研究既有学科性,又有跨学科性。这里仅就各学科普遍关心的全球化问题做一简要介绍。

1. 何谓"全球化"? 对此,人们从不同的角度做了解释。(1) 有的从生产力尤其是科学技术和全球交往活动方面来理解,认为全球化是人类利用先进的通信技术,克服自然地理因素的限制进行信息的自由传递。Marshal Mcluhan 在其 1960 年出版的《传播探索》一书中提出的"全球村"(global village)思想已经包含这种认识;近几年来,随着电脑国际互联网的出现,这种认识更加具有代表性。有的认为全球化还包括人类利用现代化的交通工具冲破自然空间和时间的阻隔而在全球范围内进行的自由交往活动,并对交通工具发展在全球化中的作用做了历史考察。(2) 有的从经济角度来理解,认为全球化是经济活动在世界范围内的相互依赖,是世界市场和国际劳动分工的全面形成,是金融资本、物质财富和人员超越了民族国家的界限而在全球的自由流动。其明显标志是众多跨国公司的存在。例如可口可乐公司就是全球化的象征,它在全球 155 个国家运行,控制着全球 44 ％的软饮市场,其势力超过许多民族国家。③(3) 有的从政治意识形态或社会体制方面来理解,认为全球化是全球资本主义化,是晚期资本主义。沃勒斯坦世界体系的本质是资本主义世界经济。德里克(Dirlik)认为全球化是"全球资本主义"。曼德尔和杰姆逊也认为全球化是"晚期资本主义"状态。(4) 有的从文化方面来理解,认为全球化是文化或文明全球整合,其间既有文化的冲突,也有文化的融合。各种跨文化主义者均持此观点。(5) 有的从民族主义立场出发,认为全球化是西方化甚至美国化。(6) 也有不少学者认为,全球化是人类社会经济、政治、文化在全球范围的一体化。Thomas L. Friedman 就认为,全球化是"金融市场、民族～国家和技术的全球一体化"。④

2. 如何对待全球化? 有人认为全球化并没有必然性,而是美、英推行新自由主义政策造成的,是它们设定的一种"陷阱";有人干脆认为全球化是一种"帝国主义变种",因而要抵制全球化政策。有人则认为全球化是现代生产力和科学技术发展的必然，要适应之而不能违反之。有人认为这两方面因素都有，既要适应它，做出应对战略，又要抵制全球化中的霸权主义。

3. 如何避免全球化带来的种种社会发展问题？尽管全球化给各个国家带来了发展的机遇，但它同时带来的问题也很多。如何避免和克服这些问题，成为人们研究全球化的重点。最主要的问题就是全球化的非规则进行所造成的全球经济危机和经济发展不公平问题。今年7月15日联合国开发计划署发表《1999年人类发展报告》，指出全世界人口的1/5生活在富国，占有全球86%的国内生产总值、82%的出口市场份额、68%的外国直接投资和74%的电话线路；1/5的人口生活在最贫穷国家，在上述各项中只占1%。上述两类人口的收入差距由1960年的30∶1扩大到1997年的74∶1。报告以全球化为主题，呼吁重新制定全球化规则，逐步缩小世界上日益扩大的贫富差距。即将召开的曼谷国际会议也将主要讨论这些问题，包括各国发展政策和规则、宏观经济和金融稳定、人类资源的保护与发展、外国直接投资与新市场问题等。加拿大学者伊·卡普斯坦发表文章《全球金融的全球规则》，提出了公平稳定发展的方案，即公开准确的经济金融信息、制定客观稳定的经济政策和规章、实行国际金融的监管改革等。⑤

4. 如何加强"政府间关系"和"全球治理"？经济活动的全球化必然要求政治活动的全球化。因为跨国公司的活动已经远远超出了本国政府的管理权限，所以本国政府常常对它无能为力，这是造成经济全球化处于无政府状态的重要原因。为解决由此带来的一系列问题，各国政府之间不断加强交涉，传统的政府间关系正在向现代政府间关系转化。为此，许多学者也做了探讨。1996年Paul Hirsth 和 Grahame F. Thompson 合作出版《问题中的全球化：国际经济和治理的可能性》；1996年 Jong S. Jun 编辑出版《全球化和解中心：制度关联，政策问题和日～美政府间关系》。他们都力图对这些问题做出回答。

有的学者还对此做了更深入的分析。英国学者苏·斯特兰奇在1997年第11期的美国《当代》杂志发表文章《全球化与国家的销蚀》，指出全球化使国家权威日益衰落，即在防务、金融和提供福利三方面不断衰落。如果不改变这种状况，社会将任由跨国公司摆布,我们和我们的子孙在这种状态下将难以生存。1998年,罗伯特·霍顿(Robert Holton)出版《全球化和民族国家》,力图全面分析这些问题。

值得注意的是,某些大国的跨国公司也正在积极活动,试图操纵全球化的发展走势。1995年,由世界排名最前列的500家大型跨国公司发起的"多边投资协议"开始秘密谈判,目的是要"制定一部统一世界经济的宪法",并准备在"世界贸易组织"的基础上于1998年推出之。幸运的是,在全世界人民的反对下,1998年10月底,"多边投资协议"谈判被迫中止,从而宣告了"世界资本主义新宣言"的破产。由此也引起了人们的反思和讨论。⑥

5. 如何解决跨文化问题?不管人们是否愿意或是否承认,文化全球化都在进行中。于是便出现了"多元文化主义"(multiculturalism)、"文化间主义"(interculturalism)、"跨文化主义"(cross~culturalism)等概念和思想。也就出现了相应的"多元文化教育"、"文化间知识"、"跨文化教育"等学习和研究,甚至还形成了相关的新兴文化产业。Dward C. Stewart 和 Milton J. Bennett 1991年出版了《美国文化模式:跨文化前景》;1994年 L. Robert Kohls 和 John M. Knight 出版了《发展中的文化间视野:跨文化训练手册》;Akira Iriye 于1997年出版《文化国际主义和世界秩序》;Michael H. Prosser 和 K. S. Sitaram 于1999年编辑出版《公民话语:文化间的、国际化的和全球的媒介》。之所以会这样,完全是由人们的全球化活动所决定的。例如跨国公司要在其他国家投资生产,就不能不了解本国与这些国家的行为方式的差别、区域的差别,不能不了解这些国家的货币、语言、民族习惯、民族特色、民族节日、产品和服务名称、种姓关系和地理、历史情况等;在任何一个环节出了问题,都可能出现"满盘皆输"的结局。至于处理国际间的政治关系就更是如此。

6. 如何处理文化的全球化和地方化的关系?由于发达国家在全球化中处于主导地位,所以在推行其经济全球化的同时,也推行着政治和文化的全球化。例如美国不仅对落后国家进行文化侵略,也对加拿大等国家进行文化渗透。美国对加拿大的文化渗透相当严重,占领其电影市场的95%、电视剧的93%、英语节目的75%、书刊市场的80%,为此,加拿大有识之士忧心忡忡,呼吁采取保护本国文化的措施。法国的情况也很相似。所以,就连西方学者也认为,这种文化的"全球化"和"西方化",实际上是"美国化",并对此提出强烈抗议。近年来,后殖民主义和新的民族主义的兴起与此直接相关。赛义德是这方面的著名代表。1991年,英国学者汤林森也写出专著《文化帝国主义》,对这种文化帝国主义进行揭露和批判。这些学者力图反对"西方中心主义",找到适合自己民族特色的文化发展道路,用普拉卡什和印度历史学派的话说,就是要"编写自己文化的历史"。有的学者因此走向了极端,要彻底否定西方启蒙运动以来的一切思想和话语,主张彻底的文化多元主义和民族主义。但这无异于搞文化关门主义和文化自杀。所以有的学者认为,应当坚持文化问题上的辩证法,在文化交流中保持和发展自己的民族文化,同时抵制文化帝国主义。

7. 世界劳工问题和新国际主义。由于全球化仍然在资本主义的框架中进行,所以,马克思所揭露的资本主义矛盾依然存在。经济全球化使落后国家的廉价劳动力越来越多地参与到跨国公司的生产之中,加大了劳动竞争压力,对发达国家的劳动者来说更是雪上加霜。因此,各个国家的劳动者之间的矛盾也不断升级。1995年在美国旧金山举行的"走向21世纪"国际研讨会得出结论:21世纪,起用20%的劳动力就足以维持经济繁荣,80%的劳动力将失去工作岗位。为此,学者们尤其是左翼学者展开了热烈讨论。有的提出,应当建立"全球公民社会";或推行新社会运动;甚或进行新的阶级斗争。最近,彼德·沃特曼出版《全球化,社会运动和新国际主义》,提出并论证了"新国际主义"的思想。他认为,全球化使社会经济日益国际化,劳动者的利益也日益国际化,在这种情况下,劳动者应当建立"新国际主义"(the new internationalism)组织,推行新的社会运动,实现"全球团结"(global solidarity)促成"全球公民社会"(global civil society)的形成,共同反对全球资本主义和现代国家主义,实现新的民主和劳动解放。

8. 全球化的前途问题。有人认为全球化的前景是美好的,有可能在经济全球化的基础上促成政治、文化的一体化,形成世界政府,消解全球性矛盾,制止和消灭战争,并最终达到世界大同。但也有人认为这是不可能的,全球化不会消除战争。有人从社会制度方面来考虑,认为全球化是资本主义化,而且是永恒的,社会主义在 90 年代初已经失败,在今天和未来全球化的大趋势中更没有存在和发展的机会了。但不少左翼学者认为,全球化不仅不会使社会主义终结,相反会使社会主义复兴,正如杰姆逊所说"社会主义始终意味着对人类从出生到死亡的全方位的保护:彻底的保障体系,它为每个人提供自由的存在和发展真实的个性所必需的基本条件,使得人们能够无忧无虑的生活。"⑦只要资本主义还存在,这些问题就不可能得到解决,社会主义运动就不会完结,而且全球化的发展方向必然是社会主义,不管人们的主观意愿如何。

此外,有的学者还从哲学方面对全球化进行研究,分析了全球化与现代主义、后现代主义的关系;有的从伦理学方面分析全球化,提出了"全球伦理"的概念和思想;有的还从哲学本体论和认识论的高度对全球化进行分析,提出了"全球观念"、"全球思维"的思想,并对全球社会本体做了全球空间和全球时间的分析,提出了"全球发展"的思想等。例如,社会学家鲍曼认为,在全球化时代,社会的"时间在加速,空间在缩短",因此需要对全球社会及其秩序做现代分析、进行"全球思维"。无疑,这种用相对论原理对全球化所做的社会本体论分析,对我们不无启迪。

注释:
① 查尔斯·洛克《全球化是帝国主义的变种》,《马克思主义与现实》1998 年第 6 期。
② 载于 Theory, Culture and Society, 1985 年,第 2 卷,第 108 页。
③ See Peter Waterman *Globalization, Social Movements & The New Internationalisms*, Mansell Publishing Limitied, 1998, p. 69.
④ See Thomas L. Friedman *The Lexus and The Olive Tree : Understanding Globalization*.
⑤ 参见《马克思主义与现实》1999 年第 4 期。
⑥ 参见李其庆《"多边投资协议"——世界资本主义新宣言的破产》,《国外理论动态》1999 年第 3 期。
⑦ 参见俞可平《全球化时代的"社会主义"》,《马克思主义与现实》1998 年第 2 期。

原载《哲学研究》1999 年第 11 期

张颐武

全球化的文化挑战

一

全球化对我们的文化意味着什么?

我想从两个文本开始探讨。一个是上海女作家殷惠芬的小说《吉庆里》,另一个是冯小刚的1999年贺岁电影《不见不散》。这两个文本显示了全球化对于我们日常生活深刻的改变,它们喻示我们全球化已经是我们无可摆脱的命运。

殷惠芬的《吉庆里》中,租住在上海弄堂中的小雨和男友的关系出现危机之时,却在网上结识了美国人 Hart,她和 Hart 的关系是非常有趣的:

"小雨从此和 Hart 成了网上密友。他们总是在北京时间零点的时候在网上见面,小雨隔着茫茫重洋和 Hart 说了很多心里话,她需要一个心灵的朋友。跨越空间的友谊弥补了她失去任言的虚空。有时候他们也会相约一起去参加某个网友的网上婚礼,或者在网上共同看一部最新的好莱坞电影,关于它的所有资料,比如某个演员的私人档案。有时候他们还忙着给对方传送自己最新的发现和最有趣的网址。她后来就十分理解那些通过某种信息,通过一篇新闻报道,一条征婚启事而产生心灵撞击彼此相爱的人们。当然这并不意味着她和 Hart 会发展任何网下的关系。网友就是网友,它是真实而虚幻的、任何显示的关系所无法替代的。"

在这里,网络提供了一种超越性的经验,也提供了一种新的生活方式。弄堂和网络中的生活毫无逻辑地拼贴在一起。小说精细地描写了上海弄堂生活的状况,但这个名为"吉庆里"的弄堂无疑已经卷入了"全球化"的浪潮之中,它通过小雨和 Hart 的虚拟关系及其拥有的几乎与美国共同的时空,提供了有关全球化冲击的最为感性和最为明确的表达。它喻示我们,全球化不仅仅是一个抽象的时髦话题,而且是我们在中国的日常生活中的具体的经验。

另一个例子是冯小刚的《不见不散》,这部在 1999 年元旦期间在北京流行的"贺岁片"的背景在洛杉矶。但这里突出的并不是异国的奇观,而是一对中国青年的感情经历。这里已经没有 1992 年《北京人在纽约》时那种对美国无限的焦虑和无法把握之感了,我们可能都还记得《北京人在纽约》片头从空中展现纽约璀璨夜景的段落,那是一个神秘而迷人的所在,一切好像与中国完全不同。而在这部电影中,洛杉矶则如同北京、上海、广州一样,仅仅是一个普通的城市,是故事发生的背景,一切都非常平淡,它并不引起如《北京人在纽约》中的"奇观"效应。《不见不散》中没有《北京人在纽约》中的强烈的认同危机。其中那对中国青年的悲欢离合仅仅是感情的波澜,而不是面对美国时的不知所措。王起明的个人奋斗包含被美国的丰裕生活所赋予的象征含义,而在刘元的身上,我们仅仅看到了作为普通的日常经验的"移民"生活。《北京人在纽约》给了我们关于美国的超越的想像,美国在那里是一个神话,而《不见不散》则试图给予我们一个具体而微的美国的形象,美国仅仅是一个地方。《不见不散》显示了中国大众文化对于美国的看法已经不再如同几年前那样神秘。全球化的剧烈冲击使得中国对于美国的理解有了前所未有的衍化。美国在此被"解除神秘"了,空间的移动带来的文化震撼已经远远没有往日那样强烈和紧张了。这可以说是阿卡杜拉的"非领地化"(deterritorialization)的最佳例证。全球化使我们面对世界的方式有了根本的改变。这两个例子说明"全球化"不仅仅是一种时髦的话语,或者一种新的知识,而且是我们的文化经验本身。它们一是建构虚拟的网络空间,一是具体"再现"一个异国他乡的似真的空间。但它们显示了全球化对于我们的无可回避的冲击力。这种经验是信息和资本流动带来的一系列新的"状态"的表征。无论是我们在网上阅读斯塔尔的报告,还是观看斯皮尔伯格的《拯救大兵瑞恩》,或者关心人民币的稳定,都与全球化有着不可分割的联系。一方面信息的无限流通使得人们在文化方面的选择日益全球化,另一方面,资本的无限流通则改变了人们的经济生活,使得经济活动完全被全球化了。在这里,赛曼·杜林的表述非常准确:"与其说,金钱、传送和信息流是文化的基础,不如说它们是文化的媒介。因此,文化和经济及带有经济倾向的政治利益的关系是前所未有的清晰。"①但是在这样的"状态"面前,我们似乎尚未做好准备,在殷惠芬和冯小刚的想像已经到达之处,理论却失去了把握能力。我们发现中国文化研究在这一方面的深刻的困扰。这种困扰实际上是 90 年代以来我们面对的"阐释中国"的焦虑的延续和发展。

二

我以为,思考全球化的关键是破除对全球化的浪漫的、一厢情愿的理解,正是这种理解使我们尚未脱离一种"冷战"时代的思想封闭症。我们往往习惯于将全球化看成一个时髦的但和我们相距颇远的话题。我们有关"全球化"的看法往往是矛盾的:一方面全球化被浪漫化了,它成了最终解决我们面对的许多问题的终极幻想,在中国语境中,有些所谓信仰全球化的人不断地用所谓"世界潮流"、"普遍价值"之类的话语对全球化进行阐释,这种阐释异常简单地将西方或美国的政治、经济、文化变为人类的终极价值,以所谓共有文明的浪漫表述掩盖"全球化"的问题;另一方面,我们又将全球化陌生化了,认为中国距现代化还十分遥远,中国还有巨大的封建因素,根本谈不上全球化,因此全球化的问题对于我们来说并不重要,简单认为在中国自身的社会问题仅仅在中国本地发生,甚至简单地否定"全球化"的存在,或者认为在中国本身的问题如此复杂之时,谈论全球化是一种"奢侈",用一种刻板的所谓"民粹"关切抗拒全球化。浪漫化和陌生化的两种倾向实际上是一种思想的封闭症。它一方面营造幻想,将全球化变成一种神秘的意识形态,另一方面却将中国变为与全球化无关的"自在之地"。它实际上遮蔽了全球化的局限和困扰,同时消解了全球化过程中不可避免的利益冲突和矛盾。一方面将我们区隔在全球化之外,同时又为我们创造了有关它的无尽的幻想。对于全球化的"浪漫化"论者来说,全球资本主义仿佛是我们的惟一前途,福山式的资本主义胜利变成了一种公理,亚洲金融风暴在这种视角下,变成了美国和西方胜利和优越的标志。全球化被想像成为解决我们面临的种种问题的最好的解决方案,它似乎意味着一种"世界大同"梦想的实现,一种人类的普遍的自由,像互联网的发展以及《泰坦尼克》这样全球流行的电影仿佛都是这种"大同"的例证。而"陌生化"论者则简单否定"全球化"的存在,害怕全球化带来的影响对于自己生活的冲击,竭力试图对于全球化视而不见。只能用抽象的"大话"掩盖现实的挑战。我以为这两种看法都无法理解全球化的当下"状态"。"全球化"无疑带来了无限的发展可能和无限的未来的机遇。它显然促进了人类的经济和文化民主。它显示了人类生活的活力。但亚洲金融风暴和最近的俄国的深刻的社会危机及全球市场的持续混乱都说明"全球化"既不是浪漫的梦想,也不是遥远的天外事物,而是在我们身边的具体存在。它实际上意味着世界资源和财富的不断的再分配,也意味着在文化和社会领域的国际性不平等,它既提供了巨大的期待和发展的可能,也存在巨大的危险。它带来的变化往往是我们无法把握的。

  人们开始发现全球化的巨大危险是现实的。连全球资本主义的代表、金融大亨索罗斯在他的新著《全球资本主义的危机:岌岌可危的开放社会》一书中,对于全球经济的发展也提出了极为悲观的看法。他指出亚洲诸国金融危机之后,俄罗斯经济恶化,巴西则濒临危机边缘,国际货币基金组织(IMF)黔驴技穷,已无力挽救失控的局面。他甚至认为全球资本主义体系行将瓦解②。索罗斯的见解无疑说明对于全球资本主义体系的不安已经极其广泛。从90年代初以来,对于全球资本主义的乐观情绪一直主导了舆论。冷战的结束似乎为自由资本主义的胜利提供了论据,不受干预的市场和不受制约的自由竞争成了新的信条,但今天在全球市场上出现的问题不得不使人再次面对资本主义的局限和困境。人们发现一种对于全球化的冷静的分析的必要性。正如殷惠芬所指出的:"全球化的神经中枢是在北美、欧洲、日本这些相互联系的经济体,可是风暴一来,受打击最大的却是经济结构不健全的发展中国家。""在全球化的过程中,只有少数国家缩小了同'北方'的差距,可是对于大多数国家来说,这个差距是扩大了。全球化对一国内部的影响,根据一些社会调查似乎也是扩大了贫富差距。这显然不是一场公平的游戏。"③这对于文化方面的冲击也非常严重。

全球化对于我们文化的影响的深刻性已经显露出来。我们不能仅仅认同于全球化，而是应该看到在全球化过程中的主导者不是我们，全球化的规则也不是我们制定的。加入这个进程是我们别无选择的选择，但我们的加入必须冷静而清醒，保持一种批判意识是非常必要的。对于跨国资本或者跨国媒介的批判性会使得我们不再陶醉于幻想之中。不能简单地将普遍性作为绝对的价值，因为那种所谓的普遍性无非是"西方中心主义"的遁词而已。其次，我们也不能再对抗全球化的过程，以批判全球化中的问题来掩盖我们自身文化和社会的问题。这些问题也不是由于全球化而可以简单地被一推了之的。一句话，我们必须建立一种对"全球化"的"问题意识"，将"全球化""问题化"，在多重批判中寻找自己的位置。

三

全球化的文化后果在目前有两个方面：

一方面"全球化"加快了个人与世界的联系。个人开始不需要任何中间群体就可以进入全球资本主义的逻辑之中。跨国资本在世界各个地方寻找人力资源，在无限扩张中改变着人们的生活。许多人依靠全球市场的种种机会迅速暴富。知识经济及高科技给了知识生产者更多的机会进入全球市场，获得无限的选择性。这样，文化的差异性和弱势群体的文化选择受到冲击和忽视。国际性的"白领"阶层开始在跨国经济之中沉醉。这些处于全球化"前端"的人们脱离了自己的社群，变成了全球化冲击下的无根的浮萍，飘荡在网络和洲际旅行之中。正如一部名为《谈情说爱》的电影的编剧张献异常直截了当地指出的：他们制作这部电影的愿望是"跨越华语或称为母语文化的局限，而成为一种国际的、世界背景的共同文化的主人"④。这个"主人"的说法显示了全球化带来的新的权力结构。这种跨国公民可以超越自身的认同，同时在本地经济困难时不受影响，在全球资本主义的分配中获得利益。他们成了全球化创造的新的"精英"。他们从全球化之中得到了想像的东西。往日的"私"的方面目前已经由于全球化而发展了自身，变成了所谓"国际接轨"的新的可能性,传统的公共性面临瓦解。在北京、上海这样的超级城市中,国际化的想像已经渗透到生活的各个方面。

另一方面,全球化也冲击了传统的区域文化和经济。中国目前面对的一系列社会问题,如社会分层剧烈、下岗问题严重、腐败现象较多等等都体现了这一问题。传统的社群面临严重的挑战,我们的邻里关系、社会结构、单位体制都受到冲击。特别是经济面临转型,亚洲金融风暴和全球经济状况的影响,持续20年的高速经济发展已无法保持其势头。我们20年来以经济增长及日常生活改善为基础创造的社会共识受到了冲击。这使得我们难以承受复杂的社会和文化矛盾,不同的利益和不同价值之间的冲突也会产生许多问题。全球化也冲击了社会,将一些人抛到了历史之外,生活直接面临困难。这深刻地损害了社群的活力,也使得公共生活面对着严重的威胁。赛曼·杜林指出:"全球化意味着文化形成越来越失去固定空间的限制,并很难集合为整体和传统。"⑤这种状况已经在中国出现了。社群的"共同文化"已经越来越难于保持其形态了。我们面对的可能是完全不同的人群:一些人在向全球化的"前端"冲刺,而另外一些人则被抛弃在全球化之外,社会的平等和公正可能被全球化加剧。这可能带来严重的文化挑战。

如何勇敢地回应全球化带来的文化方面的挑战,是当下我们面临的关键的问题。中国"后新时期"文学提供的想像提供了有趣的解决方案。

池莉的小说《致无尽岁月》是一个有关全球化的空间想像的小说,是一部重新画出当下地图的小说。叙事者"我"青年时代的朋友大毛是一个放弃了认同的人。他不断地漂泊在世界的各个角落,似乎是阿卜杜拉的"非领地化"的典型,而叙事者"我"则依然生活在故乡武汉。他们的差异正是全球化冲击的结果。"我医院的通信地址十几年如一日地没有变化。大毛的明信片从人类居住的这个辽阔地球的四面八方越过万水千山地朝着这固定的一点飞来,就像候鸟。一般说来,明信片的正面是当地典型的风景,背面是几句简单的问候。明信片来自云南、西藏、上海、新加坡、德国、泰国、美国,还有一张是非洲的喀麦隆。……大毛去的地方都是人们想去旅行的地方,都是好地方。我不知道他是去旅行还是去工作,可是无论他去干什么,我都毫不怀疑那是出于他生命的需要。"但"我"的选择完全不同,"我"尽管有外国的学位,却坚持认为自己生活的武汉是自己的认同所在。这篇小说关于武汉这座中国内地城市的描写是小说中最迷人的段落:

"我不是一个人在武汉。事情没有那么简单。在我的周围,我还有一层层的基础。它们是我的工作,多年的出色的工作,以及外界对我的信任和赞赏。那是我在某次会诊会上有力的发言,那是遇到紧急抢救的时候院长在广播里对我急切的呼叫。……我治疗过许多病人,他们经常在大街上认出我并感激地与我打招呼。在有香花的日子里,在我上班的途中,总有熟人把最新鲜的白兰花、茉莉花和栀子花塞进我的手包。还有黄凯旋这样一群朋友。他们和我谈不了多少话,但是他们在困难的时候喜欢找你,你碰上了困难也可以找他。如果他正在吃饭,他放下饭碗就会跟你走。黄凯旋死了,在不该死去的壮年。在这样一个城市里,实在让你不忍轻易离他而去。一旦有朋友长眠在哪块土地上,你对这块土地的感觉就是不一样了……"

大毛将全球化视为他惟一的追求,而叙事者"我"则将它视为一个无法回避的问题。在这里,池莉珍重的是在全球化的冲击之下,对于社群的认同和对于自身生活价值的感情。她无疑认为,无论全球化产生了多么巨大的离心力,一种来自社群的依恋仍然存在。武汉仍然是空间的中心。池莉表达的是一种期望和感情。这种感情是在全球化时代处于它的"前端",获得种种机会的人应该具有的价值观和认同感。池莉的叙事者"我"显然不属于社会的底层,也有无数机会,但社群的价值仍然凸现了出来。只有在社群之中,个人才有价值。池莉没有简单否定全球化,但她希望其成果为社群中的人民共享,大毛的空虚和"我"的充实之间的对照无疑显示了一种可能性在本地生成,也凸现了全球化乃是一个问题,而不是一个神话。池莉显示了一种关切和投入。它要求个人不能彻底脱离社群,而社群生活是全球化时代人们面对挑战的新的可能性。《致无尽岁月》提供的不是简单肯定全球化,而寻求它与本土生活的联系的途径。她写出了来自得到全球化益处的人们的新的选择。这种选择不是随波逐流,完全认同于全球资本主义,而是将全球化置于与本土人民的选择一致的方向上。

与此同时,从1996年开始,出现了一股"社群文学"的潮流,它以谈歌的《大厂》、刘醒龙的《分享艰难》等等文本为代表,引起了读者的广泛关注。"社群文学"从"基层"回应了全球化和市场化的挑战,提供了对于"发展"的不同方面的深入反思。它以在中国基层所发生的巨大变化及其后果为探索的对象。诸如下岗、腐败、跨国资本的投机行为、贫富分化等等都得到了充分的表现。但在面对种种矛盾和问题时,它并不悲观和失望,而是提供了来自社群认同的选择。在这里过去的生产单位已经被一种社群的纽带所替代,人们开始发现在昔日的共同性之中的新的可能性,在这里,变革不再是自上而下的,而是一种同舟一命、分享艰难的共同参与和共同认知。这些文本并不迎合"全球化",以献媚的态度面对资本主义;也不是消极对抗,拒绝"全球化";而是在批判中期待"发展"和"全球化"为全体人民所分享和参与。它拒绝对于全球化的"浪漫化"和"陌生化",它以前所未有的感性力量表现了"全球化"在我们日常生活中的特殊意义。但它却是以社会公正和社群利益为基础去提供见证。它试图在当下建构一种新的"公共性"。它拒绝那种"个人"力争上游的丛林价值,而是坚持社群的守望相助、互相扶持的共同价值,可以说,我们的确看到了在全球化过程中来自中国"基层"的声音,我们看到一种民间的社会主义的特殊的活力。

我想,在面对"全球化"这样一股潮流时,池莉和社群文学殊途同归,他们将"全球化""问题化"了。他们提供的解决方案是有启发性的。我们为了民族和社群的未来不能拒绝全球化,但我们同时要避免那种一厢情愿的幻想。在这里,无论是池莉的来自中国已经进入全球化,并从中受益的人们的选择,还是来自"基层"的"社群文学",都提供了一种新的辩证的智慧和一种承担的伦理。全球化不应该是不公正和不平等,而恰恰应该是为自己的社群的生存和发展提供新的可能。

"全球化"不是一个普世的福音,它本身是一个巨大的挑战;全球化也不是"历史的终结"的乌托邦,而是我们不得不面对的巨大"问题"。我们既不能简单地抗拒,也不能简单地认同。在批判和反思中探索应该是我们的目标。虽然这种反思和批判面对着巨大的困难。我们会发现中国的前途只能依靠我们自己的明智和敏锐。

我的问题是:全球化会把我们带向何方?

注释:
① 《全球化与后殖民批评》,中央编译出版社 1998 年,第 140 页。
② 《联合早报》1999 年 1 月 24 日。
③ 《资本主义全球化的梦魇》,《中国时报》1998 年 9 月 10 日。
④ 《电影新作》1996 年第 2 期,第 39 页。
⑤ 同①。

原载《文艺争鸣》1999 年第 4 期

俞可平

全球化研究的中国视角

"全球化"在这些年中成了世界各国的一个时髦术语,中国也不例外。改革开放后,西方学术界有影响的流行理论或迟或早都会在中国学术界引起反响,如现代化理论、后现代理论及全球化理论。本世纪五六十年代在西方国家流行的现代化理论直到80年代才开始在中国学术界引起热烈的关注,但90年代初在西方国家流行的全球化理论到90年代中期就已经成为中国学者的热门话题。这一事实本身就是对全球化的绝妙注解,它表明全球化已经成为一个不可逆转的客观事实和发展趋势,它无情地影响着世界历史的进程,无疑也影响着中国的历史进程。作为国际社会的积极成员,改革开放的中国不可回避地面临着全球化的冲击,如何回应全球化的挑战和机遇,是中国政治家和学者的共同课题。

90年代初期,全球化问题在西方学术界开始引起热烈的讨论,一些敏感的中国学者对此迅速做出了反应。他们一方面陆续介绍西方学者关于全球化的各种观点,另一方面提醒中国学者应当对此及早进行研究。

1993年中共中央编译局当代研究所邀请美国杜克大学教授阿里夫·德里克来华系统介绍西方的全球资本主义理论。德里克在演讲中指出,人类已经进入一个全球经济的时代,对当今资本主义的分析必须立足于经济全球化这一基本时代特征。他认为,全球化具有以下重要特征:资本和生产过程的全球化,生产的无中心化,跨国公司已经取代国家市场成为经济活动的中心,全球不仅在经济上、而且在社会和文化上也开始同质化,资本主义的生产方式破天荒地成为世界历史的抽象。德里克的演讲稿稍后就发表在

《战略与管理》杂志的创刊号上,并立刻在国内学术界产生了很大的影响,被认为是第一次用中文对西方全球化理论的系统介绍。

1994年原中国社会科学院副院长李慎之教授分别在《东方》和《太平洋学报》等杂志上著文倡导进行全球化研究,他因此被认为是国内最早倡导全球化研究的学者之一。

1997年东亚爆发严重的金融危机。中国虽然没有受到重大影响,并基本上抗住了亚洲金融风暴,但经济全球化对金融的威胁已引起了中国领导人和学者的高度警觉。

1998年3月9日,国家主席、中共中央总书记江泽民在第九届全国人民代表大会香港代表团的讨论会上指出:"必须全面正确地认识和对待经济'全球化'的问题。经济'全球化'是世界经济发展的客观趋势,谁也回避不了,都得参与进去。问题的关键是要辩证地看待这种'全球化'趋势,既要看到它的有利的一面,又要看到它的不利的一面。这对于我们中国这样的发展中国家来说尤为重要"。①最高政治领导人的亲自关注有力地推动了国内学者及政策分析家对全球化的深入研究,从而使之成为理论学术界的热门课题。中共中央编译局当代研究所编辑出版了比较全面地反映国内外学者各种观点的一套《全球化论丛》,共由七本书组成。它们是:《全球化的悖论》、《全球化时代的"马克思主义"》、《全球化时代的"社会主义"》、《全球化时代的资本主义》、《全球化与中国》、《全球化与世界》、《全球化与后殖民批评》。

国内学者对全球化的讨论主要围绕以下问题:1. 全球化的概念,即究竟什么是全球化、它的本质特征是什么;2. 全球化的类型,即除了经济全球化之外,民族国家的政治、文化是否也在经受全球化的冲击,从而也存在着文化全球化和政治全球化的趋势;3. 全球化对于中国的意义,即全球化首先是民族化或中国化,还是世界化或普遍化,中国应当如何迎接全球化的冲击和挑战,对全球化采取什么样的对策;4. 全球化对于中国的发展和现代化进程而言究竟是利大还是弊多,是福音还是祸水。本文对此将作一简要的评析。

研究全球化问题,首先应当弄清楚全球化的含义,对全球化的概念做出界定。对于全球化的定义,国内学者有不同的理解,大体有三种。

第一种观点认为,全球化就是人类生活的一体化过程,是超越地区尤其是民族国家主权的一种全球整体性发展趋势。或者说,它指的是"当代人类社会生活跨越国家和地区界限,在全球范围内展现的全方位的沟通、联系、相互影响的客观历史进程与趋势"②。有人进一步解释说,这种全球一体化的实质性意义是人类不断地跨越空间障碍和制度、文化障碍而在全球范围内达成更多的共识。"是随着交通、通讯的发展,整个世界的联系日益紧密,各国之间、各个地区之间相互依存。同时,处在我们这个星球上的世界各国越来越关注整个地球所面临的也就是全人类共同面临的种种问题,并寻求通过协调和以合作的精神解决这些问题"③。

第二种观点认为,所谓全球化就是资本主义化,是资本主义的一种新的形式或新的发展阶段。根据这种观点,全球化是资本主义发展的必然产物,实质上是资本主义生产方式的普遍化。"当代经济全球化实质上是在当代资本主义主导下的全球化,全球化问题实际上也是当代资本主义特别是发达资本主义的问题"④。"全球化历程虽然体现在社会生活中的每一个主要方面,但从其动力机制和现实基础来看,全球化进程的历史必然性应该从资本主义的生产方式中去寻找,从市场经济的秘密中去寻找"⑤。根据这种逻辑,全球化就是资本主义的当前形式,是资本主义的一种别称。所以,它又被称为"后期资本主义、发达的资本主义、非组织的资本主义、跨国资本主义、全球化的资本主义、后福特主义等等"⑥。既然全球化是资本主义的最新发展形式,西方发达国家,特别是美国,是发达资本主义的当然代表,那么全球化顺理成章的便是,西方化或者美国化。这正是中国学者对全球化的第三种界定。这种观点的逻辑是,全球化主要表现为人类价值的共同化和普遍化,西方国家特别是美国的价值代表着人类的共同价值,所以,全球化也就是西方化或美国化。有学者因此指出:在中国语境中,自由主义学者不断利用"世界潮流"、"普遍价值"之类的话语对全球化进行阐释,这种阐释异常简单地将西方或美国的政治、经济、文化变为人类终极的共同价值,从而将全球化限定为西方化或美国化⑦。全球化是各民族国家之间建立在金融和生产一体化基础上的经济、政治和文化的同质化过程。

所以,全球化首先表现为建立在经济全球化基础上的人类生活的一体化过程。经济全球化是市场经济发展到一定程度的必然产物,市场经济按其本质来说是与区域和国家的疆界相冲突的,它要求超越国界的世界市场。全球化的始作俑者和主导者是西方发达国家,正是西方国家制定了全球化的基本游戏规则,并且始终操纵着全球化的进程。它们在控制经济全球化的同时,也力图将其自己国家和民族的政治和文化价值推向全球,成为全人类的普遍价值。由此观之,把全球化理解为人类的一体化过程,是资本主义的最新发展,是西方化或美国化的过程,不能说没有道理。然而,所有上述界定都只是反映了全球化本质属性的某一个方面。全球化过程本质上是一个内在地充满矛盾的过程,是一个矛盾的统一体:它既包含一体化的趋势,又包含分裂化的倾向;既有单一化,又有多样化;既是集中化,又是分散化;既是国际化,又是本土化。

  首先,全球化是普遍性与特殊性或者说单一化与多样化的统一。一方面,全球化是一种单一化,它体现为各国各民族和各种不同的文明体系之间在生活方式、生产方式和价值观念的某种趋同化。例如,市场经济体制正在超越其起源地欧洲,而成为全球的抽象;传统的数代同堂的大家庭在越来越多的国家正在被核子家庭取代;民主政治日益成为各国共同的政治追求,对人的尊重、对自由和平等的向往已经成为普遍的政治价值,专制政治已越来越不得人心。另一方面,与单一化过程相伴随的则是特殊化和多样化。市场经济虽然正在成为世界的抽象,但各国的市场经济体制却极不相同,其差异并不见得随着市场经济的发展而缩小。德国的市场经济体制被称为是社会市场经济,极不相同于英美的自由放任经济;东亚的市场经济则由于其严重的政府干预而又有别于其他的市场经济体制。民主政治也一样,日本和韩国实行的是代议民主,但若严格按照英美的标准来衡量,则难说是真正的民主;世界上找不出两个政治制度完全相同的国家,虽然它们都属于民主国家、都奉行主权在民的基本制度。

  其次,全球化是整合和碎裂或者说一体化和分裂化的统一。全球化是一种整合,是一体化,具体表现为国际组织的增加,尤其是跨国组织如联合国、世界银行、国际货币基金组织以及跨国公司的作用前所未有地增大;国家间的整合程度极大地提高,传统的民族国家壁垒如国家主权在相当程度上开始消解,国家间的一体化运动十分活跃,并且从原先少数人头脑中的理想开始成为现实,如欧洲一体化、资本的全球性流动、信息在全球范围内的共享,等等。但在全球一体化的同时,各个国家、各个民族和各个地方的特殊性和独立性却比以往任何时候都得到强调。如民族独立和民族自治运动不但没有停顿,反而向纵深发展,一些中小民族也纷纷要求自治,如前苏联各加盟共和国的独立,最近南斯拉夫联盟科索沃地区的阿尔巴尼亚族的独立运动,等等。区域自治、地方自治和社区主义浪潮也伴随着全球化而高涨,而不是消退,由之出现了一个专门术语"全球化的地方主义"。再次,全球化是集中化与分散化的统一。全球化的一个重要内容就是资本、信息、权力和财富的日益集中,尤其是日益集中于跨国公司。

90年代以来,各大公司的兼并之风此起彼伏,更助长了权力和财富的集中,如不久前航空领域两位大哥大麦道公司和波音公司的合并即是强强联合的突出例子。另一方面,资本、信息、权力和财富分散化的趋势也有增无减。中小资本在世界各国仍然极为活跃,资本的集中化似乎并没有影响它们的发展;信息共享的程度越来越高,信息的集中程度虽然在提高,但却谁也甭想再垄断它;虽然霸权国家只有一个,但国际政治的多极化格局却是不可逆转的潮流。在集中化与分散化的统一方面,最好的例子是国际互联网。互联网是人类迄今为止最大的信息集散地,它储存了来自世界各地、来自各个不同部门的无数信息,各种信息在这里得到了最大程度的集中,但任何人都不能垄断这些信息,每一个上网的人都可以享用这些信息,从这个意义上,这些信息又具有最大限度的分散性。

最后,全球化的内在矛盾统一是国际化和本土化的统一。如前所说,全球化正在冲破传统的民族国家壁垒,随之而来的是越来越多的国际性标准和国际性规范为世界各国所共同接纳和遵守,"与国际接轨"已经成为许多国家的共同口号,许多国际通用的标准或准则第一次获得其真正的国际意义。但各国在接纳和遵守这些普遍的国际准则时,始终没有忘记自己本国的传统和特征,都将国际准则与本国传统结合起来,使国际准则本土化。例如,多数国家都同意接受和遵守有关环境保护和人权保护的国际公约,但在解释时,特别是在本国实施这些国际公约时,都深深地带有每个民族国家的特殊烙印。

总之,全球化是一个矛盾的统一体,是一个相反相成的过程,是一个悖论。但这是一个合理的悖论。第一,全球化的内在矛盾是一个客观事实,无论它看起来是多么匪夷所思,它却都是合理的。第二,全球化的内在矛盾是必然的,在全球化的背景下,即使是开放化程度最高的国家也不可能完全没有本民族的胎记;反之,最保守的民族也不可能没有全球化的痕迹。第三,全球化的矛盾有利于人类社会的进步,社会本身就是多样性的统一,多元一体化也好,一元多体化也好,都应当是人类发展的真谛。

全球化建立在资本、生产、通讯、技术的一体化之上,它首先是经济的全球化,或者说"全球化的主要标志是经济的全球化以及信息传播的全球化"⑧。但是,随着经济生活的一体化,各国的政治和文化或迟或早也会出现同质化的趋势。所以,全球化既有经济的内涵,又有政治的和文化的内涵,它既是"一种文化现象、政治现象,又指一种经济现象"⑨。对于这一点国内学者基本上没有什么分歧。事实上不少学者将全球化严格限于经济领域,并直接把全球化界定为经济的一体化或国际化,个别学者甚至反对使用一般的全球化概念,尤其反对政治和文化的全球化,认为政治和文化全球化的实质是放弃中国目前的基本政治价值和政治制度。

在一般学者眼中,经济全球化的含义似乎是不言而喻的,它指的是"经济增长要素特别是资本要素、技术要素乃至人力要素在市场法则的驱动下出现的全球性流动和组合,以至于国别经济和区域经济越来越多地被纳入一个一体化的全球经济体系之中,人类社会经济发展的互补性、关联性和依赖性也由此增强;各种商品互通有无,竞价出售,为人类所共享"⑩。一些学者把经济全球化的主要特征概括为:1.生产活动全球体化,传统的国际分工正在演变成为世界性的分工;2.世界多边贸易体制形成,国际贸易趋同化;3.各国金融日益融合在一起,金融国际化进程大大加快;4.投资活动遍及全球,全球性投资规范框架开始形成;5.跨国公司的作用进一步加强,日益成为国际经济生活的中心,并对民族国家在国际市场中所扮演的传统角色构成严重挑战;6.经贸人才国际性,作为国际经济贸易专家和高级管理的人员的"国际人"越来越多,并且成为各国政府和各大公司的竞选对象⑪。在许多学者看来,这种经济全球化已经是谁也无法回避的客观现实,是世界经济发展的必然趋势。只要一个国家对外开放,它就必然要被纳入经济全球化的轨道之中,中国也不例外。所以,对于中国来说,与其被动地进入经济全球化进程,还不如主动地参与经济全球化进程。一些学者指出,中国参与经济全球化进程不仅有着无法回避的必然性,而且也是实现经济现代化的必经之途。他们论证说,经济全球化的最大好处是实现了世界资源的最优配置。对于发展中国家来说,经济全球化还为它们赶超发达国家提供了前所未有的大好机遇,是它们在经济上后来居上的必由之路⑫。全球化是一个整体性的历史发展过程,各国在经济上的日益同质化或一体化,一方面要求不同的国家遵守共同的游戏规则和制度安排,另一方面它反过来也势必要影响世界范围内的政治生活和文化价值。在主要关注经济全球化的同时,越来越多的国内学者也开始关注非经济领域的全球化问题,特别是政治、法律和文化的全球化问题。

政治全球化意味着各国之间在政治价值和政治制度上的认同趋向,这首先表现在对以自由、平等为核心内容的民主价值的趋同和保障自由、平等、人权充分实现的民主制度的普遍化。因此在一些学者看来,政治全球化也就是全球的民主化。"就政治意义而言,全球化在政治上可以说是民主化的同义词,最新一波的政治全球化是自1989年冲破柏林墙、冷战结束和铁幕消失开始的。全球化的有形动力是经济一体化,全球化的无形动力是价值的一体化,民主政治与全球价值的一体化"⑬。其实,民主政治作为人类追求的共同政治价值并非是全球化时代特有的政治发展,它与现代化自始至终相伴随。有的学者特别地讨论了全球化时代的民主政治模式,进一步具体地指出,全球化时代的民主政治是"善治"(good governance)。善治就是使公共利益最大化的政治管理过程。善治的本质特征,就在于它是政府与公民对公共生活的合作管理,是政治国家与市民社会的一种新颖关系,是两者的最佳状态。构成善治的基本要素有六个:合法性(legitimacy),即社会秩序和权威应当最大限度地被公民自觉认可和服从;透明性(transparency),即政治信息的公开性,每一个公民都有权获得与自己的利益相关的政府政策的信息;责任性(accountability),即人们应当对自己的行为负责;法治(rule of law),法律是公共政治管理的最高准则,政府官员和公民都必须依法行事,在法律面前人人平等;回应(responsiveness)和效率(effectiveness)。这样一种理想的政治状态被称为"全球化时代的政治模式"。⑭全球化时代的到来,意味着各国交往所必须遵守的"国际惯例"具有前所未有的重要性。换言之,法律的全球化更加紧迫地提到了法学家的议事日程。一些法学研究者认为:"从法律的视角来看,全球化概念的援引,向人们提出了一些需要进一步思考的问题,例如,世界经济与国家利益的冲突、传统文化与现代化的抵触,以及由此引发的国家主权与全球化的关系、法律多元主义、国家作为立法者和法律渊源的地位等政治法律问题"。⑮对于某些法学家来说,法律的全球化是法律发展的一个新阶段。法律全球化的基本要求,是树立全球的法律意识,把解决全球问题作为立法的重要依据。这就要求改革传统的国家主权观念,淡化国家意识,倡导立法的非国家化。⑯

文化全球化是争论较多的一个问题。自从近代中国对外开放后,一直就存在着"西化论"和"国粹论"两大思潮。改革开放后面对着全球化的冲击,西方的流行歌曲、新潮服装、畅销书籍、时髦学说和价值观念纷纷在中国安家落户,文化的全球化事实上也或多或少已经成为一种不争的事实,无情的现实使传统的国粹论者失去了辩护之力。国内学者所说的文化全球化主要是指超越本土化的文化认同和价值认同,或者说倡导一种所谓的"全球文化"。有的学者这样来论证这种建立在全球社会化过程之上的全球价值或全球认同的必然性和现实性:人的社会化过程总是在某种文化环境中完成的,今天,人们赖以成长的文化环境已经超出了民族的和国家的界限。一个地球人从他诞生起,就处在来自全球的文化信息的包围中,在享受和接受着属于整个地球的物质文明和精神文明,这个全球的社会化过程,使得一个人首先成为一个地球人,然后才是中国人、美国人、法国人。虽然每个国家和民族的文化依然在相当程度上保持了其各自的特性,但它们又进行了部分的融合,全球文化正是这种融合的产物。全球文化的产生意味着一种超越国界、超越社会制度和超越意识形态的普遍价值已经作为一种现实存在于世。⑰

全球化会对中国的发展带来什么样的影响呢?这是国内学者集中关注的问题之一。对于整个国际社会来说,全球化既有积极的一面,如有利于资源在世界范围的有效配置,有利于提高国际合作的质量,有利于科学技术和信息的全球共享,有利于大气污染、臭氧层减少、毒品泛滥、非法移民等全球问题的有效解决;同时也有消极的一面,如强化了发达资本主义国家在国际经济和政治生活中的霸权地位,增加了国际金融的风险,扩大了南北差距,使得落后国家的经济更容易受到国际资本的操纵和冲击等。全球化对国际社会的这种双重作用,也同样适用于中国。

对于中国的发展而言,全球化提供了良好的契机。它有利于吸收外国资本,有利于向发达国家学习先进的科学技术、管理经验和制度安排,有利于本国产品走向世界,有利于更好地参与国际合作等等。另一方面,全球化对中国的发展也有明显不利的因素。随着东亚金融危机的爆发,越来越多的国内学者开始强调全球化所带来的消极作用:第一,威胁中国的经济安全。外商的控股和技术垄断对中国产业结构的调整和升级构成威胁,外债超过一定限度时会潜藏很大的风险,外贸和资本对外依存度的增大可能削弱防御世界经济波动的能力,大规模开放金融市场则可能极大地增加金融风险等。第二,削弱国家的主权。参与全球化的基本条件之一,就是必须遵守业已存在的国际惯例、国际公约和相关协定,而这些国际性的契约大多数都是根据发达国家的利益和标准制定的,体现了西方发达国家的制度安排。发展中国家为了获得经济全球化带来的利益,有时不得不对某些管理权限做出一定的让步,从而在一定程度上削弱了国家的主权。[18]

正如许多学者清醒地看到的那样,中国政府积极奉行对外开放政策,努力争取加入世界贸易组织,签约参加了《国际人权和公民权利公约》等一系列重要国际条约,所有这些都表明中国政府正在以积极的态度参与全球化进程。积极地、主动地参与全球化进程,也正是绝大多数国内学者的共同呼声。参与全球化过程对于中国这样的发展中国家来说不是愿意不愿意的问题,而是怎样选择时机和方式参与的问题。正如一位学者所指出的那样,中国学者必须"充分认识到实际上以发达国家为主导的全球化趋势的双重效应,即机遇与挑战并存:其一是机遇,全球化过程将为发展中国国家引进资本、吸收现代技术、发展外贸、推动经济市场化,并逐渐进入全球市场提供历史契机,中国改革开放,建设社会主义市场经济正是主动抓住机遇的典范;其二是挑战,全球化过程也将使发展中国家的传统主权基础受到侵蚀,受到发达国家某种经济霸权的威胁,一定意义上可以说发展中国家的全球化过程是一个充满痛苦和血泪的过程,最近的东南亚危机正是其特定表现"[19]。

东亚金融危机在很大程度上对许多原来热心于全球化的国内学者产生了极大的影响,现在他们更多地强调中国作为一个发展中国家应当小心地、审慎地参与全球化进程,强调选择参与的时机和方式。

首先,不少学者屡屡指出,鉴于中国的社会经济水平还比较落后,鉴于目前的全球化进程事实上为少数发达国家所操纵,中国不能与发达国家同步参与全球化进程。同步进入全球化进程,并把它当作中国的国际化发展道路,必然会使中国在政治经济上受制于其他国家,而且对于经济发展来说也只会起到拔苗助长的作用。针对少数学者提出的"同步全球化"观点,许多学者做出了强有力的反驳:"有的观点认为,我国已进入经济全球化进程,因而必须在经济制度上与市场经济国家保持'同步',否则便无法正常地推进改革、发展经济。这种观点把全球化及其条件作为改革与发展的前提,看问题过于简单化,是脱离国情和片面的,而且也相左于一些现代著名西方经济学家的观点"[20]。

其次,一些学者认为,中国不能全方位地参与全球化进程,而应当有选择地有保留地参与。与政治和文化比较而言,经济全球化应当是优先考虑的重点。同时,即使在经济方面,中国也不能无保留地全面参与,而应当是适度地向全球经济开放。为此,应当坚持从国情出发制定独立的发展战略,加强对国际经济和国际贸易的监管,始终警惕西方发达国家的经济和政治霸权,有限度地开放资本市场、产品市场和金融市场,根据中国的实际情况制订切实可行的经济全球化策略。

最后,有些学者强调指出,经济全球化应当建立在经济民族化的基础上,优先发展民族工业,发挥民族经济的优势。正如本文开头指出的那样,全球化与本土化或民族化是一对合理的悖论,在经济领域也一样。经济全球化正在打破民族国家的传统壁垒,加速世界经济的一体化过程;另一方面,世界经济的民族化趋势伴随着全球化而日益明显。例如,区域经济迅速发展,发达国家的贸易保护主义有增无减,每一个国家都在想方设法保护自己的民族工业,各国之间各种类型的贸易大战此起彼伏,各种国际性的冲突每每通过民族国家之间的冲突得以表露。在这种情况下,中国应当如何处理经济全球化与民族化的关系呢?或者说把经济发展的重点放在加速与全球经济接轨,还是放在发展民族经济上?一部分学者明确主张,应当把重点放在经济的民族化上面。在他们看来,各国参与经济全球化的根本目的,是为了加快本国民族经济的发展,增强本国的经济实力。世界经济的全球化并不意味着各国经济失去了独立的意义,恰恰相反,各国都力图加强自己的经济实力。世界经济越是全球化,经济中的民族利益就越是突出,民族化倾向就越明显。所以,他们的结论是,"那些片面强调开放而忽视保护民族经济的思想和做法是绝对要不得的,只有发展民族经济才是个根本的硬道理"㉑。

全球化成了目前中国学术界的重要话语,从已经发表的围绕全球化的论著来说,参与这场讨论的学者分别来自政治学、经济学、哲学、伦理学、教育学、社会学等社会科学各个领域。虽然这场讨论还刚刚开始,远没有结束,但我们已经可以看到它的某些特征。与近现代中国思想史上的其他相关大讨论相比,我们发现它有两个引人注目的发展。一是它正在逐渐超越传统的"中－西"范式,二是它正在逐渐超越简单的"资本主义－社会主义"的意识形态两分法。

注释:
① 1998年3月9日《人民日报》。
② 蔡拓《全球化与当代国际关系》,俞可平主编《全球化的悖论》,中央编译出版社1998年,第75页。
③ ⑰ 谭君久《关于全球化的思考与讨论》,同②,第127页、第131~132页。
④ 纪玉祥《全球化与当代资本主义的新变化》,《马克思主义与现实》1998年第4期。
⑤ 杨朝仁、韩志伟《全球化、制度开放与民族复兴》,同②,第138页。
⑥ 王逢振《全球化、文化认同和民族主义》,王宁等主编《全球化与后殖民批评》,中央编译出版社1988年,第91页。
⑦ 张颐武《全球化:亚洲危机中的反思》,同⑥,第82页、第86页。
⑧ ⑮ 李林《全球化背景下的中国立法发展》,《学习与探索》1998年第1期。

⑨⑯ 朱景文《关于法律与全球化的几个问题》,胡元梓主编《全球化与中国》,中央编译出版社1998年,第102页、第111~119页。
⑩ 穆光宗《经济全球化与中国人口》,《当代世界与社会主义》1998年第3期。
⑪ 薛荣久《经济全球化的影响与挑战》等,《世界经济》1998年第4期。
⑫ 刘力《经济全球化:发展中国家后来居上的必由之路》,《国际经济评论》1997年第11~12期。
⑬ 刘军宁《全球化与民主政治》,《当代世界与社会主义》(季刊)1998年第3期。
⑭ 俞可平《从善政到善治》,《方法》1999年第1期。
⑱ 王朝才等《世界经济全球化与中国经济安全》、柳剑平《经济全球化与我国经济安全战备的选择》,同⑨,第180~200页。
⑲ 黄卫平《全球化与中国政治体制改革》,同②,第50~51页。
⑳ 李克穆《关于经济全球化进程的几点认识》,同⑨,第44页。
㉑ 高德步《全球化还是民族化?》,《中国党政干部论坛》1997年第5期。

原载《战略与管理》1999年第4期

金丹元

全球化背景下的解构与建构
——处于多重后现代语境中的中国影视文化

近几年来影视不断被人们作为最典型的全球文化和后现代现象加以评论、分析,要么就是遭到谴责,对影视文化中的负面影响极为不满,要么就是对"好莱坞主义"、对商业片的大众需求给予高度评价。这一方面说明当代文化理论的多元性,及其在影视领域内存在着不可避免的冲突,另一方面,也反映出"后现代"所造成的自思想范畴到各种流行文化中的认识上的混乱。实际上,由于不少学者在对后现代做解析时,所取的立场不同、角度不一,仅仅引证某一西方理论的模式,不仅仍无法解说清楚后现代及其在中国的现状,反而把问题复杂化,致使原来清晰的东西都变得模糊起来。笔者认为,之所以会产生种种歧义,一个根本的缺憾在于,除了"后现代"概念的不确定外,我们往往没有从不同语境的层面上去厘清所谓后现代的多重涵义。而就不同语境而言,我觉得后现代现象至少有三种形式,抑或说有三个层面。正是在这种多重涵义的基础上,才出现了解构与建构的新动向。

一 现实的文化层面

现实的文化层面,即后现代的大众文化层面。由于文化的商品属性日益凸现,原有的高雅文化与通俗文化、艺术与非艺术的界限渐渐抹平,在全球化条件下,文化越来越成为一种公众享受、消费的产品,大众文化也就是公共文化、消费文化。这样,以影视为代表的通俗化走向和各种以假乱真的影像,既加速了当代文化产业的迅速发展,又使当代审美文化的商品属性变得不可或缺。按杰姆逊的说法"也就是说后现代主义的文化已经是无所不包了,文化和工业及商品已经紧紧地结合在一起,如电影工业,以及大批生产的录音带、录像带等等。"①而影视文化市场受大众文化的感性享受、追求时尚的刺激,也变得越来越向娱乐需求方面靠拢,反过来又刺激着享乐主义和时尚文化在大众传播中的蔓延。这就势必出现贝尔所言之:"资本主义的双重矛盾已经帮助竖立起流行时尚的庸俗统治:文化大众的人数倍增,中产阶级的享乐主义盛行,民众对色情的追求十分普遍。时尚本身的这种性质,已经使文化日趋粗鄙无聊。"②

这种情况自80年代后期以来也深刻地影响着中国的文化市场和影视艺术圈,如王朔不断地在实现个人欲望的世俗化表达,使文学语言也成为一种享乐消费品,"王朔电影",如《顽主》、《轮回》、《大喘气》等,在调侃中亵渎,在亵渎中消解着神圣的规范、权力话语和削平历史深度感。当身着比基尼的女子表演队,与拖着长辫子的前清遗老、解放军战士押着国民党军人、红卫兵们手里的大字报等画面交错地合成一组影像时,当一个自厌自弃的现代人面对着镜中之像,狠狠地击碎镜子,又用手杖在墙上勾出一个夸张的巨大的人形时,似乎一切曾被认同的意义都撕裂成了碎片,而亵渎、轻佻与喧闹倒成了时代病的注脚。

周星驰的以游戏来消解崇高,将荒诞来替代正说,通过拼贴,将不可能的变为一种画框内的"正在进行",也同样在加剧着消费性话语的流行。就像有人拿岳飞的《满江红》来做广告,"怒发冲冠"成了发胶的广告词,"抬望眼"成了太阳镜的广告一样,严肃的主题、崇高的精神在商品社会中被大众消费、金钱的诱惑所冲垮。然而,中国毕竟有着自己的国情,要维护自己对真理观、人生观的选择,当人们在说着精英文化正成为一种弱势文化时,毕竟仍肯定着精英文化的存在和重要的现实意义;而且,中国的主流文化在弘扬"主旋律"时,所追求的仍是现实主义创作,仍是对崇高、对理想、对人间真善美的赞扬和讴歌,虽说商品意识早已波及到主流文化、精英文化,但主流文化、精英文化主要是在推动经济发展的同时,欲借现代商品的传播策略来进一步完善强大的思想武器,关注人类的前途和命运。希望通过商品化了的影视艺术,不仅拓宽人们的视野,且能从各个不同的侧面增强人们对当代社会的重大现实问题的感受能力,理解、认识和驾驭能力,从而推进中国的现代化进程。

而且,就社会的主体力量而言,中国人并不欣赏"享乐主义盛行",也没出现西方后理论家们所言之传统美德和权威意识形态的全面崩溃。相反,我们的主流文化、精英文化,乃至大众文化中积极向上的因素,正在对那些无原则的享乐主义和诲盗诲淫展开着无情的批判和严厉打击。老百姓对贪官污吏,对各种丧尽天良的经济、刑事犯罪,对虚假广告的不负责任,始终是深恶痛绝的。同样,粗鄙无聊的影像文化,在广大民众中仍不会有长久的市场效益。换言之,无论中国怎样加速向国际靠拢,无论西方对中国加入WTO和取得其他平等权益施加多大压力,中国仍会坚守自己的原则,中国仍会说"不"。而且,中国的传统文化、中国美学的内机制,也必然会规定着中国现代化进程绝不以牺牲自己的民族特色和国情所需为代价。更何况,今日之西方也未见得一切都是游戏化了的、解构的、虚无的、享乐主义的。

当代欧洲电影,乃至好莱坞电影中的许多精品不是仍在孜孜不倦地追求着人性的闪光点、追求着存在的意义和人自身的价值内涵?不是仍在探索着、思考着许多人类的终极关怀吗?正因为这样,霍克海默和阿多诺才会说:"艺术今天明确地承认自己完全具有商品的性质,这并不是什么令人新鲜的事,但是,艺术发誓否认自己的独立自主性,反以自己变为消费品而自豪,这却是令人惊奇的事。"③由此,又涉及了"后现代"的第二个层面——哲学和美学的方面。

二 哲学和美学层面

后现代的哲学、美学层面,是后现代文化的理论层和意义层。它是由诸多理论家、思想家共同构筑而成的一个既互相证明,又充满矛盾的多元化的当代西方文化理论格局。尽管他们所描述的后现代景观往往是感性的、非历史的、无中心的、反形而上的,但他们自己的理论表述又恰恰仍是理性的、有历史性的、强调自我话语中心的和非常形而上的。而且,许多西方后现代理论家们,在分析、阐释后现代时又往往将它同现代主义、西方马克思主义联系在一起。如利奥塔的《话语·图像》、《后现代状况》、《公正》,他所言之"后现代艺术家或作家往往置身于哲学家的地位:他写出的文本,他创作的作品在原则上并不受制于某些早先确定的规则,也不可能根据一种决定性的判断,并通过将普通范畴运用于那种文本或作品之方式,来对他们进行判断"。④如此等等,本身就是一种明确的有中心意义的形而上的表述。

又如福科的《作者是什么?》,所强调的是作者只"是话语的一种作用",实践不是个人主体的行为,而是一种权力扩散的结果。他在阐释"作者是什么"时,所运用的引文和理论无疑是极哲学化的,如谈到了"准话语"、"语境"、"自我"、"第二自我"、"第三自我"等等,而他在反对哈贝马斯的交往理论时,所采用的批评方式,也仍具有强烈的本体论色彩。如认为哈贝马斯的"交往行为"是一种"交往的乌托邦"等等。德里达则从批判索绪尔的结构主义语言学出发,来论证他的"解构主义",强调文本是符号游戏,是一个"无中心的系统",且对当下西方电影中的边缘化模式、游戏化因素等,产生了深刻的影响,如极易使人想起阿尔莫多瓦的影片《一个法国女人》中让娜的性放纵、情感的无序性,以及《劳拉快跑》中的游戏性动感等等。但他在分析列维~斯特劳斯学说时,所采取的态度仍是极严肃的和富有思辨性的,而且不断使用结构、符号等旧概念;虽说辨析的目的是要得出:"不存在神话的统一性或绝对的来源",以证明不可能有绝对的中心和主体,但整个论证过程恰恰中心十分明确,主体立场突出,特别是他从"主体缺席",发展至关心"马克思主义的幽灵们",虽不是纯粹的西方马克思主义理论,却事实上又将"解构"理论与马克思主义学说连在了一起。其研究态度是极严肃的,而非游戏化了的。

杰姆逊的理论相对较浅显易懂,但社会历史学的批评方式非常强烈,而且,作为所谓后现代理论的"教父",他本人又不完全赞同,甚至常常是反对后现代现象泛滥的。正由于此,他力图以马克思主义的方法论和西方马克思主义理论来解析后现代主义,并吸取了卢卡契关于意识形态和现实主义的论述,参考了阿多诺关于将马克思主义与弗洛伊德学说相综合的研究。而且,他的理论开创同萨特的存在主义也不无相似之处。为此,他也曾多次援引了萨特的存在主义哲学来分析后现象,笔者愿称之为"后存在主义"。我认为在后现代主义中,后存在主义事实上起着不小的作用。尽管中国目前尚未出现系统的对后哲学与中国现状之关系做详尽分析的权威著作,但与此相关的论述仍不鲜见,如提出了"当代审美文化"中的后现象,也有人将中国当代影像文化,或对某种类型电影、某部影视作品进行当代化(其实正是后现代化)的读解等等。其中有不少观点是值得引起重视的。如中国的现代化问题、中国审美观念的世俗化转向、中国女性(女权)意识的崛起、中国影视艺术中的后现代化表现、"他者"的作用及其民族性构建、影视艺术与市场运作的关系等等。这些讨论都深化了我们对后现代现象在中国不断出现的反思和认识。

笔者在此列举种种哲学、美学理论,是想说明后现代的美学、哲学层面不等于后现代的大众文化,尽管它们间是互有联系的,但毕竟是两种不同的文化类型,不仅途径不一,有时甚至连目的也不尽相同。古典主义、现实主义、现代主义理论,既来自于文化艺术的实践,又有力地规范着、指导着与之相应的创作原则,后现代理论却并非直接指导后现代的整个文化倾向,反倒是后现代的大众文化为后现代的美学、哲学研究提供了丰富的形而下的各种资源。这一情况至少在目前的中国肯定如此。如当芸芸众生在唱着卡拉OK,在看着周星驰的"无厘头"表演,观赏着"偶像剧",或在广告和影像中寻找或参与时,部分老百姓并未意识到自己正在消解崇高、消解历史、消解中心。老百姓面对的是直接的形象的可消费的当代社会的文化产品,普通百姓也不会意识到参与游戏类电视节目,就可能是一种"削平"和无深度。可以说大众既创造了大众文化,同时也是不自觉地被大众文化卷进了后现代现象中。况且在中国,事实上也不一定一参与就削平,就失去深度了。像电视上的《实话实说》、《有话大家说》等栏目,众人参与,大家讨论,体现了一种现代的民主和平等的人际关系,但这并不意味着专家与老百姓的审视距离就此消失,也不能说一经公众探讨,各类话题就变得越来越浅薄了。深刻性与普及性本就应当有机地结合,这理当是一个无须辨析的问题。

三 关于"复制"的技术层面

在所有关于后现代的介绍中,我们都能看到这样一个特别刺眼的词"复制"(或"模拟")。"复制"几乎成了后现代的一种象征。然而,阿多诺曾指出:"文化产业滥用了对大众的关怀,以便复制、强化和加固他们的精神品行,即那种被认为是给定的不可改变的精神品性。"⑤在这里"复制"是作为一个被批判的概念出现的,不过,鲍德里亚则认为,后现代主义是一种变革,它的变革的方式就是复制。而且"是本雅明率先揭示了复制原则的内涵。他表明,复制在今天将生产过程吸了进去,改变了生产的目的、产品和生产者的地位。他正是在艺术、电影和摄影领域建立了这种学说"。⑥本雅明是对复制怀有好感的,认为电影的出现,通过复制的手段,极大地改变了艺术和大众的关系,换言之,电影自一开始起就是大众艺术,它先天的带有后现代性。鲍德里亚则指出,复制实际上是一种"极度逼真"的模拟。它可能模拟的是生活,也可能模拟的是一种幻觉、幻象、幻影。一旦复制和模拟到处泛滥,那么现实也会变得不真实起来。也就是萨特所说的"非真实化"。这样,人们理解世界的方法也会借助于影像,甚至认为影视中的世界就是真实的世界,而原本真实的世界反倒变得不清晰了。

为此,杰姆逊说:"在后现代主义的文化里,形象也是有着同样的非真实化的效果,尽管它很忠实地复制出现实,但也正是在这种复制中,形象将现实抽掉了,非真实化了。换句话说,美国社会,作为一个充满形象的社会,是一个使人们感觉到现实缺乏的社会,在那里一切都是一种文本。"⑦而且,他认为电影是典型的复制品,后现代文化的一个重要命题就是复制。从哲学的层面看,杰姆逊所分析的"非真实化"不无道理,美国正是作为一个典型的缺乏现实感的社会,才会出现影响世界的"好莱坞主义"。然而,按照他们的说法,电影自诞生之日起就已经是后艺术了。但众所周知,电影的发展也有它自己的现实主义历史和现代主义阶段,而且直至今日,现实主义创作方法和审美原则仍在起着重要作用,更不用说现代主义哲学对现代电影的直接影响了。之所以会出现这样一种悖反的现象,是因为杰姆逊等人直接将技术层面的复制归为后现代的产物。如本雅明就认为电影自诞生之日起就产出大众文化的成品,而这正是后工业社会、后现代文化的标志。本雅明在《机械复制时代的艺术作品》中认为,电影是没有"本真性"、丧失了"光环"的,是以机械"复制"为特征的工业产品。电影是复制的,而"复制"又的确是后现代的一个特征,这一点毋庸置疑。

但笔者认为,复制本身并非后现代的专利,复制技术并不一定直接产生后现代主义。的确,电影的发明和走向市场,它从摄影、录音、剪辑、运用蒙太奇直到拷贝,都是一种复制,但电影一开始是作为"活动照相",以引起人们惊喜而出现的,从"视觉滞留"原理到产生"心理认同",电影也的确是一种新颖的制造运动幻觉的工业。但当电影成为一门独立的艺术后,它的叙事、构图和所寄寓的思想意义都是严肃的,以爱森斯坦、普多夫金为代表的"蒙太奇学派",在电影的实践和理论中都充满着深刻的理性内涵。而由格里菲斯建立起的电影最早的完整叙事功能,又使早期电影具有强烈的戏剧性。有声电影自问世不久就参与了当时文艺界的先锋运动,后来法国的诗意现实主义、意大利的新现实主义等,都使电影中的形象、事件、所内蕴着的意义变得越来越重要,也越来越感人。尽管电影和电视始终是复制的,而且,随着现代科技的高速发展,这种复制也会变得更准确、更简便、更迅捷、更灵活多样和更善于以假乱真,但是迄今为止,电影、电视仍在关心着现实,关怀着各种社会问题,始终维系着人们物质的、精神的各种追求,这也是一个毋庸置疑的事实,它说明复制只是一种技术,而技术的发达并不一定就直接产生后现代。

为什么人们普遍认为后现代的兴起,应从20世纪五六十年代算起呢?那是因为整个后工业社会所引发的人类生活方式、行为方式发生了变化,市场经济世界化了,这样才会出现"社会主体看来正在语言游戏的播散中瓦解自己"⑧。换言之,只有到了技术复制的影像在游戏化中掩盖了现实,电影语言的技术性甚至歪曲了现实,工具理性压抑了主体的独立后,"复制"才成为后工业社会的一个重要手段。于是,一方面为大众传播和当代娱乐提供了越来越广阔的天地,并使文化艺术进一步走向大众消费品和商品圈;另一方面又使人的精神变得"贫困化",主体在复制的影像文化中,在娱乐和"游戏"的语言中丧失了自我,享乐的功利的目的挤走了人们应有的"诗意"内涵。而且,从工业社会到后工业社会,这中间的转换也需要一个过程。如果说"复制"就是后现代,那么不仅视觉文化可以复制,印刷文化的传播也是凭借复制的,如书籍、报刊的印刷发行不也是一种技术复制的产物吗?所以,与其将"复制"看作是后现代的标志,不如将工具理性看做是后现代思想的滥觞更贴切。而如果简单地将"复制"技术都视为后现代的象征的话,那么后现代不仅不会消亡,反而会越来越精密、清晰,越来越变得像一根人类所丢不掉的拐杖。显而易见,这种理解的出发点本身就是一个误区。

毫无疑问,上述这三个层面既是互有联系的,也是各有其差别的。如果不能对后现代景观做全面的准确的把握,则极易出现认识上的偏颇,如一谈起大众文化就认为中国已经全面走向后现代了,一看到"复制"就断定影视艺术统统都是后现代的,这样的界定显然是简单化和不确切的。后现代是一种现象,至少在当下中国确实如此。它在不同层面、不同的影视文化中有不同的表现。再则,哲学上、理论上的后现代话语与大众文化层面的和复制技术层面的后现代并非直接可划等号,因此,必须从中国乃至世界文化发展的整个历史演变的转折中,全面地看待后现代主义,我们才能对它做出一个相对合理的公允的评价。

四 关于解构与建构悖论中的新动向

《中华读书报》上曾有人撰文认为,当前广告化已成为中心,"能否卖钱是检验'真理'的惟一标准"。"电视和彩色电影作为最典型的后现代文化形态凸现了后现代的平面模式和生命本能(性/暴力)超级影音幻象,多重视听刺激,影视图像自我定位与二维平面银屏/幕之上,能指无限膨胀,充斥整个画面。"而且,影像文化使得"所有的深度意义消失","所有的历史记忆消失","所有的主体意识消失","所有的审美距离消失","影像的泛滥淹没了作为主体的人"。⑨果真如此吗?那也未必。

应该承认上述种种现象的确存在着,但不是"所有",也不是一切影视作品都只凸显平面模式和性与暴力,至少中国的影视业并未如此,也不能如此。尽管也有平面模式、快乐主义、游戏式解构、逗趣中削平,但绝不会是"所有",谈话类、新闻类节目、严肃的电影、电视剧不见得都随后现代"大流"。更不用说性与暴力的表现是被控制着的,也更不是所有的深度意义、历史记忆都消失了。不然为什么对电影《生死抉择》的反响那么强烈,从专家到百姓,人们对剧本、导演、演员都给予了较高肯定?为什么电视连续剧《一代廉吏于成龙》,刚播出不久,并未见大肆炒作就已博得广大观众的一片喝彩?

事实上,所谓平面模式、凸显生命本能,以及深度意义、历史记忆、主体意识的消失等等,都是从一种解构的视角来看待当今的影视文化的。但如果只有解构,没有建构,那就好比只拆旧房不盖新房,拆光了房子,人又住到哪里去呢?人的精神又去何处安顿?众所周知,解构是对原有结构的一种反叛,它的直接冲动来自于人们要求开放和民主的呼声、来自于突破垄断式的思想专制和语言权力的霸权主义。所以强调人的差异性、文化的差异性,反对权威和中心主义。而后工业时代中的一切商品化和大肆消费,尤其是一次性消费又加剧了零散化倾向,并使零散化和嘲弄"正宗"变得合法化。对此,当代的广告文化、影视文化的确也在传播中起到了推波助澜的作用,它的一大功绩是使大众文化成为一种共享文化。哈贝马斯所言之"公共领域"得到了扩张,文化在市场上流通,也就既推倒了雅俗的疆界,又必然导演出新的"大众偶像"、"大众情人",如歌星、影星,乃至被捧为"天皇巨星",以及各种电子玩具、卡通形象等等。如是,影像审美中的流行"英雄"取代了现实中非动作化的真实英雄,传统意义的崇高和悲剧似乎都遭到了冷落,或者也可以说许多人的注意力已从崇高、悲剧,转向了世俗的日常生活、介入主义、享乐主义。感官刺激替代了现实中的平凡、琐碎和一般行为,反倒是影像中模拟的虚假的"崇高"、"英雄"和明星赢得了大众的青睐。

而此时的明星,一如杰姆逊在举例谈到玛莉莲·梦露时所讲的,"成为世界上最出名的人的时候,她自己便从她的形象异化出来了;对其他人来说她是一个固定的形象,而她自己并非那样一个形象。人人都只看到她的形象,而这个形象又不是她自己"。"作为明星的梦露被变成了一种商品,一种形象"。⑩这实际上就出现了三个新的动向:

一是如前所言,过去的权力话语正在消失或淡化,但为了冲破权力霸权,大众文化以反垄断的面貌出现,结果它倒成了一种新的垄断文化,致使主流文化、精英文化的地位相对削弱,理性反让位给了非理性。

二是差异性是现代化进程中的催生剂,从创新的角度看,差异性的存在过程也是思想不断碰撞,产生火花,发现新的智慧的必然过程。人类哲学观念、艺术构思的创新都是在追新求异中实现的。但从大众的审美接受心理看,又必须要有一定的共通性,不然就会失去观众,失去电影的票房号召力和电视收视率。共通性是一种相对稳定的约定俗成,但共通性毕竟也在不断变化,从解放初直至已进入21世纪的今天,审美接受的共通性始终在变化着,它也是从原来的差异性逐渐演化为今日的共通性的。如解放后的前"十七年",崇尚革命理想,坚持阶级斗争,观看革命题材的影片,是那时的共通性;"文革"时,提倡"继续革命"理论,艺术创造中遵奉"三突出",政治概念符号替代了电影艺术,是一种共通性;而谈人性、强调人的自身价值,特别是涉及性的话题,在那时无疑是一种"反动"的差异性,新时期电影从反思到走向人的意识的觉醒。80年代张扬个体生命,反对神话化,推出"寓言"形式,又成了一时的共通性,但另类、边缘人、无深度表现仍是一种差异性。到了今天,解构、削平、消费和反腐倡廉又成了共通性,可见今日之正宗很可能是过去的异端,今日之差异性也极可能又会成为明天的共通性。

三是当前如此泛滥的俗化倾向,也使自我异化进一步加深,精神批判的威力和作用被弱化了,这是完全应该,也必然应该"拨乱反正"的。为此,杰姆逊又曾明确指出:"后现代主义时代,我们也面临着一种具有同样的破坏力,而且同样是灾难性的感情……如果说现代主义时代的病状是彻底的孤立、孤独,是苦恼、疯狂和自我毁灭,这些情绪如此强烈地充满了人们的心胸,以致于会爆发出来的话,那么后现代主义的病状则是'零散化',已经没有一个自我的存在了。"⑪正因为这样,我们今天才需要提出建构,如提出了重建人文精神,重识现代性,提出如何将西方的现代性理论"中国化"等等。我们说有差异性就意味着多元化,但首先要有一种起码的规则和共识。当然,这种规则不排除"差异性"和个体自由,它可能通过各种对话、谅解来达到沟通,并保持差异性。其次,就历史发展的逻辑而言,解构与建构的不断更替或交叉并进,将是一项长期存在的双向运动,人类正是在不断的冲击、破坏、解构旧的规范,又不断修正、建立、构筑新的思想和秩序中逐步演进的,原有的边界已被突破,新的边界又会出现。对于西方来说是一个"他者"的中国,它的存在不也正是一种差异性吗?所以,"有中国特色"这一提法本身,也是世界文化在解构中的多元之一元。

今天,中国文化和美学自身也在解构与建构的二重组合中呈现出多元的发展态势,既有传统的,甚至古典的审美准则(如在中国书画鉴赏和文物古董的甄别中,传统的审美方法和认定原则仍起着决定性作用),也有广告化宣传,大众影像文化中的偶像。更有主流文化中对崇高的弘扬,知识分子发自内心的呐喊。在影视作品中,既有现代主义的手法,如《红高粱》、《菊豆》;又有后现代的表现,如搞笑、游戏、拼贴的叙事手段,通俗化,也难免粗俗化的"情景喜剧"。也有现实主义的严肃的主题,如电影《生死抉择》、电视剧《一代廉吏于成龙》中所刻画的清官形象,电影《我的父亲母亲》中对爱的理解、对教育事业的执著,《一声叹息》里所应关注的"叹息"的内涵,电视剧《大雪无痕》中展示出的活生生的现实,人性的陷落与救赎等等,并借此呼唤人们的良知,或揭露和批判当代社会中形形色色的贪官污吏和不正之风,或在其背后潜藏着一个更为深刻的对传统与现代之关系的思考。

再则,20世纪80年代以来,我们开始"进口"西方的各种现代理论。到了90年代,我们又一次大量引进了诸如政治意识形态批评、后精神分析学、后殖民主义、东方主义、女权主义等新的批评方式,但是,这些理论、模式到了中国,又都不可能原模原样地一成不变,更不是解决一切问题的灵丹妙药。现代化是一个全球化问题,引进固然重要,此所谓"他山之石,可以攻玉",然而,中国毕竟有中国的情景、中国的传统、中国的资源、中国人的审美心理定势。否认这一点或无视这种"在场"性,自然也是可笑的和注定要失败的。例如,女权(性)主义,这在西方许多影视作品中都早有反映和展示,但在中国,正如人们所指出的真正意义上的女性电影只有《人·鬼·情》一部,而且,它的女性意义的抬头、女性的自我拯救,通过一个女人——秋芸扮演男性;钟馗——一个非真实的"鬼",来实现一种梦幻式的自恋,既拒绝了女性的命运,又成为一个女性向往的拯救者、保护者。

这背后的中国传统文化情结之浓郁,自不待言。秋芸在事业上、精神满足上是成功了,可她作为一个真正的女性,却又是一个现实中的缺席者。她的这种二律背反的命运正是处于她自己的特殊"场"中的必然。很显然,《人·鬼·情》中的女性意识与西方电影中的女权(性)主义完全不同。如美国片《塞尔玛与路易丝》,讲的是一个关于性、酒、摇滚乐和当代西方道德观被支解的故事。镜头追踪着两个反叛男权社会的女性在公路上的种种"挑战":喝酒、杀人、性冲动、自杀,以说明所谓的男女两性间的战争。这样的女权要求是一种典型的后工业社会中的产物,这两位年轻女性的大胆举止和疯狂行为,也是后现代女权主义的影像化反映。如果将这种女权要求原模原样地移植至当代中国,那么他们的影像效果要么就是完全成了编造的另类,要么就是直接沦为中国观众眼里的女流氓。同样,《枕边书》虽写的是日本女性诺子的女性意识,而且借用了东方书法(书写)形式来表现她的觉醒,特别是以书写在男性躯体上的书来象征挑战男权、父权(包括出版商),这样的处理和结构理念,显然与当下中国国情也离得较远。尽管作为一个"他者"的冲击性参照,这两部外国片都可以被中国观众接受,但它终究不是中国式的,也不是中国电影应去模拟的一种女性主义结构和叙事策略。

诚然,电视转播和文化共享往往会使私人话语与公共话语的界限也渐渐变得模糊起来,如谈话类节目可以直指人心,涉及许多原本属于私人话语,甚至是隐私的范畴,如请当事人在场,特邀嘉宾和公众一起参与讨论他们的离婚、再婚、家庭纠纷、邻里矛盾、买车买房的利弊得失等,将这些本属于私人的话题公之于世,加之有些节目主持人和记者的提问又太直露或太逼仄,这就必然会牵出许多个人经历、难言的痛苦和某些原本不愿在公众中讲出的实话。虽说公众自可从中窥见他人的私生活和内心秘密,它也满足了人们了解别人,展露自我的欲望,但同时又挤压了他人的隐私空间和独享的精神天地,使得私生活成了一种社会的展览品。凡此种种矛盾,在解构和建构中都会不断出现,如何调整,怎样处理,这本身不也是一个需要不断解构和建构的问题嘛!

总之,解构与建构是一对无法回避的矛盾,而当代的视觉文化、影像世界的多元化,正是在这样的矛盾中展开的。大凡有中心就会有边缘,反之,有异化就会出现反异化。开放了的中国对西方文化是批判地接受,对于本土文化也应在批判中弘扬。外国人看中国,西方人看东方影视艺术,可能也会采取这种态度。在全球经济、文化一体化走向的今天,主流文化、精英意识、大众媒介及其各种通俗文化的互渗和融合将日渐增多,如希望尽快增强我们的综合国力,社会安定,繁荣昌盛,要继续发扬民族精神、提高人民的生活水平、提高国民素质、争取早日与国际全面接轨等等,都是主流文化、精英文化、大众文化共同关心的话题,因此,在通向新世纪的旅途中,这三种文化不是互相排斥、截然分离的,反倒会互相依赖,互为补充,主流文化从精英、大众那里汲取养料、获得共识,变得更合民意,精英文化从主流倾向和大众的审美流变中获得更多的启迪和思考。大众文化则更需要主流意识、精英意识的规范和指导,正是在这样的前提下,解构与建构才显得更合于科学性,文化与艺术的多元发展也才显得更具生命力和更具存在之必要。

注释

① 杰姆逊《后现代主义与文化理论》,北京大学出版社1997年,第162页。
② 丹尼尔·贝尔《资本主义的文化矛盾》,三联书店1989年,第30页。
③ 霍克海默·阿多诺《启蒙辩证法》,重庆出版社1990年,第148页。
④ 转引自《后现代主义的突破》,敦煌文艺出版社1996年,第15页。
⑤ 转引自哈贝马斯《交往行动理论》第一卷,重庆出版社1997年,第469页。
⑥ 转引自周亮《20世纪西方美学》,南京大学出版社1997年,第186页。
⑦ 同①,第208页。
⑧ 利奥塔《后现代状况》,见《后现代主义与美学》,北京大学出版社1992年,第37页。
⑨ 王昶《在后现代看电影》,《中华读书报》1999年10月27日。
⑩ 同①,第197页。
⑪ 杰姆逊《后现代主义和文化理论》,陕西师范大学出版社1987年,第177~178页。

原载《当代电影》2001年第3期

杜书瀛

在全球化浪潮面前

李光耀转向和活佛拍电影

近些时候,有两件事给我触动颇大。

一件事是李光耀转向。

众所周知,李光耀被西方人称为"新儒学之父","亚洲价值最雄辩的发言人"。但是现在他宣布儒家价值观过时了。

且看李氏先前的观点。

在1994年3—4月号美国《外交》季刊刊登的李光耀同该刊编辑扎卡里亚长篇谈话记录《文化是决定命运的》中,李光耀说:"西方人相信只要有一个好的政府制度,一切问题都可以解决,东方人是不相信的。东方人相信个人离不开家庭,家庭属于家族,家族又延伸到朋友和社会。政府并不想给一个人以家庭所能给他的东西。在西方,特别是在二次大战后,政府被认为可以对个人完成过去由家庭完成的任务。这种情况鼓励了单亲家庭的出现,因为政府被认为可以代替父亲,这是我这个东亚人所厌恶的。家庭是久经考验的规范,是建成社会的砖瓦。"他还说:"中国的传统观念是修身齐家治国平天下,修身齐家是基础,我们全民都对此深信不疑。""我们感到幸运的是,我们有这样一个文化背景:人民相信做人要节俭、勤劳、孝敬父母、忠于家庭,尤其是要尊重学问。"①总之李光耀所崇奉的是建立在宗法家族基础上的长上崇拜和权威主义的亚洲价值,而且他似乎成功地组合了市场经济与亚洲价值相结合的发展模式从而创造了经济腾飞的奇迹——至少以往几十年许多人这样认为。但是,几年前亚洲金融危机以及紧跟着而来的亚洲国家的内部动荡,给李光耀模式以重大冲击;以网络技术为基本标志的信息时代的伟大革命,给李光耀的儒家观念当头棒喝。

如今,李光耀终于改弦更张了。

2000年在北京举行的21世纪论坛上,他只字不提作为亚洲价值重要标志的权威主义而大讲西方价值观念所倡导的个人创造性。2001年1月底在瑞士达沃斯举行的世界经济论坛上,他明确宣布儒家价值观已经过时。"尊重老人在信息时代似乎管不了什么用。父亲未必最有学问,孙子也许懂得更多。""在信息技术时代,年轻和一副灵光的脑子是巨大的优势。在我们的国家里,做决定的是老人,他们行动迟缓,他们会错过机会。"在接受美国《国际先驱论坛报》采访时,他也说儒家文化不适应信息时代,会严重影响社会的经济发展,因此"要改变父母、叔叔大爷、表哥表姐和外甥侄子的精神状态和价值观念"。②

一件事是活佛拍电影。

据报载:在喜马拉雅山窝窝里一向封闭的小国不丹,有一位名叫 Khyentse Norbu 的藏教转世活佛,成为该国首次投资拍摄的电影《高山上的世界杯》的导演。影片背景选在印度北部的一个寺院中。1998年,修行中的少年僧人们因世界杯的开幕而欢心雀跃。每天晚上,他们溜出寺院到村民家中看黑白电视转播,醉心于比赛的进程。决赛前夕,虽然擅自外出被发现,但他们还是决心"即使借电视也要把决赛看完"。这个故事是根据这位41岁的活佛导演年轻时的亲身经历改编而成。这位活佛说,之所以把它写成剧本,是因为"足球是现代化的象征,它甚至在远离世俗、戒律森严的寺院里也引起了变化。我想把这些告诉观众"。拍摄时,由于预算很低,无法雇用演员,剧组启用了两名真正的僧人做主角,连寺院住持等也参加了演出,"真人演真事"。在不丹,1999年有线电视才开播。但现在,因特网在这里也开通了。这个远离世俗的国度正在被飞速的变化冲击着。据悉,这位活佛导演已在考虑拍摄下一部影片《美丽的故乡——不丹》。③

上面两个例子,一个是一贯宣扬亚洲价值和儒家思想、对亚洲政治经济发生过重要作用、具有世界性影响的政界"杠子头"的翻然转向,一个是在远离世俗的国度向来被人视为不食人间烟火、六根除净、"坐怀不乱"、同"现代化"不沾边儿的佛界圣人的"现代化"举措,可以说是两个"堡垒"的动摇。这不能不发人深思。

我不知道人们是否把它们看做是全球化问题中的例子。如果不是,那么它们属于什么范畴的问题?

我倾向于把它们看做是全球化进程中的某种表现。

顺便说一句,我所理解的全球化,是指地球上各种不同的文化(包括物质文化和精神文化),通过各种形式、各种范围、各种程度、各种途径的交往与碰撞(甚至免不了厮杀),互相影响、互相渗透、互相融通,从而在某些方面或某些部分达到统一,实现一体化,某些方面、某些部分难以一体化(或者说不可能一体化),但可以在保持个性化、多样化、多元化的情况下,互相理解、彼此尊重,达成某种价值共识和价值共享,促成全球性的人类文化繁荣。

以往,我只承认有限范围和有限程度的全球化,例如科学技术和经济等领域里的全球化,而拒绝艺术和美学领域里的全球化,认为在这些领域只能个性化、多样化、多元化,只能保持民族、地域、流派、个人的独特性,很难甚至不可能形成价值共识和价值共享,因而不存在全球化的问题。

而现在,由于越来越频繁的接触到类似于李光耀转向和活佛拍电影的现象(虽然给人的刺激并不都那么强烈),我发生了动摇。

人类文化的基本趋向

不言而喻,李光耀转向和活佛向"现代化"靠拢,绝不是简单的个人行为和偶然现象,其中潜藏着深刻的人类文化动向。这里表现出两种或多种不同的文化在历史实践中经过碰撞和较量所发生的变化:思想观念变化了,价值取向变化了,道德规范变化了。也许在这种变化中,某种不太适应这个世界的过于狭隘的东西被淘汰了;某种仍然有价值的、仍然适宜于世界发展的东西保留下来了;某种对这个世界的发展前景具有更大更广泛适应性的新的文化样态、新的文化因子产生了、滋长了——最后,某种新文化生成了。

儒家文化同西方文化,佛家文化同世俗文化特别是同现代化的世俗文化,的确存在非常大的差异,两者距离十分遥远;但是,在这个世界上,距离再遥远、差异再大的文化现象,也很难避免发生联系、发生影响,尤其是在现代。而且随着交通、信息技术的发展,这种联系和影响越来越频繁、越来越强烈。不同的文化碰在一起,有的可能会和睦相处,亲切交流,很容易取得价值共识,相通相融,合为一体,包括结合之后生出新的文化现象;有的则有矛盾、冲突,有时会格格不入,有时会打起来,会发生"战争"——当然这是特殊的战争,是精神上的战争、观念上的战争、价值取向上的战争、心理上的战争。这种战争同通常的战争并不相同。通常的战争,古代部族之间的战争,现代国与国之间的战争,其结果一般是以一方的毁灭告终。不是你吃了我,就是我吃了你。但是,文化上的"战争"却不是简单的你吃了我、我吃了你,甚至也不是简单的谁占了上风、谁占了下风,谁败了、谁胜了、谁升值了、谁贬值了、谁吃亏了、谁占便宜了,谁向谁投降了……譬如在中国历史上,伴随着元灭宋、清灭明的民族之间真刀真枪的战争,也发生了两种文化上的"战争"。这种文化"战争"的结果,并没有像政治和军事集团那样一个被一个吃掉。汉文化败了吗?没有。蒙古族文化和女真族文化胜了吗?也没有。汉文化并没有灭亡,蒙古族文化和女真族文化也没有独霸世界。没有胜利者也没有失败者。它们在温火慢炙、潜移默化中,逐渐互相理解、渗透、融合。通过这种融合,两种原有的文化都发生了微妙的变化,产生了既包含汉文化也包含蒙古族文化的元文化、既包含汉文化也包含女真族文化的清文化。这种变化的结果,其适应性(从地域和人口上说)更广、更大了——从狭窄走向广阔。如果由此再伸发开去,不同文化的这种碰撞、交融,从狭窄走向广阔,长远地看,能不能广阔到全世界的范围呢?如果广阔到全世界的范围,那是不是可以称为"全球化"呢?当然,这会是一个非常细致、非常漫长的过程,而且文化中的某些方面、某些领域、某些部分,可能永远会保持其个性化、多样化、多元化的面貌,但是它们可以具有价值上的相互尊重、共识和共享,达到全球性的文化共存共荣。而且,按照生物发展的已有经验,单亲繁殖、近亲繁殖,不如远缘杂交来得好。不同文化甚至差异很大相距遥远的文化的碰撞、交融,可能发展得更茁壮。

　　这是不是可以看做人类不同的文化互相接触、碰撞之后得以发展的一般规律呢?

面对不同文化的这种碰撞、融合以至产生新的文化因子或者最后干脆产生了新的文化,有的人站在原有文化的立场上,可能心理上感到不舒服、不光彩,好像失去了什么。具体到上面讲的两个例子,亚洲价值与西方价值、佛家文化与现代世俗文化之间的碰撞,李光耀和活佛对对方价值观念的认同,好像李光耀向西方价值投降了,佛家向现代化投降了,丢了面子了。

我不这样看。我不认为有什么不光彩的地方。我认为不应当简单地看做是谁输了谁赢了、谁向谁投降了、未来是谁的天下了。倘有上述那种感觉,是不是某种民族主义的狭隘情绪在作祟?假如超越某种民族主义情绪而站在全人类的立场上,超越"中""西"派系观念而站在它们之上,我们也许会看到不同的甚至差别极大的两种文化由隔膜、对立、冲突走向对话、理解、融通,达到某种程度的价值共识和价值共享;或者觉察出两种文化在碰撞中,会产生文化的新因子甚至产生某种新文化的信息。譬如,中国传统的农业文明中有一种很重要的价值观念"信"或"信义",所谓"言必信,行必果"。西方资本主义文明中也有一种很重要的价值观念"信誉"——"商业信誉"或"企业信誉"。虽然这两者都沾了个"信"字,其实有根本区别。中国的"信义"与宗法家族社会的长上崇拜、"士为知己者死"联系在一起,而西方资本主义文明中的信誉则以资本主义市场经济中自由竞争、公平、平等为基础。这两种东西,在今天中国的社会主义市场经济中相遇了,两者相互碰撞、相互交融,产生了今天中国市场经济中的"信任感"、"信誉"、"诚信"。今天存在于中国的这种"信任感"、"信誉"、"诚信",是不是有新的因子在其中呢?我认为有。它比起西方资本主义文明中的"信誉",可能多了点"义"的成分,多了点人情味儿;而比起中国传统文化中充满"士为知己者死"、"长上崇拜"的"信义"来,可能多了点"公平自由竞争"、"亲兄弟明算账"的成分。这种新的文化因子,将来发展起来,是不是适应的范围和地域更广更大呢?

这将是全人类文化的前进。

这就是文化的全球化趋向。

在人类物质文化和精神文化的各个领域里,全球化恐怕是难以避免的,也可以说是不以哪个人的意志为转移的。而且,无论从历史的方面说,还是从逻辑的方面说,都是如此。

其实人类的历史,宏观的说,就是不断全球化的历史。科学家们说,150亿年前宇宙诞生,50亿年前太阳系诞生,40亿年前生命诞生,5亿年前具有心脏和循环系统的"海口虫"诞生,④500万年前人类诞生。地球是一个整体。地球上的人类,虽然是分散居住和生活的,但是彼此之间是可以相通、需要相通、必然相通的。普遍联系是宇宙的通则,人类作为有意识的族类更不例外。生活繁衍在同一个地球上的人类,有着趋向全球化的天然基础。起初,人类的文化是在不同的地域独立产生和发展的,后来不同文化逐渐联系、交流、碰撞、影响、融通,开始了漫长的全球化历程。人类文化具有某种天生的弥散性,是任何地域的、民族的、国家的边界所挡不住的,尤其在当今电子传播媒介越来越发达的时代,海关、国界对于互联网起不了拦截作用。上万年前秘鲁人发现的马铃薯和印第安人发现的番茄最终成为全球化的食品,中国人发明的火药传到西方又传遍世界供全球人使用,喝茶也不再是中国人的专有习俗而风靡全世界,莎士比亚、曹雪芹、巴尔扎克、托尔斯泰、鲁迅的作品被翻译各种文字激动着世界各大洲的读者……这不是全球化又是什么呢?希伯来文化和希腊文化的传播,汉代张骞、班超等出使西域,汉唐通往大食、大秦丝绸之路的打通,罗马帝国的建立和分裂,阿拉伯世界在中东和北非地区的形成,十字军东征,蒙古帝国的大面积扩张,郑和下西洋,哥伦布发现新大陆,资本主义自近代以来在全球范围的推行,世界市场的形成,西学东渐,19世纪中叶之后马克思主义的传播以及20世纪社会主义世界的发展,20世纪后期电视直播、电子文化、网络媒介创造的信息快速通道,信息时代的到来,等等,这些都是全球化过程中留下的脚印。不过在资本主义时代之前全球化是极其缓慢的,从资本主义时代起则变得十分迅速,而在信息时代,更有了电子传播的加速度和全方位的广度。

重读《共产党宣言》

对全球化问题,马克思主义的老祖宗早就做了理论阐发。不信,你重新读一读《共产党宣言》肯定会有新体会。19世纪40年代,血气方刚的马克思和恩格斯指点江山、激扬文字,描述了自由

资本主义时代的全球化现象,论证了它的价值和趋势:

> 资产阶级,由于开拓了世界市场,使一切国家的生产和消费都成为世界性的了。不管反动派怎样惋惜,资产阶级还是挖掉了工业脚下的民族基础。古老的民族工业被消灭了,并且每天都还在被消灭。它们被新的工业排挤掉了,新的工业的建立已经成为一切文明民族的生命攸关的问题;这些工业所加工的,已经不是本地的原料,而是来自极其遥远的地区的原料;它们的产品不仅供本国消费,而且同时供世界各地消费。旧的、靠国产品来满足的需要,被新的、要靠极其遥远的国家和地带的产品来满足的需要所代替了。过去那种地方的和民族的自给自足和闭关自守状态,被各民族的各方面的互相往来和各方面的互相依赖所代替了。物质的生产是如此,精神的生产也是如此。各民族的精神产品成了公共的财产。民族的片面性和局限性日益成为不可能,于是由许多种民族的和地方的文学形成了一种世界的文学。⑤

马克思和恩格斯主要论述了自由资本主义时代的全球化问题。这里有几点值得注意。

第一,马恩首先阐明的是物质文化即居于基础地位的经济的全球化——市场的全球化、贸易的全球化、生产和消费的全球化;跟着他们也略微涉及这种经济全球化对政治全球化的影响——资产阶级迫使别人"推行所谓文明制度"。他们强调了在这个领域里全球化的步伐摧枯拉朽、势不可挡,是那样的无情和残酷。"由于一切生产工具的迅速改进,由于交通的极其便利,把一切民族甚至最野蛮的民族都卷到文明中来了。它的商品的低廉价格,是它用来摧毁一切万里长城、征服野蛮人最顽强的仇外心理的重炮。它迫使一切民族——如果它们不想灭亡的话——采用资产阶级的生产方式;它迫使它们在自己那里推行所谓文明制度,即变成资产者。一句话,它按照自己的面貌为自己创造出一个世界。"⑥这不是蛮不讲理的霸道行为吗?然而,在这里道德和历史发展发生了冲突:它亵渎了道德却促进了历史。

第二,全球化是经济发展的迫切需要和必然结果,同时反过来它又极大地促进了经济的发展。"不断扩大产品销路的需要,驱使资产阶级奔走于全球各地。它必须到处落户,到处创业,到处建立联系"。反过来,"由于开拓了世界市场,使一切国家的生产和消费都成为世界性的了",从而又使经济空前繁荣。⑦"美洲的发现、绕过非洲的航行,给新兴的资产阶级开辟了新的活动场所。东印度和中国的市场、美洲的殖民化、对殖民地的贸易、交换手段和一般的商品的增加,使商业、航海业和工业空前高涨……""大工业建立了由美洲的发现所准备好的世界市场。世界市场使商业、航海业和陆路交通得到了巨大的发展。"⑧这些都是符合历史前进的方向的。资产阶级在历史上曾经起过非常革命的作用,"在它的不到一百年的阶级统治中所创造的生产力,比过去一切世代创造的全部生产力还要多,还要大。自然力的征服,机器的采用,化学在工业和农业中的应用,轮船的行驶,铁路的通行,电报的使用,整个整个大陆的开垦,河川的通航,仿佛用法术从地下呼唤出来的大量人口,——过去哪一个世纪能够料想到有这样的生产力潜伏在社会劳动里呢?"⑨

第三,按照马克思主义经济基础与上层建筑的关系的原理,马恩在论及经济领域、物质生产(物质文化)的全球化时,跟着必然也推及精神生产(精神文化)的全球化。他们明确指出:"物质生产如此,精神生产也是如此","它的商品的低廉价格,是它用来摧毁一切万里长城、征服野蛮人最顽强的仇外心理的重炮","民族的片面性和局限性日益成为不可能"。并且瞻望了未来将由各种地方的和多民族的文学形成一种"世界的文学"的前景。当然,他们在这里所说的"文学"包括了科学、艺术、哲学等书面文化的各个方面。马克思和恩格斯认为在精神文化的所有这些方面也是能够全球化和必然全球化的。

马恩当年关于全球化问题的论述不但得到了历史实践的证实,而且今天的世界全球化趋向又有了新的发展变化。费孝通教授在最近的一篇文章中说:"跨地区和跨国界的经济关系,除了表现在市场经济的超地方特征之外,还表现在近年来跨国公司的大量发展上,跨国公司在产权方面与具有民族国家疆界的国有、私有企业不同,它们没有明显的地理界限。它们的最大特征就是'无国界性'。在经济全球化的当中,不仅外国人来中国设立他们的跨国公司的办事处、子公司,拓展业务,而且也有越来越多的中国人到海外办公司,开工厂,甚至开设大型专业市场。我家乡的震泽丝厂在美国开办了分公司,我访问过的青岛海尔集团在海外开了分公司,我所熟悉的温州人在巴西开设了'温州城'。这样的经济交融,已经不是简单的'西方到东方'、'外国到中国'、'中国到外国'的老问题,而是一种新型的国与国、区域与区域之间交流和互动的新发展和新的组织形式。"⑩费孝通如此这般地总结了20世纪、展望了21世纪:"20世纪是世界性的'战国时代',意思是说,在20世纪里,国与国之间,文化与文化之间,区域与区域之间,有着明确的界限,这个界限是社会构成的关键。不同的政治、文化和区域实体依靠着这些界限来维持内部的秩序,并形成它们之间的关系。这是我们共同经历过的历史事实。而在展望21世纪的时候,我似乎看到了另外一种局面,20世纪那种'战国群雄'的面貌已经受到一个新的世界格局的冲击。民族国家及其文化的分化格局面临着如何在一个全球化的世纪里更新自身的使命。"⑪

费先生的话对不对呢?我看很有道理。20世纪的情况既如先生所言;21世纪呢?让我们拭目以待。

歌德的启示

马恩对"世界的文学"(文学的全球化)前景的推想和瞻望,可能至今有的人并不赞同。但我现在认为马恩的说法既符合人类精神文化(包括文学艺术)已有的历史事实,也符合人类精神文化(包括文学艺术)发展的客观规律。当然这个过程可能很长,可能十分十分遥远。而且即使全球化,也必须保持文学本性所要求的个性化、多样化、多元化。这是文学艺术全球化问题的特殊性。文学艺术的全球化,在很大程度上应该理解为文学价值和艺术价值的全人类共享;是价值共识,而不是排斥个性、多样性、多元性。总之,价值共识和价值共享是文学艺术全球化的基础和核心。

但是,不管文学艺术的这种全球化性质多么特殊、历程多么遥远,从长远的历史发展来看,其全球化的方向恐怕是难以改变的。

谈到文学的全球化即"世界文学"的命题,也许(我还没有找到证据证明一定是)马恩受到歌德的影响,因为更早(大约比马恩早

20年)提出这一命题的是歌德。1827年1月31日歌德同他的秘书爱克曼谈话时,由中国传奇《风月好逑传》引发出一大篇关于"世界文学"问题的议论。歌德肯定了中国人和他们西方人在精神文化方面是相通的:"中国人在思想、行为和情感方面几乎和我们一样,使我们很快就感到他们是我们的同类人"。歌德说:"我愈来愈深信,诗是人类的共同财产……不过说句实在话,我们德国人如果不跳开周围环境的小圈子朝外看一看,我们就会陷入上面说的那种学究气的昏头昏脑。所以我喜欢环视四周的外国民族情况,我也劝每个人都这么办。民族文学在现代算不了很大的一回事,世界文学的时代已快来临了。现在每个人都应出力促使它早日来临。"[12]

歌德谈话中有两点给我们特别深刻的启示。

一是他强调不同民族(譬如德国人和中国人)"在思想、行为和情感方面"是相通的,是"同类人"。我赞成歌德的观点。这就肯定了文学艺术的全球化具有在精神气质方面的内在基础。现在有的人之所以不赞成包括文学艺术在内的精神文化的全球化,很重要的一条理由就是认为不同民族精神气质的不相通,认为艺术信息、审美信息不可能由一种语言翻译成另一种语言,即不可传达。例如有人说:"文化原本只能以人心、民族或社会(区)之精神气质为生存和生长的居所,即是说,它天然就具有无法根除的'地方性'(locality)或'区域性'(provinciality),这是其民族性(nationality)的生存论意义所系。""文化(我是说狭义的难以'编辑知识化'或技术化的'非科学知识'的'隐意文化',而不是广泛意义上的'知识文化')是人性化的产物,其生产方式只能靠传统的积累和地方性或民族性的'精神气质'(ethos)培育,而不可能像自然资源的加工和利用那样,借助技术的手段进行再生和模式化。"[13]文化诚然是人性化的产物,诚然具有地方性、区域性、民族性,诚然需要传统的积累和地方性、民族性的精神气质培育,诚然不同于自然资源的加工和利用。然而,这并没有否定人心是可以相通的,并没有否定西方人和东方人,黑人、白人、黄种人,在思想、行为、情感等等方面是可以互相交流、互相理解、互相融合的,是可以取得价值共识的。电影《刮痧》就写了中国和西方不同文化从冲突、厮杀到理解、认同的过程。起初中西两种价值取向、两种情感行为、两种思想观念是那样水火不容。中国人给孩子刮痧治病当然绝对是出于爱,但西方人却视为虐待、侵犯人权。这确实是由不同的"传统的积累和地方性、民族性的精神气质培育"出来的不同文化。但是这两者真的绝对不能相通吗?非也。经过激烈的痛苦的精神搏斗,最后还是得到沟通,达成理解,取得价值共识。中国的国画与西方的油画绝对是两种不同的艺术文化。但是中国人接受了油画,西方人接受了中国画。而且,即使是中国画家进行国画创作,也可以融合西方的绘画因素,徐悲鸿的画马,不是可以看到西画的某种味道吗?西方人理解中国画,恐怕不一定比具有传统观念的西方人理解西方自己的现代派抽象画更难。中国人理解西画,也不一定比中国人理解中国当代先锋派绘画更难。剪纸艺术是我们的国粹之一,纯属中国独具特色的民族文化,但西方人接受了,理解了,而且非常喜爱。最近中央电视台播放了一个电视片,介绍山东泰安的民间剪纸艺术家卢雪女士几次到欧美和新加坡进行文化交流,深受欢迎。在新加坡受欢迎,并不令人奇怪。令人惊讶的是在欧美竟然那么轰动。她在瑞士苏黎世大学的讲坛上讲课、表演,不但学生认真学习,而且苏黎世大学的校长和教授也那么认真听讲。⑭不同文化并没有绝对不可逾越的民族性、区域性鸿沟。

  前面所引的那位先生还以宗教为例说明不同文化的不能融通。"真正的宗教是从民族和人们的心灵中生长出来并存在于民族和人们心灵之中的,既不可能强行制造,也不可能强行消灭,更不可能人为地创造出某种形式的'世界宗教',即使我们可以设想康德式的'世界公民',因为我们无法消除民族、肤色和地缘的差别。"⑮我不信仰任何宗教,更不赞成所谓"世界宗教",但我并不反对别人信教。强行制造、强行推行或强行反对、强行消灭某种宗教,的确是愚蠢的,也是行不通的。某种宗教的确是从某个地方、某个民族产生、形成的,开始它们的确是地域性的、民族性的。但是,基督教、佛教、伊斯兰教自产生之日起,不是越出了它的产生地,传到世界上许多民族和国家吗?它们不是已经成为世界性的了吗?例如佛教,从印度起,传到中国、传到日本、传到亚洲和世界其他国家和民族;基督教最早产生于小亚细亚犹太人散居的地区,传到欧洲和全世界各个地区和民族;伊斯兰教也早已不限于阿拉伯世界,前南地区的战争冲突,其中一个重要原因就是那个地区信仰伊斯兰教与信仰基督教的不同人群之间的矛盾。从宗教这种我并不赞成的文化现象的世界性传播,不是也可以看出文化的全球化趋向吗?除了宗教,哲学和美学也不是不能进行全球性传播即具有全球化趋向的。大家最不感到陌生的例子是马克思主义的传播,这不用多说。至于美学,以中国百年以来的历史为例,可以说就是西方的许多美学思想在中国传播、同中国的美学思想和文艺现实相结合相融会的历史,最近由上海文艺出版社印行、我和我的同事合作编写的《中国二十世纪文艺学学术史》,有相当篇幅涉及这个内容。说到文学,其世界性传播的广度、深度和速度,更是不比其他文化现象弱,前几年,一本《廊桥遗梦》(当然并不是多么伟大的或了不起的作品)竟然风靡世界,据说中国也印了多少多少万册。当然,说到精神文化特别是其中的文学艺术的全球化,大概谁也不会愚蠢到以为就是取消个性、多样性、多元性。关于文化,中国历来讲求"和"、"和而不同"。"和",就是多样化的彼此不同的东西组合在一起。不同的东西可以共存共荣。"和实生物,同则不继","以同裨同,尽乃弃矣","声一无听,物一无文,味一无果"。⑯即使是在同一个国家、同一个民族之内,还会有不同流派存在,即使同一流派,不同的作家也必须具有自己的风格特点。在统一性的"全俄罗斯化"的俄罗斯文学中,屠格涅夫不同于托尔斯泰,契诃夫不同于高尔基;在统一性的"全中国化"的中国文学中,鲁迅不同于郭沫若,巴金不同于老舍。假如世界上有一千个或一万个真正成熟的作家,那么就会有一千个、一万个不同的艺术个性。那么,为什么一说文学的全球化就一定是一体化、齐一化呢?假如真的一体了、齐一了,失去个性、多元性、多样性了,那就连文学也没有了,还谈什么全球化?不存在的东西,去"化"什么呢?

歌德谈话中给我们第二个重要启示是"跳开周围环境的小圈子朝外看一看","喜欢环视四周的外国民族情况"。我认为这就是克服民族主义的狭隘性的问题。每个国家和民族的人,都有自己的爱国情感和民族自爱心。这极其正常,而且是十分美好的一种感情。但是爱国和民族自爱,绝不同于狭隘的民族主义。前者可以同时是开放的,好客的,喜欢同其他国家和民族交往的,善于学习和吸收他国他民族的优秀文化、也慷慨地把自己的好东西奉献给别人的。后者则常常采取闭关锁国和民族封闭主义,甚至奉行民族利己主义。我赞成前者而反对后者。我们曾经有过的闭关锁国和民族封闭主义,吃了大亏,给我们的国家、民族、人民造成了灾难,不论在物质文化、精神文化方面,在经济、政治、哲学、美学、文学艺术等等方面都如此。因此,必须坚决克服民族封闭主义、克服狭隘民族主义。不应惧怕别的国家和民族的好东西传进来,也不要舍不得把自己的好东西拿出去。英国诺丁汉大学聘请中国著名科学家、教育家杨福家院士为校长,我听了很高兴,这倒不仅仅是因为杨福家教授给中华民族争了光,而是有感于英国人在这方面的胸怀和气派。与此同时,杨福家教授在 2001 年 3 月 26 日中央电视台"面对面"栏目中回答记者问题时提出一个主张:中国的著名大学应该用英语开几门课,以便于外国青年更多地来中国留学。这同样是值得高兴和钦佩的事。中国教育界应该有这样的全球化眼光和胸怀气派。全球性的文化交流、对话、融通有什么不好?如果通过交流、对话、融通,达到全球化的文化繁荣,对全世界人民不是都有好处吗?这样的全球化有百利而无一害。不应惧怕这种全球化,更没有理由拒绝这种全球化。我们应该奉行民族开放主义,以开放的心态欢迎这样的全球化,让我们的文学艺术、我们的美学在这样的全球化氛围中发展繁荣。

当然,当今世界上也有打着"全球化"旗号而实行经济沙文主义、政治霸权主义、文化霸权主义的。这正是一种典型的狭隘民族主义、民族利己主义的表现,它损人利己,攫取别的国家和民族的脂膏来养肥自己。有人把这样的所谓"全球化"称为"陷阱"(政治陷阱、经济陷阱、文化陷阱)是有道理的。全世界善良的人们当然应该警惕这样的陷阱。但是要知道,这不是真正的全球化,而是损害全球化。因为,刚才我们一再说过,文化的全球化,在很大程度上应该理解为文化价值的全人类共识和共享,它不排斥个性、多样性、多元性,它认为多元文化的价值共识和价值共享是文化全球化的基础和核心,这也就是文化的"和而不同";而霸权主义则是与多元文化的价值共识和价值共享根本对立、格格不入的,它信奉的是"一元独霸"、"以强凌弱"、"罢黜百家、惟我独尊",是"自己活而不让别人活",这也就是文化的"同而不和",其后果是使世界变成文化沙漠。

总之,我们不能因为有打着"全球化"幌子的霸权主义存在,就拒绝全球化、反对全球化。

全球化是不可阻挡的。

注释：

① 参见李慎之《亚洲价值与全球价值》，《太平洋学报》1995年第2期。
② 参见任剑涛《李光耀为何改弦更张》，《南风窗》2001年第4期。
③ 见2001年3月25日《北京青年报》第12版。
④ 不久前，科学家在云南澄江地区发现了包括人类在内的所有脊椎动物祖先的珍贵化石，命名为"海口虫"。它虽只有3厘米长，但能清晰地辨认出它的心脏和循环系统，具有现代脊椎动物成体和脊椎动物胚胎特有的神经索和脊索构造。"海口虫"代表了通向人类漫长演化历程的第一步，极有可能就是我们的祖先。——见《文摘报》2001年4月15日第6版。
⑤ 《马克思恩格斯选集》第一卷，人民出版社1972年，第254～255页。
⑥ 同⑤，第255页。
⑦ 同⑤，第254页。
⑧ 同⑤，第252页。
⑨ 同⑤，第256页。
⑩ 费孝通《"三级两跳"中的文化思考》，《读书》2001年第4期。
⑪ 同⑩。
⑫ 《歌德谈话录》，人民文学出版社1978年，第112～113页。
⑬ 万俊人《全球化与文化多元论》，《读书》2000年第12期。
⑭ 中央电视台2001年4月20日中午"灿烂星空"栏目播放。
⑮ 同⑬。
⑯ 《国语·郑语》。

原载《文艺争鸣》2003年第1期

王 宁

全球化时代的文学及影视传媒的功能：中国的视角

谈论全球化问题已成为当今的人文社会科学学者中的一种时髦。我们不禁要问，为什么现在竟有那么多的人在谈论全球化？难道这个话题确实与我们的生活密切相关吗？全球化究竟会带给我们幸福还是灾难？从全球化最近在欧洲诸国以及一些第三世界国家遭遇到的强烈反对，我们并不难看出它所隐匿着的二重性。当然不同的学者在这方面已经做了不同的回答。① 作为一位中国学者，我的回答是，全球化确实与我们每一个人的生活和工作密切相关，它有如一个难以摆脱的幽灵，无时无刻不在制约我们的生活和工作。我们甚至可以说，我们现在就生活在这样一个全球化的时代：经济全球化、金融全球化、传媒全球化，甚至有人已经注意到了文化上可能出现的全球化趋势。② 诚然，从现有的资料和研究成果来看，经济全球化绝不是少数专家学者躲在书斋里杜撰出来的一个虚幻的现象，也不是新闻媒体大肆炒作出来的话题，而是一个不以人们的意志为转移的客观现实。在这样一个时代，中国当代的文化研究正面临着来自两个极致的全球化的挑战：经济全球化的日益近逼以及可能出现的文化上的全球化现象。在电影和电视领域，全球化的进程则体现在美国好莱坞大片的长驱直入和国产影片的节节溃败，电影人们所密切关注的一个问题就在于，当中国大陆和台湾同时加入世贸组织后，如何抵制美国大片的"文化入侵"？曾经有过自己蜜月的电视业也面临着入世之后西方媒体的冲击。毫无疑问，全球化的到来已成为一种不可阻挡的大趋势，它使我们每一个国家和每一个人都进入了一种以市场为主宰的经济大循环之中,在这样一个大的国际循环中,抓住机遇就有可能迅速发展,反之就必定会成为全球化的牺牲品。全球化的法则使得经济发达者越来越强盛,而原先的经济落后者则再度被边缘化。全球资本将面临又一次重组。对于全球化的本质,诚如英国学者查尔斯·洛克(Charles Lock)所总结的,"全球化不过是帝国主义的另一名称……全球化包括我们所有的人,同时又排除我们其中任何一个人的责任:我们大家均为其臣民。我们无法在我们当中指出任何一个领导、一个中心、一个起源,或者一个权威。我们也无法验证权力的出处,无法找寻出责任的归咎或怨愤的起因。政治和经济的话语在传统意义上担当的角色——国家,公司(作为人的合法虚构的组织)——已不复有效:跨国公司并不拥有总部、中心或边缘。"③既然全球化使我们大部分人都被边缘化了,那么我们的生活好坏在很大程度上便取决于对全球化服务的程度。随着中国大陆和台湾同时加入世贸组织已成为现实,这种迹象已变得越来越明显。我们将如何面对全球化?这已成为生活在当今时代的我们每一个人所无法回避的问题。经济全球化导致的一个直接后果就是文化上的全球化或趋同化现象,它使得西方的(主要是美国的)文化和价值观念渗透到其他国家,在文化上出现趋同的现象,它模糊了原有的民族文化的身份和特征,使其受到严峻的挑战。本文所要探讨的就是全球化可能给中国文化以及影视传媒业带来的后果,以及全球化时代的文学和影视传媒各自的功能。

全球化理论质疑

在当今的中国学术界,不少人在参与后现代主义问题的讨论之后,曾一度沉溺于对现代性问题的关注,认为这一宏大的计划并未完成。那么为什么同时又会有那么多的人在谈论全球化?④这一话题究竟意味着什么?对此,学术界显然有着较大的分歧。威廉·马丁(William J. Martin)认为,我们仿佛生活在一个"电子化的地球村里,在这里,通过信息和传播技术的中介,新的社会化组织的范式正在出现",⑤因而据此推论,信息的无所不及和在全球范围内的传播使得理论的"旅行"成为可能。毫无疑问,也和另一些在中国大陆和港台地区十分流行的西方理论一样,全球化的理论也是从西方引进的。但从现已发表的大部分论文来看,对全球化的真正涵义以及其在西方学术界的研究现状有着深入了解者寥寥无几。罗兰·罗伯森(Roland Robertson)的《全球化:社会理论和全球文化》(Globalization: Social Theory and Global Culture, 1992)一书的出版对于将这一被认为是"纯粹的"经济和金融界的现象引入社会文化领域起了极大的推动作用。按照他的看法,"作为一个概念,全球化既指世界的压缩(compression),又指认为世界是一个整体的意识增强。全球化概念现在所指的那些过程和行动在多个世纪里一直在发生着,尽管存在某些间断。不过,这里关于全球化的讨论的主要聚焦点却对准相对晚近的时代。就这种讨论与现代性的轮廓和性质联系密切而论,全球化很显然是指晚近的发展。"⑥ 不管人们对已经展现在我们面前的全球化现象抱何种态度,但至少都认为,就我们所从事的人文社会科学领域而言,全球化作为一种历史和批评话语,对欧洲中心主义有着强有力的消解和批判作用,同时,它也作为现代性话语的对立物,对现代性有着某种反拨作用。美国学者阿里夫·德里克(Arif Dirlik)是从历史文化的角度探讨全球化并取得相当成就的少数学者之一,他在对这一现象做了详细的历史溯源和政治经济学分析后总结道,"换言之,全球化究竟是已被欧洲权力全球化了的资本主义现代性历史的最后一章,还是另外即将以任何具体形式出现的某个事件的开始,仍不甚清楚。然而,清楚的是全球化话语是对全球关系的不断变化的结构——新的统一和新的断裂——的回应,同时也是把握那些变化的一种新的认识论需要。但全球化也具有意识形态性,因为它试图根据一种比任何东西都更有效地服务于一些利益的新的全球想像来重新建构世界……全世界大多数人被边缘化,包括许多生活在中心社会的人。经济边缘化也隐含着政治边缘化,因为在传播民主的过程中,关于人类生活的最重要的决定正在局部地被撤消,甚至使全体选民们也爱莫能助。"⑦ 这也就是说,全球化从某种意义上消解了中心与边缘的界限,它既在中心发挥作用,同时也活跃在边缘。同样,作为全球化时代的产物,跨国资本既剥削本国人民,同时也剥削经济落后的第三世界人民。它打破了原有的贫富等级序列,使富有者更为富有,贫穷者更为贫穷。实际上,跨国资本所涉及的范围早已超越了经济和金融领域,进入了中国的文化界、文学界和电影电视界,一些在国际电影节上获得大奖的中国影片就直接得益于跨国资本的支持和干预。而相比之下,那些既不属于主旋律的重大题材范围,又缺乏跨国资本资助的电影人,只好走一味取悦市场和观众的"第三条道路",但这条道路实际上是十分艰难的,可以肯定,随着全球化时代的到来和中国的"入世"成为现实,这部分人所面临的竞争将愈演愈烈,日子也将更为难过。这就是全球化可能给我们带来的直接后果。

因此,毫无疑问,就全球化的本来含义来说,它隐含着一种帝国主义的经济霸权和文化霸权。在经济上,美国的货币已连续多年占统治地位,美国经济也一直发展飞速而居高不下。在传媒领域,它的强大和无所不及性更是表现得明显。跨国资本可以轻而易举地占领一个发展中国家的信息业和影视业,甚至在当地找到可以联手操作的合作伙伴,这样一来,为跨国公司服务的人不仅参与了对别国的剥削,同时也剥削了自己的同胞,并直接参与了摧毁本国的民族电影和电视事业的阴谋。因此,在欧洲,面对美国文化的入侵,一些欧洲国家,尤其是法国和北欧诸国,不得不制定一些相关的措施,限制包括美国电影、电视和麦当劳餐馆在内的美国文化的扩展。而在一些文化弱国,美国影视则如入无人之境,侵蚀着当地的文化娱乐生活,使人足不出户就可沉浸在好莱坞大片的声像之中。因而不少人得出这样的结论,即文化上全球化的进程步步紧逼,强势文化可以借助于经济上的强力向弱势文化施加影响,使之趋同于强势文化。这样,在文化全球化这面大旗下,世界文化将越来越走向趋同,民族的文化特征越来越模糊。这一现象自然引起了我们从事人文社会科学的研究者和知识分子的忧虑。难道具有千姿百态的世界文化果真会伴随着经济全球化的浪潮走向同一吗?试想,假如有那么一天,整个世界的多种文化都成了一种模式,作家创作的作品都依循一种创作方法和同一的技巧,这个世界将变得多么可怕!同样,在银幕和荧屏上,假如出现的都是好莱坞的制作模式或麦当劳和可口可乐广告,世界文化的末日便来临了!然而,历史将证明,这是不可能成为现实的一种幻想,因为作为其对立物,文化本土化的力量也不可低估,而且未来世界文化的发展将是全球化与本土化的互动和对话,或按照罗伯逊杜撰出的一个英文术语所表明的,将出现"全球本土化"(glocalization)的现象。但尽管如此,我们仍不能排除全球化可能导致的文化趋同化之危险。

既然全球化是来自西方的一个现象,那么我们也完全可以从同样来自西方的马克思主义理论视角对之进行分析批判。对于全球化这一现象,西方马克思主义者是十分重视的,但他们往往只看到全球化可能带来的积极后果,而忽视其消极的负面影响。因此他们对全球化的欢呼也是可以理解的。这一点应该引起我们足够的重视。但另一方面,我认为我们还是应当首先从马克思主义创始人的有关论述中找到分析全球化现象的出发点。早在1848年,当资本主义仍在发展期时,马克思和恩格斯就颇有远见地指出:

> 美洲的发现、绕过非洲的航行,给新兴的资产阶级开辟了新天地。东印度和中国的市场、美洲的殖民化、对殖民地的贸易、交换手段和一般商品的增加,使商业、航海业和工业空前高涨……//大工业建立了由美洲的发现所准备好的世界市场……//不断扩大产品销路的需要,驱使资产阶级奔走于全球各地。它必须到处落户,到处开发,到处建立联系。//资产阶级,由于开拓了世界市场,使一切国家的生产和消费都成为世界性的了……古老的民族工业被消灭了,并且每天都还在被消灭。它们被新的工业排挤掉了,新的工业的建立已经成为一切文明民族的生命攸关的问题;这些工业所加工的,已经不是本地的原料,而是来自极其遥远的地区的原料;它们的产品不仅供本国消费,而且同时供世界各地消费。旧的、靠本国产品来满足的需要,被新的、要靠极其遥远的国家和地带的产品来满足的需要所代替了。过去那种地方的和民族的自给自足和闭关自守状态,被各民族的各方面的互相往来和各方面的互相依赖所代替了。物质的生产是如此,精神的生产也是如此。各民族的精神产品成了公共的财产。民族的片面性和局限性日益成为不可能,于是由许多种民族的和地方的文学形成了一种世界的文学。⑧

从上面这段引文中,我们不难看出,全球化曾在历史上的两个层面有所表现:其一是1492年始自欧洲的哥伦布远涉重洋对美洲新大陆的发现,它开启了西方资本从中心向边缘地带的扩展,也即开始了资本主义现代性的宏伟计划,在这一宏伟的计划下,许多经济不发达的弱小国家不是依循欧美的模式就是成为其现代性大计中的一个普通角色;其二便是马克思恩格斯所预示的"由许多民族的和地方的文学形成了一种世界的文学"的现象,但是这种"世界的文学"并不意味着只是一种模式的文学,而是仍保持着各民族原有特色的、但同时又代表了世界最先进的审美潮流和发展方向的世界文学。这样一来,与经济上由西向东的路径不同,文化上的全球化进程也有两个方向:其一是随着资本的由中心地带向边缘地带扩展,(殖民的)文化价值观念和风尚也渗透到这些地区;但随之便出现了第二个方向,即(被殖民的)边缘文化与主流文化的抗争和互动,这样便出现了边缘文化渗入到主流文化之主体并消解主流文化霸权的现象。对于这后一种现象,我们完全可以从中国文化的西进过程见出例证,⑨同时也可从台湾导演李安执导的电影《卧虎藏龙》在西方电影市场获得的巨大成功中见出最近的例证。⑩所以,文化上的全球化进程并不可怕,因为在这一进程中,全球化不可能不受到另一种势力——文化本土化的抵制,未来世界文化的发展在很大程度上就取决于全球化与本土化的互动作用。也就是说,全球化在文化领域里带来的是两极效应:文化的趋同性和文化的多元性。对此我们切不可陷入形而上学的泥淖。

这就是我对全球化现象之本质的认识和分析批判。由于我本人现在正从事文化研究和大众传媒研究,因此在下面两部分我将从中国大陆文化的现状出发,论述全球化时代的文化和影视传媒之功能。

大众文化的崛起及其对精英文化的挑战

毋庸置疑,全球化已经对中国当代文化和文学艺术产生了强烈的影响,其中一个重要标志就是大众文化对精英文化艺术的挑战。不管我们把2000年定为新世纪的开始,还是把2001年定为其开始,我们都可以说已经进入了一个新的世纪。这无疑是一个转折时期,过了这一转折时刻,我们的文学艺术就进入了第二个千年。从文学艺术的角度来考察,人们一提到"世纪末"(fin de siecle)这个词,便立即会想到 19 世纪末西方文学艺术界出现的颓废情景:传统的现实主义受到各种文艺思潮的挑战,正在日益走向衰落,现代主义以及各种先锋艺术流派的崛起使得文学的精英意识愈益浓厚;另一方面,科学技术的发展导致了自然主义创作方法的流行;此外文学艺术创作本身还受到唯美主义的"为艺术而艺术"思潮的影响。如此等等。这显然是针对上一个世纪末的西方文学艺术之走向而言的。那么在当今这个全球化的时代,从文化研究的角度来考察新的世纪之交的中国文学艺术之态势,我们将对世纪之交中国文学艺术的走向有何认识呢?

首先,我们必须清楚地认识到,我们现在所热烈讨论的"文化研究"(Cultural Studies)的指向是当代大众文化和非精英意识的文化,它包括区域研究、种族研究、性别研究和传媒研究等几个方面,同时也致力于对文学艺术的文化学视角考察分析。考察当代影视传媒无疑是文化研究者的任务,但是文化研究也不应排斥对精英文化的考察,而文学艺术则正是精英文化的结晶。文学与影视尽管所使用的媒介不同,但这二者之间的关系实际上是难解难分的。优秀的文学作品,如托尔斯泰的《战争与和平》、海明威的《丧钟为谁而鸣》(电影译名为《战地钟声》)等所描写的波澜壮阔的战争场面正是通过宽大的电影银幕才得以充分展现的;众多在国际电影节上获得大奖的优秀影片的故事情节也取自文学作品。因此研究文学与电影的关系自然也是从事超学科比较文学研究者的一个必不可少的研究方向。始自英国伯明翰学派的文化研究实际上就是建基于对文学的文化学研究之上,并逐步扩展到对大众传媒的研究,因而借此我们也不妨从文化研究的跨学科、跨民族、跨文学文类和跨文化等级的多元视角出发来考察世纪末中国文学艺术的现状及未来走向。

其次,另一个需要澄清的理论问题就是所谓的"世纪末"之涵义。若是专指 19 世纪末的西方文学,这一术语显然包含有"颓废的"、"没落的"涵义。但是正如另一些术语的涵义在经历了不断的演变之后又具有了新的意义:最初出自宗教领域的现代主义这个词现已被广泛地用来描述 19 世纪末 20 世纪初对现实主义构成直接挑战的一种西方文艺思潮和运动,有些批评家甚至将其内涵无限扩大为包含战后的后现代主义文学艺术;"先锋派"这一术语则自其诞生之日起不断拓展其内涵,现已被广泛用来描述一切反叛传统并有着先锋和超前意识的东西方文学艺术思潮流派。而电影界的先锋流派则产生于 20 世纪下半叶,而且更替也很快。昨天的先锋派电影很可能到了今天因其超前的艺术境界而成为经典,或因为经不起推敲而被历史淘汰。因而,历史是在不断发展的,传统的审美内涵也必须在有着当代意识的当代人的重新阐释下才能真正具有意义,文学的经典并非一成不变的,它的范围在不断地扩大,其内涵也在受到质疑、重构并逐步趋于完善,此外,它在很大程度上得助于电影和电视的传播媒介。有时,一部电影或电视的成功也会使得久已被人们遗忘的一部文学名著再获新生。最近的一个例子就是电视连续剧《钢铁是怎样炼成的》对小说原著的促销。这部电视剧在中国大陆的成功在很大程度上也得助于"跨国资本",但这笔资金并非来自西方大国,而是取自一个东方大国——中国。正是这个东方大国的巨额资金使得一部根据前苏联的小说改编的电视剧得以获得意想不到的经济收入,同时也使得一部已经被人逐渐遗忘的文学"经典"重新复活。这种经济和文化上使双方获得双赢的例子并不少见。台湾电影《卧虎藏龙》在美国的巨大票房价值在另一方面也使得中国文化被更多的西方观众所了解和熟悉。我想,随着中国经济的日益发展,全球化的路径将越来越具有双向特征:总体上从西方到东方,有时则从东方到西方。因此,不加分析地将世纪末的文学艺术定为"颓废"和"消极"的,至少是失之公允的。那么既然如此,为什么我们不能对一个专指文学艺术的术语进行重新建构呢?⑪

第三,中国文学艺术的发展虽然在近一百年里深深地受到西方文学艺术的影响,尤其是电影和电视更是从西方发达国家直接引进的,它们在技术上的更新和艺术上的进展在很大程度上自然得助于其在西方的发展进步。但中国的文学艺术本身却有着自身的发展逻辑。我们之所以要借助于西方的文化研究理论视角来分析世纪末的中国文学艺术,恰恰是因为目前的中国正处于一个全球化的大背景之下,就文化本身的意义而言,它则处于东西方文化的冲突与交融之语境下。进入新世纪的中国文学艺术在经历了70 年代末现实主义的复归和现代主义的渗入、80 年代的先锋派的挑战和新写实派的反拨之后早已进入了一种新的发展态势:这是一个没有主流的多元共生的时代,在这个时代,各种宏大的叙事已经解体,原先被压抑在边缘的各种属于非精英范畴的文学的或亚文学的话语力量则异军突起,对精英文学形成了强有力的挑战。包括电影和电视在内的大众传媒的异军突起,更是占据了本来就在日渐萎缩的精英文学艺术的领地。人们不得不对新世纪之始文学艺术的走向以及其在未来的发展而担忧、而思考、而憧憬。

我曾经把上个世纪90年代的中国文学界定为"后新时期"文学,⑫因为这一期的文学艺术精神已经明显地不同于80年代处于鼎盛时期的新时期文学艺术精神。现在我们先对处于"后新时期"的中国文学艺术之现状做一匆匆的考察。在过去的几年里,特别是自80年代后期西方后现代主义理论思潮对中国文坛产生冲击以来,大众文化的崛起越来越引起了中国知识分子和经典文学研究学者的不安。我们可以轻而易举地注意到90年代中国知识界和文学艺术界的一个明显的现象。后现代主义在中国产生的先锋派的智力反叛这一变体逐步变形为大众文化对精英文化的挑战。文学市场上不见了往日的"宏大叙事"作品,而充满了各种"稗史"性的亚文学作品和影视光盘。严肃的作家很难再找回自己曾在新时期有过的广阔活动空间,为人生而写作或为艺术本身而写作的现实主义和现代主义美学原则一度变为为市场而写作,或者为迎合读者的口味而写作。作家的"寄主"地位变为"寄生"地位。当然,对于这种种现象,中国的人文知识分子和文学研究者均做出了不同的反应:有人认为这是对知识分子的社会良知和社会责任感的有意逃避,因为在这部分人看来,自"五四"以来的中国现代化进程及现代性大计尚未完成,因而这样的挑战实际起到了中断现代性大计的作用;也有人则持不同的态度,他们把大众文化的崛起视为为知识分子在长期以来自我领地化的语境中寻找新的公共空间提供了机会,因此他们欢迎大众文化对主流话语和精英意识的冲击和挑战,并且欢呼多元话语力量的角逐和多元共生时代的来临,因为对他们来说,作家和写作者可以在一个相对自由的文化空间中写作和实验各种文体风格和叙事话语,以便实现对广大读者的"后启蒙"之目标。如果说,前一种观点对文学的未来持一种悲观的态度的话,那么后一种态度则对之持一种乐观的态度。毫无疑问,只要有人类存在,就会有文学存在;同样,只要世界上还有人愿意花费时间去欣赏文学,文学就不会消亡。即使是在当今这个全球化的时代,文学受到来自各方面的挑战,它仍有存活的理由,它仍能够在我们的文化生活中占据一席位置。另一方面,文学的存在又使得文学研究有了鲜活的材料,使得电影和电视有了高质量的底本。但是文学的存在并不意味着影视传媒的受挫,后者所受到的挑战并非来自文学,而倒更是来自近几年来崛起的网络。网络的使用为当代人开辟了一个无限广阔的赛博空间,网民无须经过任何审查就可以任意在网上发表自己所喜欢的作品或散布各种未加证实的信息;同样,他们也无所顾忌地在网上欣赏西方世界的最新影片和电视节目。毫无疑问,影视传媒也受到了前所未有的来自"第四媒体"的挑战!有人甚至预言,在全球化的时代,网络不仅将取代传统的媒体,甚至还将取代电影和电视的作用。

诚然,大众文化的兴起和对精英文化与文学的冲击并非中国语境下发生的独特事件,而是一个具有全球化特征的时代的普遍现象。高科技的迅猛发展,信息化和数字化的进程自然使得有着传统人文精神的高雅文化和文学创作再度被边缘化,精英文学的领地变得越来越狭窄,高等学校中的人文系科也不得不经历萎缩、重新结构和重新组合,从事纯文学创作和研究的人变得越来越少,高谈现代性大计已成了后工业后现代社会的一种奢侈行为,等等。这一切均发生在物质生活高度发达的西方后工业社会,后现代理论思潮和后现代条件给人们提供了多种选择的机会,他们完全有理由从原先所从事的写作和研究领域里退出,而到一个更为广大的市场指向的"公共空间"去发挥作用。在中国这个现代性大计虽未完成但却打上了不少后现代性印记的第三世界国家,我们的文学艺术则经历了80年代后期后现代主义的冲击和90年代初市场经济的波及。后现代主义在中国文学艺术中的直接作用是导致了两个极致的变体的产生:一方面是先锋派的智力反叛和观念上与技巧上的过度超前,因而造成物质生产和文化生产在同一个第三世界国家的不平衡发展;另一方面则是大众文化乃至消费文化的崛起,一切以市场所需为目标,文化生产之成败均以经济效益来衡量,这样便造成了人们普遍文化品味的下降,使得一切有着强烈社会责任感的知识分子和文学研究者为此担心。他们不得不问道:在大众文化的冲击下,未来的文学艺术究竟有没有前途?

如前所述,我曾把90年代以来处于全球性文化转型期的中国文学称为"后新时期"文学,我现在仍持这种观点。但我认为,转型期的文学态势并不会持续太久,各种话语力量的角逐必定会有一个结果,对于大众文化的挑战我们不必担心,它毕竟反映了一部分或大部分读者观众的暂时的需要,但是这种需要并不能代表他们的终极审美目标。我们文学研究者的责任决不应当只是一味地像以往那样居高临下地指责他们,而应当首先走出狭窄的精英意识的象牙塔,置身到广大文学艺术读者和观众中,通过与他们的交流和沟通而达到新的启蒙之目的,也即所谓的"后启蒙",这样便不致于造成新的精英/大众的人为对立。对于未来文学的前途,我曾和瑞典皇家学院院士、诺贝尔文学奖评奖委员会主席谢尔·埃斯普马克教授(Kjell Espmark)作过一次长时间的访谈。在他看来,文学将会永远存在,只要有人阅读和欣赏文学,文学就永远不会降低其固有的品格,因为尽管此时的文学领地正变得越来越狭窄,但文学的表达媒介所表现出的内在情感和精神是其他(大众传播)媒介所无法表达出的。⑬因此对未来的文学艺术之前途所抱有的任何悲观的态度都是不可取的。影视艺术也会遇到同样的命运,面对近十年来电视艺术的飞速发展,电影的生产和发行受到了很大的冲击,不少电影院不得不改行经营其他业务,有些则干脆关门。为了挽救电影日益衰落的命运,一些电视台发明了电视电影,即利用电视技术和荧屏来展现一部完整的电影故事。但这只能是一种权宜之计。在最近这二三年里,全球化时代信息技术的发展则又使电视业受到了互联网的冲击。未来的影视传媒将在人们的文化生活中处于何种位置?它们的功能还将体现在那里?对此,我将在最后一部分进行论述。

全球化时代影视传媒的功能

对于全球化与文化的关系,不少学者持否定的态度,但西方马克思主义者弗雷德里克·杰姆逊却有着自己独特的看法,这对我们中国学者从文化的角度来考察全球化颇有启迪意义。在杰姆逊看来,从辩证的角度说来,全球化在不同的社会和文化现象,诸如身份、社会关系甚至各种制度之间造就了一些关联,而这些关联又必须放置在特定的历史语境中来考察。毫无疑问,经济上的全球化必然会导致文化上的趋同性或文化上的全球化,不认识到这一点就不是马克思主义的实事求是的态度。针对文化全球化问题,他指出:"我认为,全球化是一个传播学的概念,它依次地遮盖并传达了文化的或经济的意义。我们感觉到,在当今世界存在着一些既浓缩同时又扩散的传播网络,这些网络一方面是各种传播技术的明显更新带来的成果,另一方面则是世界各国,或至少是它们的一些大城市的日趋壮大的现代化程度的基础,其中也包括这些技术的移植。"⑭从传播的角度来认识文化全球化问题是杰姆逊从他的后现代主义研究中生发出来的一个新的方面,从此推论,信息的无所不及和理论的旅行是文化全球化的一个明显标志。"一个明显的途径就是,全球化意味着文化的输出和输入。这无疑是一个商业的问题;但它同时也预示了各民族文化在一个很难在旧的发展缓慢的时代设想到的浓缩空间里的接触和相互渗透。"⑮正如全球化对我们的社会文化各方面已经产生了较大影响一样,它对我们的娱乐生活也已经产生了一定的影响,这主要体现在当代高科技的飞速发展所导致的传播媒体的更新以及全球化时代人们生活节奏的加快等方面。生活在全球化时代的人们对精神文化生活和审美有了不同的要求,这样一来,相对于文学,曾经有过自己黄金时代的电影所受到的挑战也就不足为奇了。确实,电影产生于西方文化的土壤,但是电影的诞生把一种集阅读(文化精品)、观赏和获得审美快感为一体的综合艺术带到了现代人的面前,使一部分非文学专业的读者/观众只需花上一两个小时的时间就读/看完了一部浓缩了的长达数百页的文学名著,并且能获得感官和视觉上的巨大享受。这无疑对文学市场是一个强有力的冲击。因此对电影的教育功能抱过大希望者肯定会对当前中国电影所处的低谷状态感到不安。但我们切不能忘记另一个不可忽视的事实:一部电影的成功有时也可带来文学原著的畅销。五六十年代的中外电影《牛虻》、《暴风骤雨》、《林海雪原》、《红与黑》、《悲惨世界》、《安娜·卡列尼娜》、《苔丝》、《基度山伯爵》等的成功在很大程度上也促进了文学原著的走红,使得一些作家的名字在中国几乎家喻户晓。八九十年代根据莫言、王朔、苏童、余华和刘恒的小说改编的电影《红高粱》、《顽主》、《一半是海水,一半是火焰》、《阳光灿烂的日子》、《大红灯笼高高挂》、《活着》和《菊豆》等的走红或获奖也促销了他们所创作的文学原著,并迅速地使他们成为近乎家喻户晓的公众人物。⑯电视业的崛起以及其在80年代中国的迅速普及曾一度对中国的电影产生过一定的冲击,但相当一部分观众并不屑于仅在电视荧屏上欣赏电影,他们仍愿花钱去电影院静心地欣赏影片。如果该影片的故事情节始自文学原著,他们照样要去书店买来原著仔细通读。前几年出现的"《围城》热"以及近几年出现的"三国热"、"水浒热"也使得这些文学经典走出了文学的象牙塔,来到普通读者/观众中,从而在某种程度达到了原作者所始料不及的"后启蒙"效果。这些现象的出现无疑为当代文化研究者提供了难得的"社会文本"和活生生的"亚文化"文本,同时,也为从事超学科比较文学研究的学者提供了文学和电影比较研究的范例。因为有些在文学作品中无法用形象表达的画面完全可以清楚地以银幕形象展现在观众面前,再加之优秀的演员的卓越演技有时甚至可以达到"源于原作"、"高于原作"的再创造之效果。但是,当人们观赏过一部优秀的电影后,他们往往只记住影片的导演和几位演技卓绝的名演员,而把它的最初生产者——小说的作者乃至电影的编剧也给忘了。这确实对他们来说是不公平的。这也说明,传播媒介的力量是文学所不能相比拟的,进入全球化时代以来,这一力量将愈益明显地显现出来。但另一方面,媒体的不同并不能代替人们欣赏艺术的习惯和多种选择。大众传媒并非一定要与经典文化艺术作品形成二元对立,它完全可以与前者形成一种互动和互补的关系。可以说,中国的电影业始终是在风风雨雨中走过了自己的九十多年,这其中既有政治风云的变幻,也不乏经济杠杆的作用,此外还有其他媒体的挤压因素。直到现在这个全球化的时代,它仍然顽强地存活了下来,并在人们的物质和精神文化生活中发挥着其他媒体所无法代替的作用。这说明,电影的存在是一种必然,假如它真的有一天在市场经济和其他媒体的挑战面前打了败仗,那将是人类文化生活的一大悲哀。

在庆祝世界电影诞生100周年、中国电影诞生90周年之际,我曾撰文指出中国电影将面临的一个问题,"中国电影在世纪之交将向何处发展?从近年电影界既引进西方大片,同时又推出自己的大片这一事实来看,前景并不悲观。面对世界性的后殖民主义大潮的冲击,中国电影能否实现必要的自我调整,从而走出这暂时的低谷？对此不少人持怀疑的态度,其理由是商业大潮的冲击使得一批颇有实力的优秀编导不惜为取悦商界而丢弃艺术家的良知……"⑰在当时的情况下,全球化的进程并没有波及到中国,加入世贸的谈判仍在艰难地进行着,中国电影工业所受到的冲击主要来自西方的电影以及有着更多观众和更大市场的电视。但毕竟,全球化的步伐是难以预计的,而且这一步伐随着中国加入世贸组织的逐步成为现实而愈加紧逼。曾几何时,在大众传媒业独领风骚的电视已经感觉到了全球化时代网络的影响,更何况需要更为精湛的艺术创造、更多的资金投入和更大制作的电影了。因此我们现在面临的一个新问题便是:随着全球化进程的加快,电影将发挥何种功能？它能够在网络的覆盖和电视的普及之双重压迫下仍然求得一席之地吗？

有人曾对全球化时代的网络霸权做出这样的估计,"在网络时代里,由于人人都可以上网,每个人既是接受者也是传播者,传统媒介里的传播者与接受者的对立将不复存在……我的'泡沫'说在媒介方面包括两种预测,一是传统媒介在文化层面上的消失,即网络里的社会全息文化对传统媒介里的大众文化的代替,网络里的双向沟通对于传统媒介里的单向传播的代替,这是一种实质的消失。二是传统媒介在物质层面的消失,即现存的报纸、杂志、书籍、电影、广播、电视等都将基本消失。"⑱这种担心虽不无道理,但却未免夸大其词了。如果情况果真如此的话,首当其冲的恐怕并不是报纸和杂志,因为在网上浏览新闻信息还可以令电脑操作者承受,但若要在网上阅读篇幅较大的文章或学术论文,恐怕就令人难以承受了,人们要么就下载这些资料,要么干脆坐在舒适的沙发上阅读刊登在制作精美的杂志上的书面文本。而观赏电影则不同,对于只想知道故事情节或浏览风景画面的普通观众来说,在电视上观看电影或在网上观看也许更为有趣和简便,稍稍不满意就可无情地按下遥控器的键或移动鼠标。这样看来,电视所受到的冲击也许更为直接。但是电视制作者们已经开始注意到一种将电影和电视的长处结合在一起的艺术——电视电影——的生命力了,但即使如此,它也不能取代电影的功能。由此可见,生活在全球化时代的人们对电影的制作也提出了更高的要求,制片人和投资者要想在广大观众中收回资金,就必须想尽办法在影片的拍摄、演员的挑选以及后期剪辑和制作诸方面满足最广大观众的基本审美需求。因为是他们操纵着电影的市场,是他们在挑选可满足自己的艺术传播媒介。即使少数几部主旋律电影的巨大成功在很大程度上也取决于题材的新颖和情节的动人再加之名演员的加盟等因素。像过去那样仅凭简单的行政命令的日子已经一去不复返了。

  既然全球化已经对我们的生活和工作产生了巨大的影响,那么它引起人们的研究兴趣也就是自然的了。"人们既可以否定、攻击全球化,也可以为它欢呼,但是无论人们如何评价全球化,涉及的都是这样一种强势理论:以领土来界定的时代形象,曾在长达两个世纪的时间里,在各个方面吸引并鼓舞了政治、社会和科学的想像力,如今这种时代形象正在走向解体。伴随全球资本主义的是一种文化与政治的全球化过程,它导致人们熟悉的自我形象和世界图景所依据的领土社会化和文化知识的制度原则瓦解。如果这样来理解和诠释全球化,那么全球化不仅意味着(经济的)国际化、集约化、跨国交融和网络化,它也在更大的程度上开辟了一种社会空间的所谓'三维的'社会图景,这种社会图景不以地区、民族国家和领土来界定。"⑲至于精神文化产品的生产,全球化现象的出现也不限于某一特定的传播媒体,因为每一种媒体都有着其他媒体所无法取代的特殊功能,因此对中国电影之未来前景持悲观的态度至少是短视的。正确的态度是思考出一些相应的对策,尤其是能够应对中国入世之后如何使电影摆脱困境的实际对策,可以说,这方面仍有许多事可做。

  全球化成为当今人们的一个热门话题并不奇怪,因为"全球化不是某个人的异想天开,也不是某个人的创造发明。全球化是历史规律,是生产力发展的结果……这是科学和技术发展的结果,以至于连极为相信人类能力的这句话的作者卡尔·马克思都可能无法设想科技发展到如此的程度。"⑳确实,对全球化现象的到来人们是无法阻挡的,全球化虽然已经直接地影响到了中国的经济,并或多或少地波及到我们的文化生活,但正如它不能取代各国的民族经济一样,它也更无法取代我们的文化娱乐生活。世界是多彩多姿的,人们对艺术欣赏的要求也是多元的。后现代社会使人们对自己的生活方式有多种选择,同样,对审美方式和娱乐也有自己的选择。电影、电视和网络虽然都属于传播媒介,但它们各自的功能有所不同,它们各自只能满足观众/网民某一方面的需要,却不能彼此取而代之。因此在相当一段时间内,这三种媒体之间的关系并非全然对立,而是互动和互补。如果就其覆盖面和影响而言,首先应数网络,其次是电视,最后才是电影;但就其艺术等级而言,则首先是电影,其次是电视,最后才能数到网络,因为未经审查和筛选的网上艺术充满了文化垃圾和低级趣味的东西,它永远无法登上艺术的殿堂,倒是其中的一些有可能被影视埋没但确有价值的艺术品将被影视导演和制片人"发现"进而加工成优秀的艺术品。这种例子在西方屡见不鲜,在中国也将越来越普遍。

中国虽在整体上并未实现现代化,但是作为一个政治、经济和文化发展极不平衡的第三世界大国,它在两岸三地的发展极不平衡,因此它同时具有前现代、现代和后现代的种种特征,就大陆而言,特别是在北京的高科技园区以及上海、深圳、珠海等沿海城市和特区,已经明显地出现了不少后现代特征。一批有着超前意识的人文知识分子和具有先锋精神的文学艺术家在后现代文学艺术的启迪下,其艺术想像力异常丰富,他们努力奋斗,试图为当代人创造出可以满足其精神生活的文化艺术产品,因此可以肯定,在全球化的时代,电影艺术也和它的同伴——作为语言艺术的文学——一样,不但不会消亡,反而会同时具有更多的高科技制作技术含量和贴近自然的人文精神。

注释:

① 对于全球化这个不可否认的现象,西方各派不同的理论家和学者都争相进行描述,除了本文所引用的几位作者外,还有沃勒斯坦(Immanuel Wallerstein)的"世界体系分析派"(world system analysis),弗兰克(Andre Gunder Frank)和阿明(Samir Amin)等人的"依附理论派"(dependency theory)和哈贝马斯(Jugen Habermas)、杰姆逊(Fredric Jameson)等人的"新马克思主义派"(New-Marxism)等。

② 在这方面,尤其是在比较文学和文学理论领域的研讨会上,探讨全球化与文化和文学的关系的论文越来越多,大多数学者都对全球化语境下文学研究和文化研究的前途感到忧心忡忡,有人甚至对文学理论的未来感到悲观失望,认为全球化的浪潮导致了民族文化身份的模糊、趋同的现象愈演愈烈。

③ 参见洛克《全球化是帝国主义的变种》,载王宁、薛晓源主编《全球化与后殖民批评》,中央编译出版社 1998 年,第 43~44 页。
④ 实际上,不仅在一些加入全球化进程的国家的人们热衷于谈论这个话题,即使在埃及这样的刚刚开始受到全球化波及的非洲阿拉伯国家,全球化至少也是一个学术热门话题。在世纪之交的文学理论批评国际研讨会上(开罗,2000 年 11 月),讨论全球化的论文占有很大的比重。可见这个问题已经引起了全世界的关注。
⑤ 参阅威廉·马丁《全球化的信息社会》(The Global Information Society),汉普郡:阿斯里波·高乌尔出版社 1995 年,第 11~12 页。
⑥ 参阅罗伯森《全球化:社会理论和全球文化》,中译本由梁光严译,上海人民出版社 2000 年,第 12 页。
⑦ 阿里夫·德里克《后革命氛围》,王宁等译,中国社会科学出版社 1999 年,第 5 页。
⑧ 《共产党宣言》,《马克思恩格斯选集》,北京:人民出版社 1995 年,第 273~276 页。
⑨ 关于全球化的另一极致,美国经济学者丹尼斯·弗林曾对我说,如果说哥伦布发现美洲新大陆标志着全球化的一个极致的话,那么中国的丝绸之路及其向西方的扩展则是更早的全球化现象,也即全球化的另一极致。这个观点很有意思。关于中国文化在欧洲的传播及影响,参阅王宁等著,《中国文化对欧洲的影响》,河北人民出版社 1999 年。
⑩ 关于全球化与《卧虎藏龙》之大获成功的关系,参阅蔡振兴提交给第三届中美比较文学双边讨论会(北京,2001 年 8 月 11—14 日)的论文,《全球化和他者问题:论李安的〈卧虎藏龙〉》。
⑪ 关于我本人对"世纪末"的重新界定,参阅拙文《易卜生:一种后现代视角的重新阐释》,载拙著《二十世纪西方文学比较研究》,人民文学出版社 2000 年,第 260~271 页。
⑫ 参阅拙作《后新时期:一种理论描述》,《花城》1995 年第 3 期。
⑬ 参阅拙作《诺贝尔文学奖、中国文学和文学的未来》,载拙著《二十世纪西方文学比较研究》,人民文学出版社 2000 年,第 397~403 页。
⑭⑮ 参见杰姆逊《论作为一个哲学问题的全球化》(Notes on Globalization as a Philosophical Issue),收入杰姆逊和三好将夫编《全球化的文化》(The Culture of Globalization),北卡罗莱纳州杜伦:杜克大学出版社 1998 年,第 55 页,第 58 页。
⑯ 在最近一次北京中美作家和学者对话中,在场的美国比较文学学者对刘恒的小说竟然感到十分陌生,然而当我提及他就是改编成电影《菊豆》的原小说《伏羲伏羲》的作者时,他们才大为赞叹。

⑰ 参阅拙著《后现代主义之后》,中国文学出版社 1998 年,第 147 页。
⑱ 参阅朱光烈的一篇颇有争议的文章《传统媒体,你别无选择》,《中华读书报》2000 年 8 月 16 日第 16 版。
⑲ 参见乌·贝克、哈贝马斯等《全球化与政治》,王学东等译,中央编译出版社 2000 年,第 13~14 页。
⑳ 菲德尔·卡斯特罗《全球化与现代资本主义》,王玫等译,社会科学文献出版社 2000 年,第 31 页。

原载《文学评论》2002 年第 4 期

尹 鸿　萧志伟

好莱坞的全球化策略
与中国电影的发展

　　资本主义的发展、跨国公司的出现以及信息社会的到来，为建立全球化自由市场准备了历史条件，正如有人指出，"我们正生活在一个人类历史上前所未有的世界里，这个世界就是所谓的'世界体系'"①。在这一世界体系中，以美国为首的资本主义核心国家依赖其对全球政治经济和文化资源的控制而不可避免地占据着霸权地位。而当中国在这种全球化压力下加入"世界贸易组织"（WTO）成为现实，也意味着世界上最后一个重要堡垒被自由经济攻破，意味着中国将按照并不熟悉的游戏规则，加入受到强手操纵的全球市场竞争之中。正是在这样一种几乎没有国土疆界的时空压缩的全球化背景下，好莱坞电影借助美国自由经济的领先力量，在势不可挡地覆盖着全球电影市场的同时必然会对中国产生深刻的影响，这种影响的意义远远不仅仅是对于电影的，而且是对于整个社会的政治、经济、文化，甚至传统的。正如不少人指出过的那样，电影作为一种特殊的文化产品，"除了在物质属性的价值外，它们借由声音、影像、图画、文字等元素交织而现的象征符号与意理信念，则与文化领域有着关联，同时这也与主导社会集体价值与民族文化内涵的政治领域形成一种张力"②，显然，好莱坞的全球化在冲击着中国民族电影工业的同时也通过色彩缤纷的电影形象推销着美国商业、文化、政治、生活方式和价值理想，影响民族社群的文化认同和文化延续，制造美国式的"全球趣味"，从而在一定程度上影响中国的现实和将来。也正因为这样，面对好莱坞电影日益紧迫的威胁，与全球此起彼伏的反好莱坞声音相呼应，"好莱坞与中国电影"的话题在中国便具有了一种更宏大的政治经济学意义——我们正是试图在这样的背景下,考察好莱坞电影对于美国全球化战略的政治经济文化意义,分析中国在好莱坞全球战略中所处的位置,研究好莱坞电影进入中国的历史和现实策略,从而探讨中国电影发展所面对的挑战和生机,寻找中国电影发展的出路,最终获得面对文化全球化的一种政治立场和态度。"面对好莱坞"因而可以被看做全球化背景中最具理论和实际挑战性的话题之一。

好莱坞星球:美国的全球化战略与电影

随着世界民族解放运动的发展和世界各民族利益相互联系的紧密,20世纪以来,以军事占领和政治颠覆为手段的帝国主义、殖民主义政策逐渐被历史所遗弃,一种新的世界图景开始出现:当世界各国纷纷走上现代化道路之后,资本和信息的全球流通便成为可能,随着跨国资本、跨国企业和信息工业、媒介工业的迅速发展,民族国家的界限越来越模糊,一个前所未有的一体化世界体系逐渐形成,资本主义发达国家越来越重视依赖其经济力量和文化力量进入不发达国家开辟更具活力的市场,获得更廉价的生产和生活资料,在创造利润的同时创造一种消费意识形态——这就是所谓的后殖民主义状态。

显然,建立在"自由市场、公平竞争"基础上的世界体系,由于各个国家的政治、经济基础本来的不平等而事实上形成了一个不公平的全球格局。正像一些西方学者所分析,当今的世界格局主要由三类国家和地区组成:1."核心国家"(core states):美国、同盟国、欧盟和日本,在全球经济中拥有某种"不分地区的权力";2."边缘地区"(peripheral areas):具有依附性的发展中国家和地区,基本属于"毫无权力的地区";3."半边缘地区"(semiperipheral areas):介乎于核心国家和边缘地区政治经济文化角逐之间。核心国家的优势是建立在对半边缘和边缘地区的剥削上的,而半边缘地区则在被核心国家剥削的同时也剥削着边缘地区,边缘地区则寻找机会超越半边缘地区而靠近核心。就在这种"不分地区的权力"与"毫无权力的地区"的不均衡关系网络里,世界体系成为在核心国家的支配下各国各地区为本身地位而斗争的领域;③而美国作为实力最强的经济大国和最主要的核心国家,其在当今世界政治经济和文化格局中所占有的优势地位是显而易见的。

近年来,美国经济在新经济支持下强劲增长,其军事力量在前苏联解体以后也举世无双,世界贸易组织、世界银行,甚至联合国等国际组织都不同程度受到美国控制。正是这样一种地位,促成了美国的国家政策和自我定位,美国政界和学术界不少人提出美国追求世界"单极化"是历史必然。被小布什委任为安全顾问之一的华盛顿大学教授威廉·沃尔福思在2000年大选时发表题为《单极世界的稳定性》文章,明确认为"美国在目前国际体系中的支配地位是毋庸置疑的","美国占支配地位的单极世界可以避免两极世界或多极世界为争夺领导地位而发生的无休止的争夺"等等。从小布什与戈尔的三场电视辩论和竞选纲领看,共和党和民主党的代表人物对追求世界"单极化"的策略虽然不同,但立场并无分别,双方都认为美国"超强的综合国力"、长期奉行的"国际道义"和"现实的国家利益"三大因素决定了美国在新世纪"领导世界"的地位。

在美国的全球战略中,文化产业,特别是电影一直都是举足轻重的棋子。当文化成为一种产业以后,其经济功能和文化功能相互重叠,文化产品的全球输出不仅能够扩展经济市场,获得大量的经济利润,同时也可以通过文化媒介承载美国的生活方式和价值观念,通过文化来销售商品,通过商品来宣传文化,文化即商品,商品即文化,文化商品在获得现实利益的同时也在创造广告意义,那些影像、声音、文字、图画、造型都共同开发着美国政治经济的广大市场。正是因为文化产品具有这样一种特殊意义,美国一直努力达成文化产业的全球化,特别是被看做最有国际传播效果的电影的全球化。

早在30年代,美国政府就意识到,电影和其他大众文化都不仅具有产业意义,而且对于宣传美国政治、文化和扩大经济影响都具有不可替代的重要作用。文化输出可以影响到其他国家、地区和民族的历史意识、社团意识、宗教意识以及文化意识,甚至语言,淡化乃至重写这些地区的传统和文化,从而创造新的民族文化记忆,促使其与美国的信念和价值融合。所以,从第一次世界大战开始,美国便通过各种政治和经济手段向全世界推销电影和推销电视节目、录音唱片以及其他大众文化产品。在罗斯福执政的第二次世界大战期间,好莱坞电影则成为推销美国形象、美国民主,进行政治宣传的重要工具。④

由于媒介经济和媒介科技是欧洲工业革命以后"自由贸易资本主义"的产物,在西方特别是美国已经经历了百年以上的发展过程,而对于许多发展中国家和地区来说,媒介发展的基础远远不能与欧美国家相比。特别是80年代以后,少数跨国化、集团化、集中化的"音影恐龙"诞生,这些媒介集团以在国际政治上具有主导力的国家机器为前导与后盾,更加促成了全球化的"不平衡发展"。东西方之间、南北之间、发达国家和地区与发展中国家和地区之间不平衡的信息流越来越明显。以台湾为例,美国好莱坞8大电影公司占领了70%以上的影院收入,5大音乐集团占据了60%以上的音乐唱片销售,跨国集团所属的各类电视频道在约450万有线电视用户中普及率高达95%,而跨国广告集团则以合资或独资的方式承揽了60%以上的广告业务。⑤显然,在美国文化产业的全球化战略中,美国拥有得天独厚的政治经济和文化优势。如今全球100大音影企业集团85%都位于第一世界,特别是美国,其营业总额高达1100亿美元;⑥1998年美国的第一大出口行业既不是飞机制造,也不是农业,而是影视和音像出版业,出口总收入达600亿美元;美国视听产业(影视和音像)在国民经济中的排位已由1985年的第11位跃居到第6位;在录像市场上,美国1997年仅录像租赁收入就达96亿美元;《财富》杂志推出的全球最大500家企业排行榜中,美国娱乐业巨头就占了多位。

在文化产业中,电影作为最国际化的媒介产业,一直扮演着重要角色。从某种意义上说,好莱坞从一开始就在向全世界推销着美国。美国电影很早就具有国际视野。20世纪第一个十年,好莱坞制片人就开始在主要的国外市场设立办事处。第一次世界大战开始,美国电影乘欧洲陷于战争的混乱中,逐渐取代法国、英国、德国等传统的欧洲电影基地,形成国际化的电影市场。⑦从1919年开始,国外市场就已经进入美国电影的生产预算之中。在30年代以后,外国电影市场的收入已经占美国电影总利润的1/3~1/2。可以说,第一次世界大战和后来的第二次世界大战,将美国电影工业放到了一个无论在经济上或是制作上都领先全世界的地位上,而且从此以后,这一地位就再也没有受到动摇。即便在有声电影出现以后,语言的障碍曾经给美国电影的国际化带来过威胁,但是好莱坞很快就适应了这种艺术和技术手段的变化,稳固了自己的霸主位置,如今倒是越来越多的非英语国家和地区更加频繁地拍摄英语电影或者使用英文字幕。到 1995 年,美国电影已经占有欧洲票房收入的 75%,由于卫星传播和有线频道的发展,美国电影在欧洲电视播放的电影中也占有 70%以上。好莱坞在加拿大、拉丁美洲、大洋洲和亚洲的优势地位也越来越明显,即便在素有"东方好莱坞"之称的香港,美国电影也在动摇本土电影的主体位置。到 2000 年,据美国电影协会资料,美国电影每年在国内票房已经达到 76.6 亿美元的同时,还从海外电影市场得到了超过 60 亿美元,是美国新经济的重要组成部分。⑧据统计,90 年代初期,在世界所生产的 4000 部故事片中,好莱坞影片只占其中数量的不到十分之一,但是却占有全球票房的 70%。⑨经过半个多世纪的国际化努力,如今,美国电影几乎已经成为世界电影,好莱坞无处不在,其最耐人寻味的结果是在世界上不少地区,美国电影已经不再显得是"美国"电影而成为电影的代名词,就像一位学者所说,"美国的大众文化看起来甚至不像是一种进口的东西……"⑩的确,从某种意义上说,"好莱坞已经征服了世界","我们正在变成一个好莱坞星球"。⑪

当然,美国文化产业在全球化过程中,也一直受到来自其他国家和地区的抵制和抵抗。第一次世界大战以后,欧洲就认为好莱坞电影的席卷而来"不仅是电影的危机,而且也是文明的危机"。⑫70—80 年代,文化帝国主义理论在西方学术界风行一时,矛头也直指美国的媒介文化全球化。1974 年,在联合国提出"国际经济新秩序"(new international economic order)以后,联合国教科文组织提出了"世界信息与传播新秩序"(new world information and communications order),反映了世界各国希望建立东西方、南北方、发达国家和地区与非发达国家和地区之间平等的信息传播交流秩序的愿望。美国文化对其他国家和民族的文化认同的威胁、消费文化即全球资本主义对传统社会的冲击、现代性的发展及其对传统文化的挑战,应该说都受到了许多人的关注和批判。近年来,无论是加拿大、欧盟或者是亚洲的韩国、中国,都采取种种政治和经济手段来抵制美国文化,特别是好莱坞电影的大举进入。一些国家的电影人和民间人士也采取种种行动抗议美国电影。如当韩国政府迫于美国压力,把电影发行分配中原来规定的本国电影至少占28%的份额缩减到15%之后,《悲歌一曲》的导演林汉泽剃成光头在汉城美国使馆前示威抗议;法国著名演员德帕迪约在巴黎协和广场焚烧好莱坞电影拷贝;以侯孝贤、杨德昌、陈坤厚为代表的70年代台湾"乡土电影"的创导者一直反对美国电影对台湾的垄断。确实,当好莱坞电影工业生产以美国强势国力为后盾,将全世界变为美国电影的超级市场的时候,许多人都认为好莱坞电影在输出美国文化的同时也用美国的文化观念标准去替代别的民族文化,由于社会经济文化水平的差距,在追求速食、消费、功利、物化的时代,以后人们很有可能只知道麦当劳、可口可乐和《泰坦尼克号》,完全缺乏与自己的族群、祖先、文化传统和现实境遇的联系。正像有人在分析世界媒介传播的趋势时所指出的,当今世界的动态"往往会围绕着不分地区的权力和毫无权力的地区之间的矛盾而形成,不分地区的权力依赖的是传播的流通,而毫无权力的地区只能在历史特定的领土基础上运作自己的传播符号"。[13]正是"不分地区的权力"对"毫无权力的地区"的支配使得"第三世界国家基本上都是文化产品的进口者"。[14]叶维廉教授更是明确认为,好莱坞式的文化输出就是一种殖民文化策略,"第一世界利用电影(在中国,美国电影文化的殖民最为透彻)、电视影集、教育节目,利用市场的政治化,利用广告的煽动性(几乎全然偏向于'洋为贵'),而制造了一种新的语言,商品和消费活动所构成的一种国际化的意符系统,代替传统价值的社会秩序"。而"原住民历史的无意识、民族文化记忆的丧失是殖民者必须设法厉行的文化方向"。[15]

一位学者曾经这样总结,"在过去10年里,因为商业和军事目的而引发的关于所谓即将到来的'信息时代'或'信息社会'的争论,已经成为国际政治、经济和文化斗争的主要领域"。[16]的确,未来国家之间的竞争,在很大程度上取决于信息创造、流通的速度。因而,控制媒体,就是控制国家的政治经济利益;主动创造媒体产业,就是主动创造国家的政治经济利益。正是在这种全球竞争背景下,面对西方国家政治经济文化的巨大压力和威胁,在许多发展中国家,文化民族主义的运动正在兴起。民族主义作为一种区域对抗的形式,认为全球化使空间的差异日趋消失和同质化,破坏了民族主义的空间认同基础,因而强调建筑在空间认同上的抵制,反对资本主义全球化。文化民族主义相信,商品化无法消灭民族主义,也无法消灭空间差异,民族主义与全球化的冲突将成为一系列为了控制空间而与资本展开的斗争。然而,这些文化民族主义的斗争应该说并没有能够阻挡全球化的进程,许多人认为由于消费主义意识形态和自由经济已经为全球化铺平了道路,民族主义只能减缓全球化的进程或者迫使跨国集团采取某些措施适应各国的民族诉求,全球化的趋势已经不可阻挡。因此,在这种民族主义诉求与全球化趋势的冲突中,好莱坞电影将如何借助全球化进程进入中国,中国电影将如何在好莱坞冲击下维持自己的民族定位,就成为我们不能回避的思考,从更高的层面上来说,这也是对中国文化如何应对扑面而来的全球化态势的思考。

未开采的钻石矿:好莱坞视野中的中国电影市场

中国由于人口众多、经济潜力巨大,在当今的全球化格局中,国际地位举足轻重。因而,在美国的"单极化"战略中,中国具有重要战略地位。据国际问题专家分析,世界上三个人口大国——中国、俄罗斯和印度,都极力保持本国独特的社会文化和政治制度,与美国保持着某种抗衡关系,同时,三国的经济也正呈现复兴和发展趋势,在新世纪同美国的差距将会缩短。因而,即使美国有能力迫使这三个国家实行美式民主自由制度,但如果中、俄、印坚持走不同于美国主导的西方政经发展道路,分别或联合反对美国,都会使美国"单极化"全球战略难以成功。基于这样的分析,21世纪以后,美国的全球战略可能将有所调整,战略重心可能从欧洲转向中东和亚洲,特别是转向中、俄、印三大国。⑰事实上,美国已经在"将亚太逐年高成长所孕育的数以亿计的中产阶级,国民所得持续增加所带来的兆亿美元的消费能力,还有未来大规模现代建设所需的资金与技术等等经济因素,予以数据化的精算,并将亚太这个'他者'设定为西方国家长期景气低迷所累积的资本与科技进行再生产的'新疆域'"。⑱美国未来学家奈斯比特也在预计未来趋势时指出:"西方企业如果不能参与大亚洲的经济腾飞,不但会丧失商机,更可能被削弱竞争力。毋庸讳言,已经臻于成熟的西方经济需要外来的新刺激,西方技术和精密产品必须能更广泛地应用于开拓新的市场,而亚洲就是最具潜力的开发对象。"⑲

正因为如此,美国在得到必要的承诺以后,便以积极态度希望中国早日进入世界贸易组织,当中国急于尽早进入已经不能继续被排斥在外的世界经济贸易秩序的同时,美国也急于将中国纳入不能缺少中国的世界经济贸易秩序之中。美国谈判代表巴尔舍夫斯基在中美关于加入世界贸易组织双边谈判结束以后明确说:"很显然,这一协定保护并大大增强了美国的商业利益。""这不仅是一个贸易协定:这关系到美中关系,关系到全球经济的未来,关系到原来在规则基础上的全球贸易体系之外的国家越来越多地加入其中,成为真正开放、自由流通的国际经济的一部分,我们相信,这样的国际经济会带来更大程度的自由和全球繁荣。"⑳正因为中国加入 WTO 对于美国具有丝毫不亚于中国的重要性,我们也就不难理解美国商界、政界许多要人在中美双边协定签订以后为什么会如此弹冠相庆、奔走相告。

在中美加入世界贸易组织的谈判中,电影是其中的一个重要议题。因为中国一直对进口电影采取严格的配额制度,并且限制外资参与中国电影业经营,所以,美国一直希望中国允许更多的美国电影进入中国和在中国投资建立电影院线。1999 年 11 月 15 日,中美双方就中国加入世界贸易组织问题达成双边协议之后同意,入世后第一年,允许外商在华设立合资录音和录像公司,外资股份占 49% 以下,三年后允许外资占 50% 以上股份的公司从事电影院建设、整修和经营。中国进口电影的配额加倍为 20 部;三年后,将配额增加到 50 部。这一结果达成以后,美国方面特别指出:"2000 年春天未能解决的其他问题还包括诸如视听领域的问题,特别是电影业,这个问题也通过中国允许以收入分享为基础进口电影的协议得到了解决。这是极其重要的,不仅仅对我们的工业,对欧洲、加拿大和其他地方的工业也是一样重要的。这是前所未有的。"㉑

其实,中国电影市场历来都受到好莱坞的重视。在 20 世纪的头 50 年里,美国人对中国的电影市场曾经做过系统而详细的调查,并写下了大量的文字。比如美国商业部的对内对外贸易司从 1927 年 1 月开始定期发表有关世界各国电影市场的调查报告,而它的第一份报告便是关于中国电影市场的。在它的发刊宗旨中,编辑人明确宣布这是美国政府旨在帮助美国电影业开辟海外市场的一种举措。据我们掌握的资料,这是美国最早的一份关于中国电影市场的官方调查报告。㉒这份报告是根据美国驻中国各地领使馆人员的调查综合整理而写成的。报告的前言中提名致谢的有 17 位政府官员和 14 所领使馆。该报告对中国电影市场做了相当细致的调查、分析和研究,统计了当时中国电影屏幕、电影观众的数量、分布,阐述了中国电影发展的过程,介绍了中国电影的法规、广告、教育和杂志等方面的状况,并特别分析了政治、经济、国产电影竞争等美国电影进入中国的障碍;报告在讨论中国人的电影趣味时还指出中国观众经历了从打斗片到西部片的变化,三角恋爱和两代冲突之类的题材因违反传统伦理不受中国人欢迎,但一般爱情片和历史题材的影片,尤其是喜剧片和儿童做主角的影片都很卖座;报告将"大团圆"、"善恶分明"等叙事特点总结为美国电影能够占据中国电影市场的原因;报告还特别提醒美国片商不要把丑化中国人的影片运到中国来。这份报告最长的部分是有关上海、香港、天津、北京、广州、厦门、汉口、福州、大连、哈尔滨、长沙、曲阜、济南、安东、汕头和青岛等地的影院情况调查,提供了从影院数量到座位数量的具体数字。这份报告对中国电影市场调查的细致和深入程度不仅在当时甚至在现在连中国人自己可能都没有做到。这份报告对于好莱坞电影制片人和发行人了解中国电影市场提供了重要依据。

事实上,从 20 年代开始,好莱坞电影就大量进入中国,在 30—40 年代,好莱坞电影占据中国电影市场 75% 以上。西席·地密尔和刘别谦的浮华喜剧、劳莱和哈台的滑稽搭档以及迪斯尼的米老鼠和唐老鸭为好莱坞打开了通向中国的大门。卓别林喜剧和银幕上种族歧视题材也引起了中国变革思潮的共鸣。当然,最为直接的结果是好莱坞在中国培养了相当数量的影迷。大多数中国影迷心中的偶像,不是胡蝶、金焰,而是玛丽·璧克馥或者道格拉斯·范朋克。影迷们还乐此不疲地将每一位中国演员与好莱坞明星搭配在一起,称王元龙是中国的约翰·吉尔勃、胡蝶是中国的瑙门

·塔文。而当时的中国电影制片和导演,也纷纷模仿好莱坞。1934年,韩兰根因出演蔡楚生《渔光曲》一举成名,从此他就开始与殷秀岑合作,模仿好莱坞劳莱和哈台的胖瘦组合;好莱坞童星秀兰·邓波儿1939年主演的《小公主》到1940年也有了经过改装的中国版《中国白雪公主》,由中国童星陈娟娟主演。直到1949年以后,由于中国走上了一条"独立自主,自力更生"的社会主义道路,美国电影进入中国的大门才被关闭。好莱坞渐渐从人们的文化娱乐生活中淡出并被遗忘。直到80年代以后,中国改革开放,好莱坞电影才能再次回到中国。而随着中国与世界经济的联系越来越紧密,中国的文化产业化为好莱坞电影再度进入中国主流娱乐市场带来了契机,好莱坞再次将目光转向了中国。目前,由于中国电影市场采取了进口电影配额制、规定国产电影放映时间等种种行政手段保护国产片利益,好莱坞每年只能向中国出口不到10部主流影片,从中仅仅只能得到2000万美元的收入,这与美国电影海外60—70亿美元的收入相比微乎其微,甚至不如其在新加坡、马来西亚、泰国和菲律宾等东南亚国家所得到的回报;[23]而且,据20世纪福克斯等电影公司消息,美国电影在中国分账发行实际上只能得到票房收入的12%左右,而在其他国家则是50%。[24]

但是,随着中国入世的临近,面对这块拥有全球1/5人口的大市场,尽管受到法规、意识形态、文化和经济方面的种种限制,美国好莱坞的制片商们仍然垂涎三尺。对于美国来说,包括电影在内的中国文化市场几乎还是一块没有开垦的处女地。中国的电影、电视、音乐、歌曲、唱片、录像、影碟等文化产业,截至1998年底,共有产业机构33万多个,从业人员170多万,所创增加值133亿元人民币。其中,中国影视业拥有30多万从业人员;电视综合人口覆盖率达91.6%,全国有线电视用户达7700万户。但是,与美国等国家相比,中国的文化产业明显资金不足、技术落后、企业规模小。美国1998年的电影、电视制作及相关的录影带、音乐出版行业总收入达600亿美元,占美国出口第一位,其中120亿美元是由电影业直接创造的。2000年,美国电影国内电影票房收入高达70多亿美元。《星际大战首部曲》单在美国国内就获得了4亿3千万美元的票房收入,而在中国,现有5000家电影院,平均每12.2万人拥有一个电影放映厅,设施设备和技术手段达到国外90年代水平的不到1％,而在美国平均8600人便拥有一块电影银幕;中国1999年电影观众仅为4.5亿人(次),平均每个国人3年看一场电影;全年发行的100多部国产影片和进口影片的总票房收入不到1亿美元(1999年8.1亿人民币),只相当于美国国内电影票房的大约1.5％;中国从事电影的人有28万,人均产值才3000元人民币,月收入不足300元。当年生产的国产影片102部,其中不到20％的影片赢利,至少60％的影片都亏损。

所以,在好莱坞看来,中国的电影市场,"它不只是座金矿,简直就是一座未开发的钻石矿"。潜在的13亿双观众的眼睛,对于好莱坞来说是一个无法释怀的诱惑,在他们看来,一旦中国电影市场开放,不仅意味着将需要大量的放映系统及音响设备,为美国提供一个崭新的出口市场,而且他们预计中国很可能成为世界上第二大电影市场,超过欧洲(年票房收入44亿美元)和日本(16亿美元),甚至在未来,每生产4部美国电影就会有1部针对中国和东方市场。㉕

为了在开辟中国电影市场中得到主动,好莱坞各大公司早在90年代中期就已开始对中国市场的研究,有的成立了中国部,聘用中国留学生回到中国担任要职。各电影公司还积极联络中国主管电影及意识形态的政府机构,1999年,20世纪福克斯公司接待中国电影代表团;2000年,华纳兄弟公司资助中国在美国举办"中国文化美国行"活动,招待由美国电影协会邀请的中国电影代表团。米高梅、派拉蒙、华纳兄弟、环球、迪斯尼、索尼以及梦工场公司等都开始从题材、演员、观众、市场等全方位设想如何进入中国电影市场。美国米高梅全球电影发行总裁莱瑞·格利森(Larry Gleason)认为,美国电影票房收入的55％来自美国本土之外,中国是世界上人口最多的国家,好莱坞进军中国电影市场是毋庸置疑的,开发中国潜在市场是米高梅未来发展的目标。格利森的看法表达了大多数好莱坞公司对于中国电影市场的态度。㉖

随着中国加入全球自由经济的步伐加快,好莱坞进入中国的进程也在同时加快。美国在递给中国进入WTO通行证的同时,好莱坞也推开了中国电影市场的大门。显然,在未来,中国电影面对的就不仅仅是几部好莱坞"大片",而是美国电影赖以发展的整个政治经济产业体制,是好莱坞电影在近百年中积累下来的所有国际化、全球化经验和优势,是被称为"音影巨兽"的那些超级跨国公司的横冲直撞。因此,分析好莱坞正在采取何种策略进入中国电影市场,是我们探讨中国电影发展的重要前提。

开辟第二个欧洲:好莱坞的中国策略

作为一个政治经济体制处在复杂转型时期的特殊的发展中国家,中国一方面坚持"改革开放"的现代化决策,走与国际接轨的市场化道路,另一方面又坚持"具有中国特色"的社会主义制度,保持政治经济的相对独立性。因此,好莱坞进入中国,已经和还将继续面临三大主要障碍:首先,中国政府对美国电影的行政限制;其次,中国独特的文化传统和文化经验与好莱坞电影的文化疏离;第三,中国电影市场的无序状态。对这些"硬"障碍和"软"障碍,好莱坞应该说都有清醒的意识。所以,这些年来,好莱坞采取了种种策略来试图克服或者减少这些障碍,最大限度地争取进入空间或者为将来的进入做准备和预习。这些策略主要包括:首先,利用美国的政治力量来扩大好莱坞电影的生存空间;其次,通过对电影制片业、发行业和放映业的投资和经营在中国建立电影市场;第三,通过对华人导演、演员和其他艺术创作人员的吸收以及东方题材和东方文化的融合来拍摄适应中国和东方观众观赏情趣和文化认同的影片;第四,通过种种其他媒介形式培养中国观众广泛的好莱坞趣味,培育潜在的好莱坞电影市场。应该说,这些策略大多在好莱坞电影国际化的历史上已经被使用,而且都取得了相当程度的经济成功。中国,正如好莱坞总裁自己所说,只是他们心中的第二个欧洲,是好莱坞电影帝国期待已久的一个经济和文化的新大陆。

在好莱坞向国外推销电影的历史上,美国政府可以说从来就扮演着护卫和先锋的角色。美国政府一开始就将电影当做一种商品来推销,政府功能不是管理电影拍什么和如何拍电影,而是如何为电影拍摄、发行、放映、输出创造条件。早在1922年,美国电影制片厂就建立了一个贸易协会——"美国电影制作和发行协会"(简称MPPDA),该协会与美国政府合作,争取美国电影的海外利益。第二次世界大战以后,又成立了"美国电影输出协会"(简称MPEAA),专门处理好莱坞电影的对外交易。美国商务部1929

年还在对内对外贸易司成立了电影处。这几个机构一直保持着密切的互动关系。在与外国政府谈判时,美国国务院、外交部、商务部都对电影协会给予了积极支持,好莱坞与美国国务院和其他政府机构的关系远远超过了一般的商业和进口谈判的关系。美国在外国的各种政府机构还专门收集各国的电影市场情报,撰写了大量调查分析报告。㉗特别是在冷战结束以后,在国际社会努力建构国际政治经济新秩序和国际信息新秩序的努力中,美国试图将电影纳入其单极化的总体思路中。美国国会与商务部在美国电影协会(简称 MPAA)的劝说下,将电影议题纳入了与其他国家的世界贸易组织谈判之中,在先后与印尼、马来西亚、印度以及韩国等国家的谈判中,都包含了与电影相关的两方面内容:一是产权保护;二是市场开放。为了给好莱坞电影的市场准入创造条件,美国不惜采用一些不同凡响的外交手段,甚至政治和贸易惩罚手段来扩展美国电影的海外市场。如美国由于台湾电视对好莱坞电影侵权所曾经动用的政治压力;1985 年美国国会和大使馆支持 MPEAA 要求韩国允许好莱坞建立发行公司;美国要求韩国改变国产电影放映时间占全年 146 天以上的规定;在与加拿大、法国就电影产品在商品与文化定位上发生冲突后美国所采取的经济制裁措施,等等。显然,美国政府一直是美国经济和美国文化全球化的后援。所以,美国在与中国进行加入 WTO 的谈判时,也将增加美国电影的进口配额、允许美国资本进入中国电影业等作为重要条件提出来。在将来,美国政府必然还会通过政治压力来争取中国电影市场更完全的开放和要求好莱坞电影的版权利益、版权保护。从一定程度上来说,好莱坞电影是美国全球化战略的生力军。美国政府过去、现在和将来都将利用这一生力军在中国扩大其利益诉求。

通过对其他国家电影业的资金投入和合作经营进入电影市场,利用建立电影制作发行放映机构来控制国外电影市场也一直是好莱坞电影国际化的重要策略。实际上,当年好莱坞占领欧洲电影市场的第一步就是合作制片和发行,如在德国,派拉蒙公司等投资德国的 UFA 建立合资发行公司,争取电影的发行和制作权,培养观众的好莱坞趣味和发行好莱坞电影,最终支配电影市场。在加拿大等国家,美国也是通过建立电影发行放映院线而控制了整个电影市场。现在,好莱坞也试图采用同样方式进入中国电影市场。如通过合拍电影的方式,一方面将中国电影制作系统纳入好莱坞体系之中,另一方面也制造好莱坞化或准好莱坞化的电影来培养好莱坞化的观众。据悉,美国华纳兄弟电影公司还计划与中国企业合作,在昆明建设大型的天然电影拍摄基地;近年来,派拉蒙、环球等几家电影公司还派出人员对北京、上海、武汉等地的电影院进行考察,筹备建设超级影院;甚至一些非电影业的美国公司也准备在中国建立电影院线,如柯达公司与上海电影电视(集团)公司合资,准备在上海繁华商业区徐家汇的美罗城商厦投资 400 万美元建上海的第六家合资影院。柯达娱乐影像部大中华区总经理孙德新(David Sanderson)明确表明,柯达在上海建影院的目的是要进入中国的电影放映业。柯达曾研究筛选出全世界发展电影业最有潜力的 5 个国家和地区,中国大陆是其中之一,而最后选中中国大陆,是因为他们认为中国的商机是优中之优。该公司近几年还计划在北京、广州等大城市建 6—8 家一流电影院。为了能够得到中方政策上的关照,柯达电影院还主动提出不仅放映外语片,而且要放映国产片。[28]好莱坞和其他美国公司如此积极地介入中国的电影放映业,正是他们进入整个中国电影业战略的组成部分,正像资深的美国电影协会(MPAA)主席杰克·瓦伦蒂在美国国会听证会上所说:"外国资本用于建设新电影院,不仅将帮助中国更新陈旧的电影设备,吸引中国观众回到电影院,而且要增加他们对美国电影的要求。"[29]

在好莱坞电影历史上,利用外国演员、外国导演和外国题材、外国人物来征服外国观众,也一直卓有成效。从 20 世纪的 20 年代到 40 年代,好莱坞陆续吸收了法国、德国、英国、意大利、瑞典等许多国家的优秀导演、明星,如喜剧大师卓别林,悬念大师希区柯克,演员葛丽泰·嘉宝、费雯·丽、英格丽·褒曼等都来自欧洲,好莱坞还有许多导演、演员,甚至制片人来自东欧、拉美、加拿大等等,而许多美国电影的题材也来自世界不同国家、不同文化和不同历史,所有这些外来人和外来文化都经过好莱坞的商业改造,有时甚至是美国的政治改造,一方面为主流的美国电影带来异域情调和注入文化营养,另一方面也为美国电影进入外国市场带来文化亲同感和文化共鸣。90 年代以来,不仅像金字塔中的木乃伊、中国的花木兰、圣经里的摩西出埃及这样的东方故事、题材纷纷出现在好莱坞电影中,而且一直被好莱坞排斥的华人导演、演员、摄影师也开始越来越多地被邀请到好莱坞,创作主流电影,如导演吴宇森、徐克、李安、陈凯歌,导演兼演员陈冲,电影明星周润发、李连杰、成龙、杨紫琼、章子怡,摄影顾长卫,等等,这些人大多已经在华文化地区取得了广泛的社会影响。好莱坞一方面利用东方情调来为主流好莱坞观众创造一种文化奇观和获取新的市场资源,同时也利用这些电影人在原住国和地区的地位、影响、名声来获得华文化圈的认同,以期开发和扩展在中国和其他亚洲地区的电影市场。2000年美国《时代》杂志评选世界10大影片,华人导演的影片占了4部,由时代华纳出品、李安导演的《卧虎藏龙》更是刮起了东方旋风,这种将东方情调国际化的策略越来越掩盖了好莱坞电影的美国印记,好莱坞以一种"世界电影"的形象为自己进入中国做了文化包装。

好莱坞的全球化并不仅仅局限于电影媒体的输出。不仅每年的奥斯卡颁奖为全世界设计了一个盛大的好莱坞节日,而且好莱坞也正在利用种种电影附属产品,如电影的DVD、VCD、录像带、电影音乐原声带、图书、画册以及各种与好莱坞电影相关的玩具、文具、生活用品等等,扩大好莱坞电影的市场渗透力。特别是目前中国有大量的好莱坞盗版音影产品,美国电影协会(MPAA)估计每年美国因为盗版而产生的损失高达1亿2千万美元,是目前美国从中国得到的电影票房收入的6倍。[30]但是,盗版实际上也在为美国电影培育一个越来越庞大的电影消费群体,盗版节目今天的热心观众可能就会成为好莱坞电影明天的忠实消费者。

随着数字技术的发展和网络的发展,随着数字媒体储存、传输能力的提高,好莱坞电影在将来也可能通过信息高速公路这种跨越国界的途径更方便地进入中国。中国目前的设防措施都可能因此而失去作用和意义。所以,在谈到与中国的双边谈判时,美国谈判代表巴尔舍夫斯基特别提到了网络投资的权力问题,"我们很清楚地考虑了互联网准入问题,不仅仅考虑到世界范围内,而且还有中国,互联网的飞快发展,这会是我们国家重大经济问题之一。所以保证互联网准入,澄清互联网问题对我们来说是首要问题"。[31]当电影通过网络传输成为可能以后,好莱坞电影对中国电影的冲击更加难以防范。

可以说,面对中国电影市场的巨大诱惑,好莱坞早已经虎视眈眈,而在美国的全球化战略中,好莱坞电影不仅可以在中国开辟一个仅次于美国本土的第二大市场,为美国带来丰厚的经济效益,而且还可以通过那些被注入了复杂的社会/心理欲望的男女明星、那些经过精心包装的英雄故事和爱情传奇来编织一个个魅力无穷的美国寓言,从而不仅从经济上而且从文化上征服这一曾经具有世界上最悠久历史和辉煌文明的东方民族。好莱坞在把美国变成世界的同时,也把世界变成了美国。因而,对于中国电影来说,如何面对好莱坞,就不仅是一种电影业的生存问题,同时也是文化主权问题。在全球化背景中,中国电影维护文化主权的权力却必然面对超级大国"不分地区的权力"的挑战。

不分地区的权力:好莱坞对民族电影的威胁

中国作为一个发展中国家,特别是因为自己特殊的历史进程和社会制度,至今,不仅还没有积累足够的经济实力,而且也没有市场经济的政治经验和文化传统,这一切都意味着中国电影在好莱坞的全球化扩展中必然会处于竞争的劣势之中。事实上,在中国没有加入 WTO 以前,不到 10 部进口美国主流电影就已经占据了处在无序状态的中国电影市场的几乎半壁江山。中国电影与好莱坞相比,其劣势不仅仅体现为资金缺乏、设备陈旧、人才短缺,最重要的是中国电影根本没有形成成熟的产业机制,也缺乏成熟的市场支持,更缺乏适应文化产业发展的体制保证。在中国的各行各业中,也许电影是最缺乏迎接加入 WTO 现实的准备的,也是最不适应全球化流通的领域。

在关于 WTO 与中国电影、好莱坞与中国电影的种种讨论中,有人以三四十年代,好莱坞电影虽然能够自由进入中国但中国国产电影仍然占有自己位置的历史来证明中国电影与好莱坞之间"与狼共舞"的可能性。的确,当年在上海,曾经出现过国产电影与好莱坞电影平分秋色的局面,而像《一江春水向东流》等国产片的票房和上座率甚至还超过了好莱坞影片。但是,历史并不能证明现实,现在中国的电影业,与三四十年代相比至少有四个明显的区别:1. 当时国内的电影生产机制基本是市场经济模式,而现在国内电影运营机制主要仍是缺乏竞争力的计划经济模式；2.当前电影对资金和技术的要求与当年相比大大提高，电影的投资、技术含量、工业生产水平和五十多年以前相比几乎有了本质的变化，而目前中国电影的生产方式在实质上仍然是一种小工业生产方式，没有形成真正具有先进科技手段和现代管理模式的工业化生产。中美电影的科技差距、工业差距和经济差距不但没有缩小反而拉大了；3.由于目前中国电影实际上采用的是计划经济为主、市场经济为辅的工业体制，每年生产的影片中有相当数量的影片与消费者的需要不适应，甚至有冲突，这使国产影片品牌定位受到观众怀疑，观众对国产影片失去了消费期待也就必然会放弃消费行为，这与五十多年以前，中国民族电影工业市场定位的总体氛围也很不相同；四五十年以前，中国现实出现了种种重大的共同的社会问题和共享的社会情感，而当时的电影生产环境则相对无序，所以，电影可以在一个相对开阔的空间中自由发展，寻求与民众社会文化心理的联系。而目前随着中国社会发展的多样化，社会公共空间越来越分化，与此同时，电影的意识形态控制却更加一元化，这在一定程度上可以说制约或者影响了电影与民众之间的广泛的意识和心理联系。所以，应该说，目前中国电影所面对的好莱坞的冲击，无论是外部环境或是内部条件，在一定程度上都更加严峻，就中国电影业的产业化状况和营销处境来说，一旦没有按照产业化方式来运作的电影业进入一个世界电影贸易市场，必然会因为基本市场竞争能力的匮乏而处在被动的地位上，因而"入世"后一般所谓的"挑战与机遇并存"的说法对于电影来说也许并不适用，挑战远远大于了机遇，好莱坞在许多方面都具有中国电影目前并不具备的政治、经济、文化优势。

这种优势，首先就在于好莱坞工业得到了美国作为世界第一"超级大国"的国际地位和国际形象的背景支持。由于经济和社会的发展，美国不仅在全球市场经济中居于核心地位，政治军事力量也居于强势位置，而在全球化的交流中，这种政治经济的不平衡必然带来文化交流的不平衡，文化的强势认同规则必然会有利于美国文化的输出。因而，在当今世界，美国在世界舞台上的位置和影响事实上远远超过了其他任何国家，从文化的角度来看，美国的流行文化在很大程度上影响着世界的流行文化。而这正是好莱坞电影所承载的政治经济文化力量的优势。而对于中国来说,虽然历史悠久、人口众多,改革开放以来,社会发展迅速,但是中国的国民经济水平、国际地位和影响、国防军事力量与美国相比仍然差距巨大,因而,不仅中国电影在国际竞争中缺乏国家强势背景的支持,而且即便在本土市场也可能因为人们对强势文化的认同而得不到人们关注。正如许多学者所分析过的那样,可口可乐、麦当劳在中国和发展中国家的流行与其说是这些产品自身的实用价值的体现,不如说是它们所负载的文化象征的表达,同样,中国人对美国的奥斯卡电影颁奖的兴趣和热情远远超过中国自己的"金鸡"奖、"百花"奖,大洋彼岸的美国的 NBA 比中国的 CBA 更受中国人关注。这一切,其实都与这种文化强势认同社会心理息息相关。这种文化心理的强势认同趋势,在很大程度上是发展中国家文化发展面对的共同挑战。

其次,好莱坞的优势还体现为美国电影在近百年的电影发展历史中已经形成的成熟的产业机制。美国电影从一开始就是在工业资本主义高度发展以后出现的一种文化产业或者是娱乐工业,正如美国电影史学家所说的那样,在美国电影发展的历史上,只有三个关键词,即:制作、发行、放映,而这三个词的核心就是观众。㉜可以说,美国电影在这三方面的所有变化都是为了赢得更大的市场、争取更多的观众、获得更大的利益。正是在这种工业运作的过程中,随着美国经济的成熟,好莱坞电影工业也逐渐成熟,经历了两次世界大战和冷战时期的政治考验、电视竞争的文化考验、流行文化过剩的环境考验,形成了完整的市场化投资模式、工业化生产模式、商品化发行模式和消费化放映模式的运作体系。好莱坞正是在这种产业化的基础上,寻求艺术规则与经济规则、文化规则与产业规则的融合,形成了富于活力、能够适应时代变化的独特的好莱坞文化产业,创造了如今神话般的美国电影大厦。而在中国,由于特殊的国情,电影一开始就一直在文化产业与宣传工具的定位之间徘徊,1949 年以来,中国电影则完全按照计划经济模式发展,直到 80 年代后期,才开始适应经济发展要求,进行有限的产业化改革。但是,由于中国电影产业化改革一直缺乏政治保障和体制保证,同时也缺乏产业运作的经验和产业经营的意识,事实上,中国电影至今仍然处在前产业化阶段,没有形成自己的产业模式和机制,大环境和小环境中的计划经济的模式仍然从深层上制约着中国电影发展。因而,一旦中国电影进入全球化交流之中,与美国电影处于一个共同的市场游戏平台时,就会像一个用冷兵器的武士与一个用热兵器的军人作战一样,或者说像一个只会在陆地上奔跑的人被扔进海中与一个训练有素的游泳运动员比赛一样,不可能获得平等的竞争条件。

第三,好莱坞的优势还体现为进入后工业时代以后经过重新整合所形成的好莱坞产业的跨国经济实力。进入20世纪后期,传统的好莱坞8大制片公司都不同程度地进行了产业的调整和组合,形成了一些规模更大的产业集团,进入了一个所谓的"巨兽时代"。㉝正是借助于这种优化组合,好莱坞电影企业加速了资本的积聚与集中,扩大了资产规模,依靠发达的资本市场与高新技术产业融合,提高了市场竞争力。例如,时代华纳、迪斯尼等集团先是通过控制生产、发行和放映完成了纵向整合,继而又通过跨媒介经营、硬件和软件经营共同开发进行了横向整合,同时通过国际分工灵活而符合成本效益地使用资本、劳动力,进行了全球范围的整合。2000年底,美国联邦贸易委员会决定,批准全球最大网络联机服务公司美国在线(AOL)与时代华纳涉及1100亿美元的合并计划。㉞这意味着传统的电影等音影企业与网络新媒体的重新组合,其资源和资金的优势得到进一步扩大。这种合并和重组的趋势还在继续。所以,美国媒介所形成的"超级力量",好莱坞电影产业的资本实力、技术实力、开发实力、营销实力,都是目前的中国电影工业望尘莫及的。中国现有的上影、北影、长影3大制片厂,16个省办厂以及其他一些制片企业,全部加起来的总和实力也比不上好莱坞8大公司中的任何一家。中国的电影企业不仅规模小、效益低,更重要的是根本没有形成工业化生产和销售的模式,目前几乎没有与好莱坞进行经济竞争的实力。

第四,好莱坞的优势还体现在美国电影工业从第一次世界大战以来已经积累了丰富的国际化营销和运作经验。从20世纪第一个十年开始,美国借第一次世界大战之机,借助于国家政策的支持、国际市场的开拓、制片策略的调整、全球电影人才的吸引、电影技术的改造等等措施,夺走了欧洲电影的领导地位,陆续占领了欧洲、北美洲、南美洲、亚洲等地区的电影市场。在这个全球化过程中,好莱坞在国家机器和商业机制的支持下,先后克服了电影输出在不同国家所面临的种种政治障碍、经济障碍、文化障碍,形成了一套开拓国际电影市场的政治经验、文化经验和经营经验,建立了一个全球的市场营销网络。而且,好莱坞还形成了一种适应海外市场特殊性的良性自我调节机制。如40年代,当好莱坞电影正在冲击墨西哥电影市场的时候,墨西哥人因为好莱坞影片经常将墨西哥人叙述为社会中无教养、无社会公德的"消极"形象而抗议和抵制好莱坞电影,这也是发生在美国以外的最早对好莱坞电影的意识形态抗议。美国外交部因此告示好莱坞各电影制片厂尽量避免这种"消极描写",否则会影响到各公司的电影销售市场,于是好莱坞各制片厂为维护自己的经济利益自觉地做了策略上的调整,这对于好莱坞占领墨西哥电影市场起到了重要作用。90年代以来,为了迎合民众的某些寻找"假想对手"的社会心理,美国电影中也常常有对中国政治、中国文化和中国人的有意识"敌意化"描写,如《西藏七年》、《昆亭》、《战争艺术》等,于是一些好莱坞公司遭到了中国政府的制裁。为了能够开拓中国电影市场,好莱坞公司也开始采用一些手段来迎合中国需要,如拍摄中国故事的电影《花木兰》增加对中国文化的亲同性,起用华人导演、演员和其他创作人员来联系中国观众的观赏情感,利用华人女性作为故事中介来调节东方文化和西方文化的冲突等等。这些政治、文化上的策略与好莱坞成熟的国际化经济运作策略相结合,是好莱坞电影能够走向全球化的重要保证。包括中国电影公司在内,中国至今没有一家真正能够参与主流国际运作的电影企业,在全球化时代中国电影基本没有国际化的经验和机制。

第五,好莱坞电影的优势还体现为在长期的娱乐工业发展中形成了一种大众文化的传统。如果说,在欧洲,电影首先被理解为一种艺术的话,那么,在美国,电影从一开始就被理解为一种娱乐。美国电影主要不是作为一种艺术创作来发展的,而是作为一种娱乐工业来发展的。用美国人的话来说,对于电影,"观众"就是一切。正是在这种观念下,美国电影往往通过展示暴力和性来宣泄观众的无意识冲动,以善恶有报、皆大欢喜来抚慰人的创伤性体验,以有情人终成眷属的"灰姑娘"、"灰小伙"的故事来为人们提供集体梦幻,以奇观化的画面、场面和强烈的声音、音响来刺激人们的视听习惯,形成了好莱坞电影特有的梦幻性机制、情节剧结构、奇观化风格、煽情性修辞和通俗性叙事的传统。而在延续这些传统的同时,好莱坞又始终保持了一种开放和创新的机制,不断吸收新的电影人加入电影娱乐工业,不断将世界各地的优秀电影人吸引到好莱坞的娱乐工业体制中,为好莱坞电影提供新的艺术营养和新鲜风味,在坚持基本的大众电影模式的前提下,用艺术电影包装流行电影,用流行电影促进电影流行,这使得好莱坞电影在保持主流性的同时也保持一定的创新性。这也是好莱坞虽然很难产生革命性电影,但是却始终能够保持其时尚性和流行性的重要原因。实际上,在好莱坞的电影历史上,从制片厂制度、明星制度、高成本制作等制作方式到早期特技以及后来的电脑高科技的使用等技术手段,从类型电影和电影类型的形成到正反打、短镜头、交叉蒙太奇和限制性视点画面等电影语言特点的形成,其实都与好莱坞电影的娱乐性定位息息相关。在好莱坞电影中,艺术和文化都必须成为娱乐的有机组成部分。这正是好莱坞电影一方面受到包括美国在内的几乎全世界的知识精英的反对,另一方面却成为全世界最流行的电影产品的根本原因。而在中国,不仅长期以来,电影被理解为一种"政治宣传",而且电影的大众文化定位至今没有完成,其负载的意识形态意义远远超过了其娱乐工业的意义,电影常常还是被理解为一种"宣传",因而所有娱乐性的追求只是对宣传的一种包装,而"宣传"所包含的集体化和整体化意识与娱乐的个体化和消费化倾向之间往往具有难以调和的冲突。因而,中国电影既缺乏大众文化的生产和创作传统也缺乏现实条件。在电影作为文化消费的环境中,缺乏消费性的中国电影作为一种文化产品显然难以与好莱坞电影竞争。

显然,好莱坞电影所具有的种种优势,对于中国电影的发展来说都必然是一种巨大的挑战。中国电影虽然从 80 年代后期开始改革,但这种改革还远远不能适应中国已经面临的挑战和即将面临的更加严峻的考验。而中国电影要应对这些挑战和考验,就必须找到能够迎接和参与全球化竞争的优势和策略。当 WTO 向中国敞开大门的时候,中国电影还像一个经不起风浪的稚童或者老耄,而面对未来,中国电影只有知己知彼、改革调整,才可能长大成人或者凤凰涅槃。

传统与现实的支撑：中国电影的生机

　　好莱坞电影对于全世界的民族电影、本土电影来说都是一种威胁，但是，全球化的好莱坞并不一定就能够成为所有民族电影的掘墓人，特别对于中国这样一个有着几千年东方文化历史和承受着浩大的现实磨难的民族来说，更是如此。事实上，好莱坞电影不可能也不应该替代中国人自己对本土现实、本土文化和本土体验的殷切关怀。在历史上，30 年代的《神女》、《马路天使》，40 年代的《小城之春》、《一江春水向东流》都证明，即使中国完全对好莱坞敞开大门，那些与本民族的现实体验和审美经验相一致的影片仍然可以在好莱坞电影的冲击下获得与本土观众之间的文化亲同感。即便是在 20 世纪 90 年代，美国大片进入中国以后，仍然有少数国产片在中国电影市场上占有较高的市场份额，1998 年初国产影片《甲方乙方》在北京市曾以 1150 万人民币创当时的单片票房历史纪录；据新影联宣传策划部的资料显示，2000 年，在《花木兰》、《人猿泰山》、《诺丁山》等好莱坞大片全国票房不足千万的同时，国产影片《不见不散》的票房收入则达到了 3900 万，超过了当年任何一部进口美国电影的票房收入。随后，《生死抉择》、《刮痧》等国产影片的票房也超过了进口美国电影。㉟这些事实至少说明，国产电影在好莱坞电影的市场进入以后并非没有立足之地。

　　而从全球其他国家的经验来看，一些已经加入 WTO 的或者文化市场开放度比中国更大的国家或地区，本土电影也并没有因为好莱坞电影的进入而寿终正寝。印度电影、香港电影、日本电影都依然创造着票房的优异成绩。2000 年，在香港票房前 20 名中，根据香港影业协会提供的资料显示，虽然由香港导演吴宇森执导、汤姆·克鲁斯主演的好莱坞影片《碟中谍Ⅱ》，票房总收入达到 3614 万港币，成为该年度的票房冠军，但是，刘德华和郑秀文主演的港产片《孤男寡女》也有 3521 万的高票房数字，排名第三，成为全年最卖座的华语片。《东京攻略》、《夏日么么茶》、《决战紫禁之巅》等港产片则都进入了票房排行榜前列。在日本，70 年代末 80 年代初国产电影受到好莱坞的全面冲击，日本民族电影只剩下 10% 的票房份额。但 90 年代以来，随着独立制片逐步取代大公司垄断，一大批新人重新整合了制作队伍的结构，以及随之带来从题材取向到艺术风格的转换，日本电影从好莱坞手中夺回了50％的票房份额。这个数字意味着自80年代后期以来世界除美国以外的主要电影国家本土电影最好的票房记录。在韩国，电影市场一度被好莱坞电影占据了80％，90年代以来，由于政府放宽了拍片限制，给予编导更大的创作自由，现在电影年产量约为四五十部，新一代电影人从模仿美国和香港影片到开创自己的风格，开创着亚洲影坛的新空间。现在，在韩国本土的电影市场上，本国影片已占到20％－30％，上座率达40％，韩国电影也培养了一批自己的明星，如韩石奎、沈银河等。这些明星不仅在韩国而且在亚洲形成了自己的观众群。即便同样在英语文化语境之下的英国，尽管受到好莱坞电影的直接冲击，但90年代以来，英国也寻找到了发展本土电影的艺术和生产策略，推出了一批具有英国本土特色的喜剧片，如《四个婚礼和一个葬礼》、《憨豆先生》、《一脱到底》等，使英国的电影观众从战后跌入最低谷的1984年的5400万人次提升到1997年的1亿3900万人次。㊱

这些事实表明，尽管好莱坞电影对于民族电影发展具有严峻的挑战或者说形成了严重的威胁，但是，中国电影并非必然地走向穷途末路，关键在于中国电影需要发现、发掘、培养、扩大自己的优势，利用自己的优势来改变自己的劣势，扶持壮大中国电影自己的生命力和生长力。优势在一定程度上，既为中国电影提供了一种承受压力的缓冲空间，也为中国电影提供了一种发展潜力。

也许，对于中国民族电影来说，最显而易见的优势就在于中国有着自己完全不同于美国和其他西方国家的悠久的而且渗透到现代生活的各个层面的文化传统。中国有几千年的相对独立的文明发展历程，尽管从19世纪末以来，西方文化对中国产生了广泛影响，但中国人在生活方式、价值观念、语言使用方面，仍然与西方文化有着深刻的差异。正因为这样，在欧美国家轰动一时的《星球大战前传》在中国却没有得到人们认可，取材于东方故事的《花木兰》虽在美国获得了成功，但在中国市场却遭遇了失败；由华人导演李安执导的《卧虎藏龙》在中国没有引起轰动，但在西方却备受欢迎。这些例子证明，尽管由于全球化进程的加快、地球村的形成，使得文化的民族疆界越来越模糊，但中国与西方世界毕竟有着巨大的文化传统的差异,这种差异不仅意味着好莱坞电影很难替代中国本土电影的文化亲同性,而且也意味着中国电影在亚洲、在世界的华人文化区都可能具有好莱坞电影所不能替代的文化亲同性。因此,中国电影如果能够创造性地利用中国的文化传统资源,不仅是题材的资源,而且也是价值观、审美观的资源,中国民族电影就可能在中国自己的电影市场,甚至亚洲和世界的华人电影市场、乃至华文化圈中获得广阔的位置,电视剧《三国演义》、《水浒》、《雍正王朝》等在亚洲地区受到广泛的关注就是文化亲同性的重要例证。从另外角度来说,东方文化传统也可能为西方观众提供一种新鲜的文化参照和互补,从而进入西方电影主流,在这一点上,《卧虎藏龙》的成功就是一种启示。

更重要的是,中国有自己特殊的国情。与西方发达国家不一样,中国正在经历一个从传统社会向现代社会转型的过渡时期,任何过渡时代都是本土电影的黄金时代。急剧的社会变迁使社会关系、人际关系、家庭关系都处在不断的变动和调整中,人的命运以及人们的价值观念、心理状态都在转型中动荡、变化,几乎所有人都在这个翻云覆雨的社会动荡中丢失和寻找自己的人生位置,现实的生活本身已经提供了比任何戏剧都更加富于戏剧性的素材,也提供了比任何故事都更加鲜活的人生传奇,因而,对于中国观众来说,当然不仅仅是需要好莱坞电影带给人们一段短暂的梦幻想像和心理刺激,同时也需要通过电影这面"镜子"来"反映"心灵的变异和外部世界的诡异,通过电影来与同样处在转型时期的其他人共享苦难、迷惘、欣悦和渴望,通过电影来理解、面对和解释人们所遭遇的现实。因而,中国本土电影可以比好莱坞电影更加直接地连通中国观众对现实的体验。应该说,90年代以来,像张艺谋的《秋菊打官司》、《有话好好话》、《一个都不能少》,杨亚洲的《没事偷着乐》,黄建新的《站直喽,别趴下》、《背靠背,脸对脸》、《埋伏》、《红灯停绿灯行》等系列影片,以及政治电影《生死抉择》、战争影片《黄河绝恋》、中西文化冲突的影片《刮痧》,还有90年代后期出现的一些新生代青年导演拍摄的影片如《美丽新世界》、《爱情麻辣烫》等,都充分利用了本土现实文化资源,都善于将风云变幻的社会图景和离合悲欢的普通平民命运与通俗电影模式相结合,不仅表达对转型期现实的体验,而且也表达人们的生存渴望、意志、智慧和希冀,从而赢得了中国观众的喜爱。特别是冯小刚的电影将本土的文化资源与类型剧的商业策略相结合,创造了一种具有中国特色的商业电影模式,并且一直成为国产影片的票房中坚。这些都表明,本土现实是好莱坞电影目前还不可能替代的中国电影的文化优势。

在全球化过程中,中国电影还有一个重要的本土优势,就是中国潜在的巨大的电影消费市场。美国商人对中国电影市场早已垂涎三尺,美方估计,中国电影市场每年具有 10 至 15 亿美元的"票房潜力",此后,每年还可能增长 5.1%。仅以北京为例,如果市民人均每年看 5 场电影,就会有 6 个亿的票房收入。而中国有 12 亿以上的人口,如果达到平均每人每年看 1 场电影,即便按照 5 元钱的平均票价计算,全年票房收入也能够达到 60 个亿。换句话讲,如果一部国产片在全国有 1‰ 的人观看,按照 5 元钱的票价计算,全国票房收入就能够达到 6000 万人民币,这个市场回报完全可以支撑中国制作本土"大片"。更何况,中国还有一个巨大的后电影开放市场,1999 年电视综合人口覆盖率 91.6%,全国有线电视用户 7700 万户,电影如果通过电视传送也将拥有广阔的用户资源。而目前,由于电影产品的品种单一、从消费意义上看的"伪劣"产品众多、电影消费环境落后、盗版猖獗、电影市场无序,加上国民经济和文化状况的总体水平不高,因而,中国电影市场根本没有形成,观众的电影消费习惯也没有得到培养。但是,众多的人口、迅速发展的经济、人口质量的不断提高,人们生活方式的不断改变都决定了中国电影具有香港、台湾、日本以及世界上多数国家和地区都不具备的本土市场的巨大潜力。因而,即便中国电影在相当一段时间里都很难具有好莱坞电影那样的国际性优势,但是广阔的本土市场仍然可以成为中国民族电影生存和发展的根据地。此外,除中国大陆以外,台湾还有 2100 多万华人、香港有 1400 多万华人,另外还有 2000 万华人在东南亚各国,400 多万华人分散在世界其他地区,㊲ 而受到华语文化历史和现实影响的人口数量就更是难计其数,虽然人们处在已经改变过的物理空间中,但共同的文化、语言和历史仍然能够为他们带来或多或少的联系,正像有学者在讨论这种文化的亲同现象所指出的那样,"观众将倾向于选择那些与它们自己的文化最接近和更紧密的节目"㊳。应该说,这样一个巨大的已有或者潜在的消费群对于中国电影的发展来说是一种重要的支撑。

特别应该提到的是，中国电影目前并没有完全置身于一个"自由"的全球市场处境中，中国政府还通过种种行政和经济措施保护着中国的民族电影业，因而，国家还可以"作为构成的角色"通过"民族建构"来支持本土电影的经济规则来抵抗全球的经济规则。㊴90年代以来，国家对民族电影一直实行资金注入政策。如国家财政部要求中央电视台每年拿出广告纯收入的3‰支持电影事业，地方电视台也将在地方政府的协助下拿出3‰的广告纯收入贴补地方电影。据政府透露，从1996年到2000年的5年中，中央和地方政府支持制片厂近4亿人民币，电影专项资金1.3亿也用来支持电影事业，5年中直接资助拍摄的影片150多部，占总产量的三分之一，此外中国电影公司还按照政府要求支持电影厂和儿童电影拍摄8000多万元，财政部专项资助拍摄电影400多万元，国家还减免拷贝增值税2000多万元，这些资金总数达6亿，每年在全国范围内总资金有超过1亿元用来扶持国产电影生产，这还不包括大量的间接投资。㊵此外，国家电影事业管理局还发布了《关于加强宏观调控发行放映好国产影片的实施细则》，规定各地电影公司发行放映节目数量必须达到年度推荐国产影片节目数量的75％。㊶此外，中国政府在未来估计还会长期坚持将电影不列入"贸易自由化"的交易范围之中，对进口电影实行限额或限制，并对外国资金和人员进入中国电影生产、发行各放映行业继续给予种种限制……应该说，如果国家不仅仅只是一个限制和保护的角色而是一种积极的"构成角色"，利用政府力量来支持本土电影工业的发展和成熟，来为本土电影开辟国际国内市场，客观上就可能为中国电影自身的存在和发展提供缓冲的空间，也即是说，如果政府措施不仅是一种政治保护措施，而且是一种产业保护措施，那么中国电影就可能在这种国家保护下争取到发展的时间和空间。

更何况，中国还有近30万的电影从业人员、近100年的电影经验、几十家电影制片厂、一批在各种环境中都仍然能够生存和发展的电影人才，这些都是中国电影的竞争资源。特别是由于中国的社会经济水平相对较低，因而电影的生产和管理成本远远低于好莱坞，在美国，电影的平均成本近年来已经达到了7000万美元以上,而中国电影的平均制作成本才大约为400万人民币,不到好莱坞电影的1%。这种低成本生产和流通作为一种积极经济策略,正如在家电、纺织等行业所证明的那样,可能成为发展中国家与发达国家进行电影的产业和市场角逐的重要手段。

所有这一切,都是中国电影在未来全球化大潮冲击下的立足之根,而这些根是否能够扎下来、延伸开,将直接决定中国电影的命运。而中国民族电影根深叶茂的基础则在于中国电影业必须成为能够适应文化消费市场需要的真正意义上的现代电影产业,尽管电影作为一种文化产业,不是所有的市场规则都适用于电影,但是如果中国电影不能走向市场,那么它不仅在以产业化为支撑的好莱坞电影的冲击面前没有还手之力,而且也因为没有被观众消费而失去任何再生产的条件。市场从根本上来说将成为中国电影的一块试金石,而一切试图通过电影来传达的人文理想和意识形态观念也必须借助于市场才能成为现实。因此,适应市场需要进行产业化改革,应该成为新世纪中国电影最重要的政治经济学主题。

中国电影的最大的政治:产业化转型

尽管中国电影业具备着自己的生存和发展优势,但是这些优势目前基本上只是作为一种潜力而存在。所以,"生或者死"这句无数次被人们重复的疑问,对于中国电影来说并不是一个哲学问题,而是一个现实困境。一方面,随着WTO的临近,好莱坞电影和好莱坞电影工业对于中国电影市场早已经虎视眈眈、弯弓待发,另一方面,中国电影自己却仍然徘徊无路、步履维艰。一方面,中国电影具有文化传统、本土现实、市场潜力、国家保护等巨大的优势,另一方面,中国电影又没有利用这些优势来发展壮大自己的力量。一旦中国电影真的被纳入世界电影的整体格局中,中国电影将何以面对好莱坞的威胁?中国电影业将何以面对好莱坞电影工业的庞然大物?

最简单的办法,当然是继续利用国家力量限制好莱坞电影进入中国,如限制进口影片配额、限制外资电影院线的建立、限制外资控股、采用严格的电影审查批准制度、规定国产电影的发行放映时间,甚至采取不同的税收制度等等,将引进的大门尽可能关闭到最小的限度,与此同时,则采取各种政治经济措施扶持支持国产电影的生产和发行。应该说,这些中国目前正在采取的政治策略,无疑有它的现实合理性。实际上,世界上有许多国家都不愿意将电影列入"贸易自由化"的交易范围之中,也有不少国家和地区通过资金方式支持本土电影的发展。例如,90年代初,美国推出"世界贸易自由化"的口号,企图把影视产品纳入贸易自由化范围,垄断欧洲市场,但法国等欧洲国家却明确要求将文化产品排除于"世界贸易自由化"的乌拉圭谈判协定范围之外,提出至少对电视、电影产品的贸易应该给予必要的限制,从而阻止好莱坞影视节目对世界市场的倾销。日本、韩国、菲律宾、印尼、新加坡、马来西亚等国都采取了程度不同的措施来限制美国电影的自由输入。为了保护本国影视业,法国的文化预算增加到国家预算开支的1‰,利用这些资金对本国电影进行补贴,仅1993年,"支持电影基金会"提供的补贴即达4.67亿美元,法国三分之一的电影依靠这种补贴拍摄,同时法国还要求电视台大量使用本国和欧洲制作的节目,这些做法使法国变成了最大的文化保护国。韩国政府也对国产影片采取了保护措施,80年代,政府规定韩国所有影院一年中必须有106天放映国产片,违者将被处以重罚甚至停业,同时韩国也严格控制海外影片的进口数量。可以预料,中国政府在相当长的一段时间内都会采用这种对外限制、对内扶持、内外有别的行政策略保护民族电影。

但是,保护并不是终极目的。用邓小平的话来说,发展才是"硬道理"。保护是为了让幼小的孩子能够健康成长,而不是为了让她永远童年。这些以"国情"为理由的保护措施必然会随着中国与世界各国的互动关系越来越密切、电影消费者对电影市场的开发要求越来越强烈而不断减弱。如果那个时候,中国电影仍然还像一个幼小的孩子,一旦离开保护就经不起任何雨打风吹,那么台湾电影奄奄一息的现状就会成为中国大陆电影的明天。事实上,尽管各个国家都采取了种种本土电影的保护措施,但是好莱坞的势力仍然越来越大。早在1993年,美国影视产品就成为出口欧共体各国的第二大出口产品,销售额达37亿美元。而欧共体国家出口到美国的影视产品则只有3亿美元。其中,美国电影占法国票房总收入的60%以上,占德国票房总收入的86%。显然,保护和扶持只能是一种手段,通过保护和扶持,中国电影业必须尽快完成自身的产业化改造,尽快成为现代文化产业。这样,中国电影才能够充分利用自己的本土优势和文化资源参与全球文化竞争和交流。

几乎所有的政府主管人员或是电影从业人员都会承认,目前的中国电影从观念到体制都还没有能够完成适应文化市场需要的产业化转型,如同有关方面所意识到的那样,"计划经济带来的垄断、保守、僵化、消极和反市场规律等一系列的问题,的确严重影响了电影事业正常发展"[42]。所以,中国电影业的危机虽然可以用美国电影的冲击,国产电影缺乏剧本基础、缺乏优秀人才、缺乏技术条件和制作水平、缺乏拍摄资金等等来解释,但这些都是现象,关键在于缺乏健全、开放、竞争和富有活力的电影创作和制作的产业环境和机制。没有条件,机制可以调动人去创造条件,从这个意义上说,机制就是生产力。一位西方学者在谈到发展中国家如何抵抗全球化背景下的西方霸权时候提出:"反对的政治越来越意味着在两种方案之间进行选择,一是成功地建立资本主义经济,另一个是边缘化或被排挤在外。"[43]显然,对于中国电影来说,已经不可能选择退出全球化循环被边缘化,随着中国加入WTO,这条道路已经被否定,那么就只有另外一条道路,就是成功地建立具有中国特色的电影经济。所以,中国电影发展的根本动力和目标仍然是最简单的道理——解放生产力,最大限度地调动电影从业人员的创造性和积极性。而解放生产力的关键则在于从制度上而不仅仅是从观念上确立电影的文化产业本性,真正从体制上完成电影生产和流通方式从计划经济模式向市场经济模式的转型。

中国电影的产业化转型首先面临的就是电影管理观念和制度的转型。在中国,电影曾经长期被简单地理解为政治宣传手段,被强制性的作为政治意识形态载体来管理。进入新时期以后,虽然电影作为一种艺术的相对独立性和作为一种大众娱乐形式的文化本性逐渐开始被认识和部分认同,但电影仍然还是被看做一种重要的意识形态载体,电影活动的空间仍然相当有限。所以,政府机构在通过法制化和行政化的方式规范电影生产时,由于法规在实际操作过程中其含义的可再解释性,对电影题材、内容、形式、风格等方面的限制往往缺乏一致性,某些规定和制约也缺乏文化层次,与电影作为一种大众文化的文化特性存在一定距离。结果,不仅使中国大陆电影受到的公共性(政治/政策/道德/传统/习惯)限制比世界其他主要电影生产国家和地区相对严格,而且也比大陆放映的海外/境外进口影片更为严格,甚至比国内的公共电视的限制都更加严格,这在一定程度上抑制了电影作为大众文化的宣泄和疏导潜力,这不仅弱化了电影在竞争激烈的大众文化市场上的占有力而使电影的融资能力、投资能力下降,同时,也使得大陆电影在一定程度上缺乏面对现实的开放性和电影观念、形态和风格上的多样化、层次性。因此,管理层面首先应该意识到电影虽然是一种特殊的行业,生产具有意识形态功能的文化产品,但它仍然是一种产业,应该是国家宏观经济格局中的一颗棋子。事实上,在美国,政府一直都是把电影看做一种产业进行管理,除相关的法律限制以外,美国政府通过商业部来管理电影的生产和市场。因为,对于美国政治来说,电影作为产品被推销到全世界,这不仅是商业的利益,同时也是政治的利益,因为电影不是普通的商品而同时也是政治、经济、文化的隐性广告。销售就是最大的政治,这是美国电影管理的重要经验。而中国的电影管理却并没有将电影看做一种产业和市场行为来管理,电影的指令性行为与艺术性行为、经济性行为之间常常缺乏有机缝合,这使得多数"主旋律"影片在艺术上、在市场上乃至在意识形态教育上都没有获得想像中的传播效果。因此,如果中国电影要面对全球化的挑战,政府的电影管理职能也应该首先保护、监督、促进电影的产业化改造,制定产业政策,加强法制建设,将电影首先作为产业,按照市场原则、世贸规则、文化产业规律来运作。中国不仅生产电影,而且能够有电影市场,不仅有国内电影市场,而且有国际电影市场,这是电影管理最重要的使命。没有观众的电影就是死亡的电影,所有的政治导向都必须通过市场得到实现。因此,对于中国电影来说,市场就是最大的政治,有了市场才有导向,没有市场就没有导向。

政府层面如果能够将电影当做产业进行管理,那么中国电影才可能在政府政策的支持下,进行产业化改造,改变目前这种计划经济的生产模式,建立现代企业制度。尽管从90年代末期以来,针对中国影视产业规模小、封闭性运作等现象,有关部门提出要以资本为纽带，实行强强联合，组成强大的具有国际竞争力的影视产业集团，实现影视业的规模化、产业化、集团化。但是，企业改革的根本并不是规模的扩大或者横向的联合，而是产业体制和机制的建立，否则，所有的联合都将是联而不合，由于利益分配机制、权力控制机制的无序，根本不可能做到人、财、物的优化配置，其结果仍然是大集团下的作坊式的生产方式，或者充其量只是大工业包装下的"小农经济"，各个摄制组就是一个"联产承包家庭"，电影的工业流水线体系、专业运作体系、资本循环体系都不可能建立，最后必然会出现电影人通过电影生产过程获得"利益"而不是通过电影市场回报获得利益的结果。因此，中国电影的改革，不是建立形式上的集团，而是建立现代的企业制度，这一点，不仅好莱坞工业提供了丰富的产业经验，而且中国各行各业成就卓著的改革也已经提供了丰富的本土经验。甚至也许在相当一段时间之内，最具有经济活力的并不是那些体制僵化的电影"大企业"，而是那些产业化程度高的"独立制片"企业。有了产业化的前提，中国电影才能找到适当的经济机制，集中和吸收人力物力财力进行电影艺术和电影技术的创新。由于数字技术的发展，当前世界电影正处在一个发展的转折点，中国电影只有像计算机行业、IT 行业一样，按照市场运作的规则才可能将数字技术运作在电影的发展过程中，在电影制作、电影放映和后电影数字产品的传输三个层面促进中国电影的变革。所以，中国电影产业改革的根本不是改革规模，而是改革机制，而改革机制的前提则是电影管理部门将电影真正作为一种文化产业来扶持而不仅仅作为一种政治载体来限制。

中国电影要形成良性的产业循环，不仅在电影生产层面要建立符合市场经济规律的现代企业制度，而且在电影的发行放映层面也要建立现代企业制度。正如人们所认识到的那样，计划经济年代按照行政区域设置的中国电影发行体制是中国电影市场发展的一大障碍。目前尚未剥离部分政府职能的发行企业依然凭借各级政府所赋予的权力控制行业、垄断市场。如果没有发行的双渠道或多渠道也就是说没有多条院线的建立，中国电影市场上往往只能像现在这样具有容纳 20—30 部影片的时间和空间，而且由于发行方对市场的垄断造成电影制片业处在完全不平等的市场位置上，不仅电影市场容量小、产品类型单一，更重要的是无法通过竞争来改善电影消费环境和条件,也无法通过竞争来使电影制片方获得最大的利益回报。当观众和制片方双方的利益都受到损失的时候,由生产—发行放映—消费所构成的产业流通自然会因为没有丰富的产品供给和积极的观众购买而越来越走向衰落。在电影的产业化改革中,发行放映就像是肠梗阻一样堵塞着产业循环。因此,中国电影市场必须按照市场规律,建立多条院线,有效地利用现有资源并且提供广阔的空间与时间刺激电影的生产,同时细化电影消费市场,培育不同观众群体到不同的影院不同的影厅去看不同的电影,改变目前电影排映的单一性。如果要做到这一点,政府就需要采取措施拆除纵向与横向的行政垄断的篱笆,分离政府管理职能和企业自主经营权力,将电影的行政管理体系转化为市场体系,建立规范化的市场,鼓励市场竞争,逐步建立公平规范、竞争有序、优胜劣汰、充满活力的市场运作机制。

在建立电影生产、发行、放映的现代企业制度的同时,中国电影需要培育电影市场,培育人们的电影消费习惯,培育电影的消费者。对于电影来说,市场就是生命,而观众就是市场的主体,中国电影只有被尽可能广泛的普通观众而不是被少数人所认可才能得到发展的空间。所以,培育电影市场就需要改善三个方面的观众消费环境:1.改善剧场环境。中国现有5000家电影院,设施设备与技术手段能达到90年代国外先进电影院水平的却达不到1%。现在,一方面,电影的科技含量越来越高,对电影放映的技术要求也越来越高,另一方面,非剧场的音影电器越来越普遍和先进,剧场效果如果要超越家庭音影设备也越来越要求剧场的技术含量和舒适度。所以,中国电影剧场的技术改造对于培育电影观众具有重要的意义。2.改善影院环境。目前中国电影院的地理环境、交通环境以及与其他商业、娱乐场所的交互环境以及整个服务环境都已经远远不能适应城市发展和生活方式变化的需要,需要按照不同的消费方式建立不同的电影院来方便和吸引观众。3.改善价格环境。中国电影的价格目前缺乏层次性和选择性,而且也缺乏美国所采用的各种"折扣"制度培养潜在的电影观众,价格也应该体现消费层次。消费环境的改善是电影获得观众的重要环节。

当然,中国电影的发展也与社会的发展联系在一起。目前,亚洲电影市场都受到盗版的严重影响。盗版实际上成为了电影的非法的第二市场。据媒介透露，在 2000—2001 的一年半内，中国 30 多个城市共收缴非法音像制品就超过 600 万盘（张），查处违法经营点 4000 多家。这个数量与实际的盗版光盘数量相比还微乎其微，盗版市场不仅为普通观众提供了片源甚至也为电视台等媒体提供了素材。有人认为，盗版严重影响了投资者、消费者的信心，遏制了文化产业的健康发展。但从另外角度来看，这也说明了中国正版、合法的电影渠道的不通畅，盗版节目的丰富性与电影院和正版市场电影节目供应量的匮乏可以说有天壤之别。从这样的意义上讲，盗版恰恰也成了培养电影观众的土壤，如果没有盗版，电影也许将更加彻底地退出中国老百姓的日常娱乐生活。因此，电影的发展不仅需要取缔和打击非法文化市场、治理盗版，同时也必须建立丰富的合法的电影文化市场。对于消费者来说，当其合理的消费要求难以通过合法渠道得到满足的时候，非法的渠道便会具有难以抗拒的魅力。因而，说到底，中国电影只有通过产业化方式，生产—流通—消费形成良性循环，才是解决问题的根本。

　　加入 WTO，从理论上来说，市场开放应该是双向的，中国的电影生产如果按照国际市场的需要和运作规律进行，那么虽然在相当长的时期内都不可能获得好莱坞电影那样的国际地位和影响，但是仍然可以培育一个相对于国内市场来说并非无足轻重的国际市场。对于目前的中国电影来说，走向国际市场至少具有四个有利条件：1.从经济上说，电影生产成本低使中国电影具有一定的市场竞争优势；2.从文化上看，全球化环境下东方文化提供了一种参照性的"还乡"意义从而逐渐被西方人关注；3.从地域和文化传统上看，中国大陆、香港、台湾、澳门以及新加坡、马来西亚等东南亚华语地区，日本、韩国等亚洲其他泛华文化地区，以及世界各国的华人群落等则构成了一个具有共同性的接受中国电影的文化交流空间；4.从好莱坞电影本身来看，好莱坞电影近年来由于片面地走上数字虚拟化和大制作的道路，电影的人文意味和叙事智慧都明显下降，为其他国家电影的乘虚而入带来了契机。

　　因此，中国电影目前需要做五方面的努力，开拓中国电影的国际空间：1.组建经过所有制改造的具有国际营销实力的国际性的电影制片、发行机构，形成规模适当的符合现代企业发展规律的专业化、流水线化的国际性电影企业；2.积极从国外和国内一流大学以及其他企业吸收一批能够从事跨国经营的具有电影专业素质的电影经营管理人才；3.从资金和政策上支持生产一批按照国际市场需要而制作的影片，创造"中国制造"的电影品牌；4.要求国产电影在制作技术和艺术标准上而不是制作规模上与国际电影接轨；5.积极开发电影的多媒体产品，通过电视、录像带、DVD、网络等创造电影附加值。

其实，归根结底，中国电影无论是要在国内市场立足或者在国际市场占有一席之地，目前来说都不是没有可能，甚至从一定程度上来说，都可能具备某些机不可失的有利条件，关键在于中国电影必须从计划经济的模式中真正解放出来，尽快完成符合文化经济发展规律的产业化改造，按照电影市场的不同需要来制定电影发展规划，来确定电影的经济、文化、艺术乃至技术策略。比如，低成本制作、喜剧类型的发展、档期片的生产和发行、儿童影片的创作、电影分级、社会问题片以及公安警察片、都市片的创作等等具体的电影生产和创作问题，只有在市场的背景下才具有操作意义。因而，产业化而且是符合现代经济发展规律的产业化是中国电影目前惟一的机会。因此，对于中国电影来说，产业化是最大的政治。政治的作用是帮助建立一种符合中国社会发展规律的电影产业和市场，而不应该是干预每一部电影的制作。换句话说，政府的功能应该是为电影搭置一个既有自由也有限制的舞台，而电影企业则是导演，每一部电影则是这个舞台上的演员，最后是舞台下的观众决定着这些演出的价值。否则中国电影就可能在政府的救济下生产出一批搁置在片库中和档案馆中的影片，即便是强迫所有中国电影院都必须放映国产电影，但是每一场放映的观众都寥寥无几甚至无人问津，这意味着中国电影无论在国内市场或者国际市场上在事实上都是缺席的。因而，从政治上来说，中国电影的这种现状显然不能被看做真正的胜利。

的确，许多人都善意地谴责和实际地抵抗文化帝国主义对发展中国家的"文化侵略"，有人甚至预言，"全世界将被带入一个被少数全球公司所支配的巨大的资本主义体系中。仅仅只会剩下一两个这样的公司，而所有的决定都将被利益和平均线所驱动。媒介将充斥各种娱乐节目而几乎不再有任何严肃的公共事务的内容。强调的只是物质主义，消费主义和商品化"。[44]但与此同时，也有不少当代的自由经济学家、媒介巨头以及汤林森这样的学者为文化全球化辩护,㊺他们甚至提出全球化已经使民族电影的概念受到置疑。索尼、新闻集团等拥有好莱坞公司的企业并不以美国为据点,那么,人们将如何来判断民族电影呢?是根据制作、发行、放映权,还是主创人员的国籍,还是本土的内容、风格和文化特性?显然,随着全球化的发展,跨国公司一方面进行世界性扩张,一方面进行本土化包装,民族性、国别性将越来越难以区分。但实际上,正是这种难以区分,显示了全球化的一种同质化的结果。当世界电影成为一种电影、世界文化成为一种文化的时候,其实也正是人类文化生态环境的危机。

当然,民族性不能成为中国拒绝加入全球化进程的借口。正如何哈麦德指出,民族主义并不必然具有进步性和落后性,"民族主义究竟扮演什么角色,总是取决于各国的阶级力量与社会政治事务的组合状态,它组织了权力集团,其中任何具体的民族主义诉求总是会产生具体的历史效应"㊻。如果民族化成为妨碍改革开放、自由民主的一种意识形态力量,那么全球化就是一种革命性的推动力量。因此,面对全球化,抗拒或者卷入并不是目的,重要的是真正能够"利用WTO这个机遇,利用压力、竞争,冲破现有不合理的机制,引进先进的机制和观念,先进的技术和管理方式,学习别人的管理经验,引进别人的资金和技术,壮大我们自己"。㊼只有这样,中国电影才能创立一个活跃、健康、生机勃勃的产业机制,从而积极地参与全球文化的交流,创造具有国际胸怀的民族电影文化,通过视听影像来建构华夏文化的认同和交流平台。

应该说,中国电影所面临的危机并不一定是来自好莱坞的威胁,而我们谈论WTO也并不是以排斥或者拒绝好莱坞为目的,其实,WTO只是为我们提供了一个机会,好莱坞也只是为我们提供了一种参照,重要的是中国电影自身必须进行生产关系的改革。只有改革才是生存和发展的出路,否则,无论有没有好莱坞的进入,中国电影都将无处可走。因此,我们应该致力于探索中国作为一个特殊的发展中国家的电影政治、经济、文化规律,建立一种具有符合全球发展和国情现实的电影产业和电影市场。只有这样,中国电影才能够创造与好莱坞电影不同的更现实、更人性、更关怀、更丰富的电影文化,成为世界性多元电影思潮的组成部分,为全球化提供多元的而不是一元的格局。保持这种多元,当然不是根源于一种复活保守传统、推广民族神话的国族一体的狭隘的民族主义,也不是用"文化帝国主义"的借口来自我封闭,而是试图维护一种能够相互补充、相互借鉴、相互影响的世界格局,"全球化的未来也许不应该是霸权化同质化而是意味着更多的选择,更多的边缘和弱势享受到相对平等的权力。从一定程度上说,文化的多元,是文化活力的前提"㊽。

注释:

① Anthony Giddens, *Sociology*, London:MacMillan Press,1986,p. 136.
② 李天铎编著《重绘媒介地平线——当代国际传播全球与本土趋向的思辨》,台湾亚太图书出版社 2000 年,第 35 页。
③ See I. Wallerstein, *The Modern World System*, New York:Academic Press,1974.
④ 参见齐隆壬《好莱坞,电影与政治》,《当代》(台湾)第 139 期,1999 年 3 月 1 日,第 19~29 页。
⑤ 同②,第 31 页。
⑥ "The World Film and Television Market", *Industrial Analyses* Vol. 1. Montpellier:IDATE,1993.
⑦ See K. Thompson, *Exporting Entertainment :America in the World Film Market*,1907—1934. London:Constable,1985.
⑧ http://www. mapporg/useconomicreview.
⑨ 参见 Kristin Thompson,David Bordwell《电影百年发展史》(下),美商麦格罗,希尔国际股份有限公司(台湾)1998 年,第 1016 页。
⑩ Rechard Pells, *Not Like Us :How Europeans Have Loved , Hated. And Transformed American Culture Since World War II*, New York:Basic Books,p. 205.
⑪ Scott Robert Olson, *Hollywood Planet :Global Media and the Competitive Advantage of Narrative Transparency*, Mahwah:Lawrence Erlbaum Associates,Inc. p. 1.
⑫ See R. Sklar, *Film :An International History of the Medium*, New York:Prentice-Hall,1993,p. 126.
⑬ Manuel Castells and Jeffrey Henderson,"Techno-Economic Restructuring, Socio-Political Processes and Spatial Transformation:A Global Perspective," in Jaffery Henderson and Manuel Castells(eds), *Global Restructu-*

ring and Territorial Development》,Beverly Hill:Sage,1987,p. 7.
⑭ Bernard Miège, *The Capitalization of Cultural Production*, New York: International General, p. 103.
⑮ 叶维廉《殖民主义·文化工业与消费欲望》,张京媛编《后殖民理论与文化认同》,台湾麦田出版股份有限公司1998年,第143～143页,第124页。
⑯ Sue Curry Janson,"Gender and the Information Society:A Socially Structured Silence," *Journal of Communication*, Vol. 39(Summer), No. 3, p. 196.
⑰ 贺冲《综述:美国新政府将推行"单极化"全球战略》,中新网香港1月11日消息。
⑱ 同②,第30～31页。
⑲ 约翰·奈斯比特《亚洲大趋势》,外文出版社、经济日报出版社、上海远东出版社1996年,第37页。
⑳《美国贸易代表巴尔舍夫斯基在就世贸组织问题与中国谈判后在记者招待会上的讲话节选》,美国大使馆,北京,1999年11月15日。
㉑ 同⑳。
㉒ C. J. North,"The Chinese Motion Picture Market," *Trade Information Bulletin*, No. 467, January 1927. Bureau of Foreign and Domestic Commerce,United States Department of Commerce.
㉓ See Jonathan Peterson, "Cultural Issues Color Movie Export Picture," *Los Angeles Times*,October 31,1999.
㉔ See Maggie Farley, "Struggles in An Ambivalent Nation," *Los Angeles Times*,June 13,1999.
㉕ Franklin Paul, "Hollywood Eyes China," CNN,May 22,2000. 5:26p. m. ET.
㉖ 焦文《入世在即好莱坞各大公司纷纷谋划攻占中国市场》,《华商报》2000年11月9日。
㉗ See T. Schatz, *The Genius of the System:Hollywood Filmmaking in the Studio Era*. New York:Pantheon,1988.
㉘ 袁幼鸣《电影市场也上演"狼来了"柯达投资400万建影院》,南方网 http://finance. sina. com. cn,2001年1月2日。
㉙ Franklin Paul, "Hollywood Eyes China,"CNN,May 22,2000,5:26p. m. ET.
㉚ See James Bates and Maggie Farley,"China in a Chilly Embrace,"*Los Angeles Time*,June 13,1999.
㉛ 同⑳。

㉜ Jeanine Basinger, *American Cinema: One Hundred Years of Film making*, New York: Rizzoli International Publication, Inc. p. 278.
㉝ See Anthony Smith, *The Age of Behemoths*. New York: Priority Press, 1991.
㉞ 《美国联邦贸易委员会批准 AOL 与时代华纳合并计划》，中新网北京 12 月 15 日消息。
㉟ 解玺璋《分析：大片市场缘何难做大？》，《北京晚报》2000 年 3 月 31 日。
㊱ 参见杨远婴《Hollywood UK——好莱坞英国》，《中国电影报》2001 年 1 月 4 日。
㊲ 赵玉明《华语电视发展的回顾与展望》，《华语电视国际展望学术研讨会论文集》，花城出版社 1997 年，第 12 页。
㊳ John Sinclair, "Neither West nor Third World: The Mexican Television Industry Within the NWICO Debate," *Media Culture and Society*. 12/3, pp. 343～360.
㊴ 文森特·莫斯可《传播政治经济学》，华夏出版社 2000 年，第 194 页。
㊵ 王庚年《雨频发春色 风暖树自荫——就 90 年代中国电影发展态势答〈当代电影〉记者问》，《当代电影》2001 年第 1 期。
㊶ 贺瑞然《国产电影：明年国家大力扶持》，《深圳商报》2000 年 12 月 5 日。
㊷ 同㊵。
㊸ 同㊴，第 202 页。
㊹ David Demers, *Global Media: Menace or Messiah*, Cresskill: Hampton Press, 1999, p. 62.
㊺ See John Tomlison, *Cultural Imperialism*, Baltimore: Johns Hopkins University Press, 1991.
㊻ Liah Greenfild, *Nationalism: Five Roads to Modernity*, Cambridge, MA: Harard University Press, 1992, p. 11.
㊼ 同㊵。
㊽ 尹鸿《全球化、好莱坞与民族电影》，《文艺研究》2000 年第 6 期。

原载《当代电影》2002 年第 4 期

南 帆

全球化与想像的可能

一

20世纪的历史上演到了最后一幕,全球化终于成为现实——甚至是不可抗拒的现实。信息、技术、商品、人员——尤其是货币资本正在全球范围空前频繁地往来,市场的开拓与扩张有力地突破国家、民族、文化风俗以及意识形态划出的传统疆域。从跨国公司、卫星电视、互联网络到麦当劳、奔驰汽车、卡通片,这些异国他乡的文化正在穿越巨大的空间距离和森严的国境线,愈来愈密集地植入本土。人们所栖身的空间已经与世界联为一体。东京的股市或者欧洲足球联赛并非一个区域性的事件,这些事件的冲击波迅速地传遍地球的各个角落。"地球村"是历史为人类提供的下一个驿站。

不论是国际关系、政治利益、社会财富分配方式、文化霸权还是日常生活,全球化无不显示了深刻的后果。全球化提出的问题全面地涉及经济学、社会学、伦理学、政治学和经济地理学,人们开始提交种种视域广泛的描述。这不仅是对于一个前所未有的历史景象予以考察;同时,这些描述背后迥异的理论姿态还隐蔽地表明,众多利益群体必将在全球化的图景之中重新认定自己的方位。

如同人们所预料的那样,现代性话语是描述全球化的一个强大的理论体系。启蒙主义、工业主义、历史目的论、理性、主体自由、进步主义等均是现代性话语的内在分支。现代性话语对于市场以及开拓精神的肯定已经隐含了对于全球化的期待,用阿夫里

·德里克的话说,全球化"在过去的十年里作为一种变化的范式——同时也是一种社会想像——已经取代了现代化"。现代性话语之中,全球/本土、现代/传统是一些褒贬分明的二元对立。正如德里克所发现的那样,"本土"或者"传统"这些概念时常被目为"保守"、"落后"的同义语,它们代表了蒙昧的、未开化的一隅。① 相反,全球化意味的是文明的现代世界。对于第三世界国家说来,真正地全面触摸全球化的现实还有待时日;但是,"全球化"这个概念已经在话语空间承担了某些重大的理论涵义,例如先进、发达、开放和文明社会。这个意义上,汇入全球化浪潮如同领取一张加盟现代世界的入场券。屈辱的近代史证明,现代世界曾经屡屡拒绝了中国。闭关锁国的策略、"东亚病夫"的形象以及意识形态的对抗都是中国游离于世界舞台的重要原因。现今,世界的大门自动地敞开了,全球化的现实制造了一个巨大的机遇——中国的经济与社会发展必将极大地受惠于全球化所提供的种种崭新的可能。在许多人的心目中,发达国家、现代性话语、全球化三者之间的关系即是民族理想、设计方案以及实现的环境三者之间的关系。

迄今为止,日新月异的科学技术为全球化的实现提供了必要的条件。科学技术不仅制造了信用卡、大型喷气式客机、越洋电话、国际互联网、电子传播媒介系统,同时,科学技术还极大地支持了人们对于全球化图景的想像。科学技术已经允许人们将全球视为一个可以控制的整体。必要的时候,科学技术可以任意地将人们遭送至地球上的任何一个空间。科学技术的神奇性必将纵容人们的进一步期待,人们无形地将科学技术视为解决一切问题的灵丹妙药。不论全球化的图景遇到什么挑战,进步神速的科学技术终将化险为夷。这时,科学技术业已转换为一种意识形态,一种构思未来世界的主宰观念。虽然哈贝马斯重新分析了科学技术的巨大历史意义,并且对于马尔库塞的悲观结论表示异议,然而,这种分析无法否认,科学技术业已充任一个分量沉重的筹码介入了世界政治的想像。② 在这个意义上,科学技术话语与启蒙主义等一系列基本观念共同构成了现代性话语的组成部分。如果说,一些理论家已经察觉到现代性话语内部隐藏的内在矛盾,③那么,另一些理论家时常乐观地许诺:未来的科学技术可能是缓和乃至解除这种矛盾的救星。

事实上，即使是一批对于全球化持有异议的人也无法否认全球化的必然性。但是，他们更多地注视种种乐观的许诺可能遮掩的问题。"谁的现代性？"——如同这句对于现代性话语的简洁质问一样，④人们同样有理由追溯"谁的全球化"。多数人倾向于认为，现今的全球化是以贸易联系的密切程度为标志。资本的快速流动与跨国市场体系的形成是全球化的首要层面。在这个意义上，全球化肯定不是一个浪漫的大同世界。资本与市场运作所遵循的游戏规则得到了全球意义的扩张。换言之，全球化是在一个巨大的范围之内复制资本与市场所具有的权力关系。这里，支配与被支配、主宰与被主宰以及种种激烈的角逐、争夺、反抗并未止歇，相反，一切都正在更大规模地展开。无可否认，市场原则是对于封建主义人身依附的解放，市场给予个人更多的自由；但是，市场并非一个完全平等的空间。资本的数额时常是市场之中等级制度的基础。如果市场的自由损害了游戏规则制订者的利益，平等的原则即会遭到权力部门的干涉。全球化极大地延伸了市场的半径，众多国家共同加入世界性的资本大循环；相对而言，海关对于人们活动范围的限制削弱了。然而，人们并不能将全球化想像为真正的个人自由。正像韩少功指出的那样，西方发达国家要求资本自由化和贸易自由化，但绝对不能容忍移民——即国际劳动力市场——自由化。为了避免失业的震荡，发达国家通常严厉地禁止第三世界国家廉价劳动力的涌入。⑤这时，人们可以清晰地察觉全球化背后既定的权力框架。

全球化为文化带来了什么？诸多文化体系的交汇是一个不可避免的后果。文化的国际性"接轨"让人兴高采烈。种种跨国的文化盛会仿佛象征了全球化时代的文化秩序。但是，即使没有"后殖民"理论的武装，人们仍然可以发现这些文化体系之间的不平衡：好莱坞、迪斯科或者可口可乐的入侵面积远远超出了京剧、太极拳与茶文化的出口，国际互联网上的英语占据了绝对的优势，比较文学研究之中的欧洲中心主义是一个挥之不去的顽症，西装领带全面地征服了传统的长袍马褂……这些文化体系并非和睦地同舟共济；相反，强势文化对于弱势文化的压迫、吞并与经济上的激烈竞争如出一辙，或者说，全球化时代的经济与文化时常形成亲密的共谋，利润、民族国家、文明水平、价值信仰这些核心概念均是二者所共享的。对于某些幕僚出身的知识分子说来，与其温情脉脉地幻想全球文化的大联合，不如老谋深算地考虑这些文化体系之间水火不容的前景。亨廷顿在他的《文明的冲突与世界秩序的重建》之中坦率地宣称：未来世界的冲突将是源于西方文明、伊斯兰文明与儒家文明之间的根本分歧。

全球化似乎是一个前所未有的开放。人们可以跨出国门，在一个更为宏大的舞台上表演。然而，全球化仍然不可能给出一个无限的空间。全球范围内，资源是有限的，生态环境的承受程度是有限的，市场也是有限的，这导致先发现代化国家与后发现代化国家之间不可调和的对抗。后发现代化国家并非推迟一步进入富裕的社会；许多时候，它们将因为推迟一步而永远丧失了机会。例如，如果中国的汽车普及率试图达到美国的现有水平，全世界的石油都将耗尽。这终将迫使人们意识到一个严峻的问题：如果全球化是一个巨大的历史事件，那么，是不是所有的人都有资格平均地享受这个事件？会不会出现这种情况——某些群体在这个事件之中最大限度地获益，而这个事件的所有代价却不由分说地倾倒在另一些群体头上？

在这个意义上，阎连科的《日光流年》如同一个可怕的寓言。这部小说将人们抛出现代世界，抛到了耙耧山脉深处的一个小村落：三姓村。三姓村从未参与政治势力的角逐与军事集团的对抗，也从未参与错综的现代经济竞争——三姓村从来没有得罪外部世界。然而，死神突然光临，而且驻扎下来不走了。不知何时开始，一种称之为"喉堵症"的不治之症潜伏于三姓村，四十岁是发作的最后期限。从天而降的悲剧扼住了所有人的喉咙。这迫使三姓村开始了反抗死亡的历史，挣脱死亡成为人们最为强烈的冲动——这是全村的凝聚，也是全村的负重。如果说，追逐财富是隐藏于现代社会背后巨大的经济冲动；如果说，这种冲动甚至是现代社会的基本动力之一，那么，三姓村农业文化的自然形态却是被强烈的求生渴望击穿了。四任村长率领村民前仆后继：倾尽全力地种油菜、换土、凿渠引水。命悬一线的时候，恐惧的动力是无与伦比的。尤其是第四任村长司马南——他在极为原始的条件下率众凿渠，穿越耙耧山脉六十公里，引来灵隐河水改变三姓村的水源。这个壮举背后掩藏了惨烈的代价：卖淫，卖皮肤，卖尽村中棺材、树木或者陪嫁迎娶的家当,征用农具,强行捐款,修渠而死的达到十八人。然而,可悲的是,沿渠而来的却是一注臭气冲天的污水:发黑的污草,泡涨的死鼠,灌满泥浆的塑料袋和旧衣裙、旧帽子,红红白白的死畜肚子——三姓村这时才意识到,思念已久的灵隐河早已变成了城市的下水道。

的确,三姓村这种偏远村落迄今仍然与工业社会无缘。三姓村从未享受工业社会的科学和技术——种种现代医疗技术并没有为三姓村提供正确的诊断;然而,工业社会的负面麻烦却不肯放过他们,例如环境污染。三姓村始终没有申请到进入工业社会的编制,但是,它却如此迅速地沦为工业社会的受害者。这就是现代世界为三姓村做出的定位。事实上,人们始终无法绕过这样的疑问:全球化的时髦叙事之中,分配给第三世界国家的只能是什么角色呢?

二

弗兰西斯·福山曾经论证了历史的终结。意识形态的对抗宣告结束,资本经济与消费文化正在制造一个同质的社会。全球化的现实似乎提供了有力的证据:资本与市场敲开了国界的大门,全球共同受制于它们的逻辑。然而,一些坚持左翼传统的知识分子不愿意轻易地附和这种论调。他们宁可坚持锐利的批判立场——尽管这种批判因为不合时宜而持续地滑向边缘。这些知识分子认为,全球化并没有人们幻想的那种普遍的解放,相反,全球化毋宁说将多数人边缘化。事实上,全球化仍然是一种西方的叙事,全球化的坐标来自西方的主导范式。他们在形容全球化的时候尖锐地使用了"帝国主义"的概念:"全球化不过是帝国主义的另一个名称";"西方的霸权指的不仅仅是全球化现象,而且还包括全球化概念本身。这一概念包含了一种本质主义的帝国主义的过程,它发端于西方中心,并扩展到被主导叙事称为边缘的世界其他地区。"⑥

这种全球化的历史叙事是不可抗拒的吗?一些左翼知识分子提出的地域政治试图打断全球化的叙事逻辑。相对于全球主义的语境,德里克引入了"地域"充当异己的他者。德里克意识到,人们所熟悉的文化时常成为禁锢地域的意识形态——地域时常被贬为从属于全球的落后角落,地域只有在全球化的历史之中才能获得普遍的意义。这个意义上,"全球化既包括地域又把它边缘化"。在德里克的构思之中,地域恰恰必须在全球化的结构之中产生离心的力量。地域可以"提供一个有利于发现全球化矛盾的批评角度","在任何情形中,地域概念对批判发展主义都是不可缺少的,并可作为其想像性选择方式"。地域因素的介入可能打乱全球化的既定步骤,"因此,谈论地域及地域理论指导的新型政治,也即在回答重组政治空间时对新方式的一种需要"。"地域已然成为开展新型社会、政治活动的场所。"按照德里克的考虑,地域精神之中表现出对于日常生活的关注有助于废除资本主义的过度发展所形成的人与自然的异化。所以,地域对于全球化的抵制包括如下内涵:

  它们涉及遍及世界的土著运动、生态运动及社会运动(主要是关于广泛的妇女问题的)——这些运动通过为对抗发展主义而重申精神、自然及地域的意义来表达基本的生存关注,还有致力于保护周遭环境的城市运动……⑦

  在另一个著名的左翼理论家弗·杰姆逊那里,"地域"时常被称之为"第三世界"——杰姆逊将第三世界想像为抵制资本主义总体制度的"飞地"。在杰姆逊那里,第三世界指的是受到殖民主义和帝国主义侵略的弱小国家;相对于第三世界的阵营是资本主义的第一世界与社会主义集团的第二世界。⑧根据谢少波的研究,杰姆逊对于第三世界的钟情是他对资本社会总体制度认知测绘的重要组成部分。全球化的现实已经生产出了一种新型的权力关系。这种权力关系意味了资本、市场、生产、销售的重组与再分工。这个过程中,落后的经济决定了第三世界只能扮演出卖廉价劳动力的被压迫者的角色。简言之,第一世界与第三世界的关系犹如阶级斗争学说之中资产阶级与无产阶级的关系。正像无产阶级具有一种清醒的革命意识一样,杰姆逊为晚期资本主义社会设定了一个激进的第三世界作为他者:"在全球规模重新启用激进的他性或第三世界主义的政治,从而在总体制度的空隙内建构抵制的飞地。"⑨

全球化的语境之中,什么是第三世界的文化特征?杰姆逊提出了"民族寓言"这个概念予以概括。杰姆逊意识到,贸然为林林总总的第三世界国家制造一个总体理论多少有些冒昧,他所关注的毋宁说是第三世界文化如何抗拒第一世界文化——"民族寓言"之中包含了第一世界文化的价值观所忽略的内涵:"这些文化在许多显著的地方处于同第一世界文化帝国主义进行的生死搏斗之中。"杰姆逊认为,第一世界文学"在公与私之间、诗学与政治之间、性欲和潜意识与阶级、经济、世俗政治权力的公共世界之间产生严重的分裂。换句话说:弗洛伊德与马克思的对阵。"相反,第三世界的知识分子具有一种奇特的集体意识。这些知识分子永远是政治知识分子。他们所表述的个人力比多包含了丰富的政治内涵。他们的作品之中,"关于个人命运的故事包含着第三世界的大众文化和社会受到冲击的寓言"。"第三世界的民族寓言是有意识与公开的:这表明政治与力比多之间存在着一种与我们的观念十分不相同和客观的联系。"⑩对于第三世界的文化说来,个别的文本凝聚了强大的民族集体意识——这一切构成了阻止全球化蔓延的重重坚硬障碍。

无论是德里克的地域还是杰姆逊的第三世界,这些设想旨在在资本主义的总体制度之中建立某些异端的空间。然而,人们或许可以察觉,这些革命故事的叙事人背后仍然不自觉地隐藏了一个西方的立场。这些叙事不仅明显地依附于西方学院内部的话语传统,更为重要的是,革命故事之中的主人公形象——"地域"或者"第三世界"——过于单纯了。如果观察者的目光来自遥远的西方,如果这种观察更多地是为庞大而骄横的西方文化找到一个迥异的他者,那么,地域或者第三世界就会被理所当然地视为一个整体。可是,如果进入地域或者第三世界内部,问题就会骤然地复杂起来。民族、国家、资本、市场、文化、本土、公与私、诗学与政治,这些因素并非时时刻刻温顺地臣属于某种统一的结构。事实上,许多左翼理论家所共同关注的中国即是一个不可化约的个案。

三

尽管杰姆逊关于"民族寓言"的概括十分有力,但是,人们如果没有将隐藏在这种概括背后的复杂故事——这些故事时常越出了杰姆逊的推理线索——陈述出来,第三世界在全球化结构之中的定位可能产生偏移。现代性的宏大叙事之中,第三世界的民族国家、个人、跨国市场三者时常呈现出交错的互动关系。某些历史时期,人们看到了个人如何汇集在民族的旗帜之下与第一世界的帝国主义进行"生死搏斗"的壮观图景。这一切业已被历史认定为民族的光荣。但是,另一些历史时期,第三世界之中的个人与民族并没有形成坚强的同盟从而将资本及其派生的文化逻辑拒之门外。现今,全球化的语境正在制造一系列新的历史条件;这时,人们不得不重新考察:曾经在上述复杂的故事之中扮演主人公的民族国家、个人、跨国市场之间出现了哪些前所未有的关系?在我看来,了解这种关系也就是考察第三世界如何作为一个真实的历史主体活跃在全球化的语境之中。

中国版本的现代性叙事之中,民族国家与个人之间具有某种奇异的张力。正如安东尼·吉登斯指出的那样,民族国家是现代社会的基本标志;⑪中国的现代民族国家意识更多地是在帝国主义列强的欺压之下形成的。这种民族国家意识形态是现代意识之中不可或缺的组成部分。另一方面,五四新文化运动的一个重要主题是个性解放。个人与自我是冲破传统封建社会重重枷锁的嘹亮号角。如同许多文学史著作所描述的那样,个性解放是"现代文学"的一块不朽的里程碑。然而,如果说民族国家不可避免地包含了限制与规训个人的权力机制,那么,所谓的个性解放还能走出多远?

汪晖在他的中国现代思想史研究之中解构了这一对矛盾。《个人观念的起源与中国的现代认同》一文认为:"中国现代思想中的个人观念是作为所有普遍性概念——如'公理'、'国家'、'团体',等等——的对立物来界定自己的,然而,如果我们把个人观念置于近代中国的语境中来观察它的起源和运用,我们会发现,这种对人的自主性、独自性和惟一性的强调恰恰以那些普遍性观念所要解决的问题为其目标。"⑫换言之,个人的解放乃是群体、社会和国家真正解放的条件之一。民族国家是个人背后的更为基本的单位。所以,刘禾断言:"五四以来被称之为'现代文学'的东西其实是一种民族国家文学。"⑬五四新文学之中,民族国家的强盛之梦时常潜入；三四十年代，因为抗议异族的入侵，文学对于国家话语的表述空前强烈。表面上，救亡图存呼号遮盖了个性解放的声音，在更为深刻的意义上，二者是一致的。这时，启蒙主义话语、"国家兴亡，匹夫有责"的传统意识和被压迫民族的屈辱与抗争获得了某种历史性的统一。

可以预料的是，民族国家充当了最为深刻的基本单位之后，第三世界的国家已经无法逃离现代性的叙事逻辑。为了保持维护民族国家的国防军事力量，某种竞争性的工业进程不可避免地开始了。吉登斯说过："军事工业化是一个与民族－国家兴起相伴的关键过程，也正是它型构了民族－国家体系的轮廓。"⑭如果弱小的民族国家企图保持独特的地域政治——即使只是企图阻止经济侵略，它们也必须拥有足以与对方抗衡的实力。国际关系之中的实力原则很大程度地规约了人们对于民族国家的想像。在这个意义上，现代性话语几乎是一个必然的选择——现代性话语显然包含了国富民强的许诺。人们在这里察觉到一个悖论：全球化的结构之中，如果"地域"或者"第三世界"有能力表示某种地缘政治的意愿，那么，它们就不得不在某些方面遵从和融入第一世界的发展逻辑。中国近代史上，"以夷攻夷"、"师夷长技以制夷"的方案以及对于"船坚炮利"的向往无不证实了这种悖论。

另一方面，民族国家充当了最为深刻的基本单位之后，围绕国家机器产生的权力机构得到了名正言顺的扩张——这种扩张在许多时候可能以牺牲个人权利为代价。这是一种可悲同时又常见的异化。如果说政治学或者社会学时常与民族国家保持相近的立场，那么，文学切肤地感受到了这种异化。主编"百年中国文学总系"的时候，谢冕清晰地察觉到这种异化如何日复一日地沉重。谢冕在《总序》之中指出：中国近现代史上一系列丧权辱国的悲哀是中国百年文学的大背景。这决定中国文学不得不拒绝游戏、放逐抒情而表达怒吼与哀痛。危亡时势之中的文学充当了疗救社会的药方，"在从改造社会到改造国民性中起到直接的作用"。这带来了一个必然的后果：

……文学的目的在别处。这种观念到后来演绎为"政治标准第一，艺术标准第二"就起了重大的变化。而对于文学内容的教化作用不断强调的结果,在革命情绪高涨的年代往往就从强调"第一"转化为"惟一"。"政治惟一"的文学主张在中国是的确存在过的,这就产生了我们认知的积极性的反面——即消极的一面。不断强调文学为现实的政治或中心运动服务的结果,是以忽视或抛弃它的审美为代价的:文学变成了急功近利而且相当轻忽它的艺术表现的随意行为。⑮

按照谢冕的考察,这种文学表现出三个基本特征:"一、尊群体而斥个性;二、重功利而轻审美;三、扬理念而抑性情。"显而易见,这不仅是文学经验的描述,这毋宁说是意识形态的总体特征。所有的个性都在民族国家至上的原则之下销声匿迹。在这个意义上,80年代的中国文学的确重申了个性解放的主题。启蒙话语制造的乐观气氛之中,"主体"成为一个众人景仰的概念。如果说,文学的运行通常与社会科学制造的语境息息相关,那么,自由经济与市场是80年代文学为自己设计的理想环境。至少在那时,"市场"概念背后的一系列社会关系还未真实地浮现,资本、竞争、垄断、支配与被支配、失业、经济危机、拜金主义——这些市场的派生物还暂时冻结在某些陈旧的理论体系之中,换言之,80年代话语空间的"市场"概念更多地表述了"解放"的涵义:市场意味着脱离了权力关系的束缚,个体在市场所创造的空间自由地翱翔。许多人不是对这种自由渴慕已久了吗?

市场神话的破灭是在市场逐渐成为日益迫近的现实之后。进入90年代,市场不再是一张理论地图,市场即是人们伸手可触的社会环境。这时人们才清醒地意识到,市场并非浪漫想像的产物。首先,市场对于创造性以及坚韧、精明、实际操作能力的苛求远远超出人们的估计;另一方面,市场的激烈竞争制造了大批的失败者——其中包括某个行业的失败而导致的大幅度裁员。不论人们是否认可市场的游戏规则,这已经是一个无可否认的事实:市场给予个性的自由十分有限。市场包含了另一种权力关系,只不过这种权力的象征从某些机构转向了资本。某些时候,市场的权力关系以及产生的利润可能得到民族国家的认可与分享——前者并未形成瓦解后者的威胁。如同德里克观察到的那样,一些第三世界的民族国家并没有对跨国资本表示敌意,相反,它们更乐于为全球主义的来临提供方便。⑯这个意义上,杰姆逊的"民族寓言"已经变调;人们不得不继续追问:第三世界内部,谁是批判理论的主体?

四

不言而喻,全球化的语境之中,文化认同是一个至为重要的问题。许多人心存疑虑:跨国市场的前锋过后,接踵而来的是不是民族文化的危机——是不是所有的民族文化都要穿上统一的制服?许多时候,文化认同不可避免地与民族主义联系在一起。一个社会成员的日常社交仅仅数百人,他有什么理由想像自己可能与数亿从未谋面的社会成员组成一个民族共同体?这时,民族文化乃是这种想像的基础。共同的语言,共同的宗教信仰,共同的价值观念,共同的神话传说和共同的风俗、服饰、饮食、建筑——总之,共同的文化传统成为一个民族的粘合剂。吉登斯认为,民族国家"这个统一体不可能纯粹是行政性的,因为它所包含的协调活动预设了文化同质性的因素"。他甚至描述了某些文化与民族主义相互联系的基本策略:"民族主义理念都倾向于把'故土'的概念(就是说领土权的概念)与起源神话联系在一起,就是说,赋予那种被认为是这些理念载体的共同体以文化的自主性。"⑰进入全球化时代,文化之中的民族涵义日益彰显。这无疑是对异族文化的压力进行抵抗;在更为深刻的意义上,这时常表现为国家主权的象征性发言。

并不是所有的人都对这种表彰民族的文化主题表示赞同。民族主义之中的狭隘、保守以及某种危险的狂热令人担忧。因此,一些理论家更多地呼吁:跨越民族的边界,奉行世界主义——例如杜威·佛克马。佛克马提倡的是一种"新世界主义"。在他那里,"新世界主义"来自一个基本的假定:"在所有文化中,在所有文化成规系统中,我们至少可以假设一种一切文化都共有的成规。"⑱——佛克马以文学为例论证了多民族谋求共识的可能。

的确,人们没有理由辜负这种良苦用心——但是,棘手的问题在于,敞开民族的文化边界并没有带来和睦的文化大同。世界性的文化拼盘之中,各个民族文化所占有的份额十分悬殊。人们可以从这种文化拼盘之中清晰地看到权力关系的投影,看到中心与边缘的差距。例如,对于比较文学说来,英语写作所得到的重视是其他语种所无法比拟的。一旦涉及文化市场的争夺,权力之间的角逐更为激烈——电影的进出口时常是文化谈判与经济谈判相互交叉的一个重要项目。第一世界的大国无疑是这种权力角逐之间的优胜者。事实上,一些理论家已经激愤地将第一世界国家的文化扩张形容为"文化帝国主义"。⑲

然而,如果人们因此认为民族文化永恒地守护着一个民族的本质,如果人们因此认为关闭文化的大门就能逃离全球化所带来的种种夹击,那就落入了本质主义的陷阱。本质主义的基本假定是:一个民族具有某种恒定不变的本质,例如"中华性"、"法国性"、"英国性"等等,这种本质是坚拒异族文化的中流砥柱。这意味了将民族抛出特定的历史,虚构了一个抽象而悬空的"本土"。本质主义与国粹主义往往仅有一步之遥。韩国——一个仍然承受着分裂痛苦的国家——的理论家白乐晴是一个民族文学的积极倡导者。但是,他曾经清醒地表示:"这种民族文学论,与将民族规定为某种永久不变的实体或至高无上的价值作为出发点的国粹主义文学论以至文化论不同。"⑳换一句话说,如果一个民族制造了某种"民族本质"的神话掩护自己悄悄地撤出历史的脉络,那么,这个民族肯定无法成为立足于全球化之中的民族。

如同许多理论家所说的那样,民族的文化、民族的历史是一种持续的建构。民族文化与民族历史的特征不是某种自我规定,这些特征取决这个民族与其他民族的相互关系——取决于这个民族与其他民族之间的交往、比较、对抗、竞争、排斥、吸引,这一切必须发生在具体的历史网络之中,来自多种力量的交织互动。换言之,一个民族自身历史的建构取决于它如何参与多民族之间的历史。《东方学》出版16年之后,爱德华·赛义德为这部产生了广泛影响的著作写下一篇"后记"。他在"后记"之中重申了《东方学》关于民族文化建构的基本观点:

> 每一文化的发展和维护都需要一种与其相异质并且与其相竞争的另一个自我的存在。自我身份的建构——因为在我看来,身份,不管东方的还是西方的,法国的还是英国的,不仅显然是独特的集体经验之汇集,最终都是一种建构——牵涉

到与自己相反的"他者"身份的建构,而且总是牵涉到对与"我们"不同的特质的不断阐释和再阐释。每一时代和社会都重新创造自己的"他者"。因此,自我身份或"他者"身份绝非静止的东西,而在很大程度上是一种人为建构的历史、社会、学术和政治过程,就像是一场牵涉到各个社会的不同个体和机构的竞赛。㉑

这不啻于认为,一个民族——尤其是第三世界弱小民族——必须积极地与全球化语境所制造的种种"他者"进行对话;这些对话恰恰是一个民族自我定位的参照。如今,"对话"已经是一个时髦的字眼,这个字眼表明了一种开放的姿态。但是,在我看来,民族对话的意义远远不止于某种沟通或者互相了解,也远远不止于出示某些地域性的奇风异俗招徕猎奇者。白乐晴曾经尖锐地指出:"土俗性可以是民族抵抗的最后据点。"㉒毫无疑问,种种民族性的地域文化不是拒绝现有的文明而倡导某种原始的,甚至是茹毛饮血的生活方式。首先,这些地域文化的存在是对全球化产生的某种同质的、一体化的强势文化表示抗拒,地域文化代表了尚未被征服的个性——地域文化的不屈姿态象征了争回的一种权利;其次,这些地域文化表象背后隐藏的价值观念出示了异于现代性话语的向度,它可能启示人们从某一个角度反思现代性叙事的历史,显现这种叙事之中的潜在裂缝,并且为理论想像另一种文化空间提供燃料。这样,地域文化已经具有了全球的意义。

现在,人们终于可以从抽象的理论跋涉回到中国文学。

80年代中期,"寻根文学"是一个显赫的文学事件。尽管一些人仍然沿袭"越是民族的就越是世界的"口号予以解释——尽管这些解释之中不可避免地隐含了对于"世界"的迎合,但是,"寻根文学"之中的一批小说——例如《棋王》、《树王》、《爸爸爸》、《老棒子酒馆》、《最后一个渔佬儿》等——毋宁说向西方世界开启了另一些窗口。当然,传统的儒、道、佛仅仅是民族文化的一部分;更多的时候,人们可以从偏远的山村发现种种独特的文化姿态。或许,刘亮程的散文㉓是晚近的一个例证。这批散文之中浮出了一个人们久违的世界:衰老的狗,草根底下的虫子,偷运麦穗的老鼠,滚粪球的蜣螂,刮走一切气味的风和被大风刮回来的榆树叶……这批散文之中只有一个人物——一个扛柄铁锨闲逛在田野之中的人物。这批散文之中没有复杂的计算,这里的思想透明而又质朴。这个扛铁锨的人从容不迫地陈述种种有趣的冥想和自然的奥秘,悠然地行走在旋风般打转的生活之外。这些散文无法引诱人们而重返扛一柄铁锨的世界,可是,人们不得不意识到一个奇怪的现象:许多人已经拥有了远比铁锨先进的轿车、飞机和豪华住宅,为什么他们反而陷入莫名的现代焦虑?现代历史的哪一部分出了问题?刘亮程的散文之中仅仅出现了一个称之为黄沙梁的小村落,但是,他的提问却进入了全球化的语境。

五

"地球村"是一个令人激动的术语。对于一个长久地蜷缩在封建帝国名义之下的民族国家说来,全球化仿佛是一个即将来临的良辰美景。许多人对于全球化充满了期待:全球化似乎是奔赴经济与文明的盛宴,是进入发达国家的直通车。全球化甚至包含了莫大的解禁快意——闭关锁国的时代终于结束了。人们兴致勃勃地推测:未来的"地球村"之中,不同肤色的世界公民可以平等地共享种种高科技所创造的眼花缭乱的伟大成果。

这些温情脉脉的幻想可能使人们对于全球化的现实问题失去了思想准备。至少在目前,全球化方案并没有取消民族国家、民族文化、各种利益阶层以及各个地域之间的差异。相反,全球化是在全球空间的范围内对于这些单位的利益进行重新分配。全球化的语境之中,某些新的差异可能取代旧的差异,但差异并没有消失。这些差异并非美学性的——全球化的意义并非让不同的民族更为迅速地传递屈原和莎士比亚,或者彼此欣赏毕加索和张大千。全球化的意义首先是全球市场。因此,这些差异是竞争性的,而且,经济的竞争时常与政治竞争密不可分——的确,迷恋差异美学远不如谈论差异政治。

这里,提到了差异美学并非偶然。人类的确有理由自问:为什么民族国家与民族国家之间不能在美学的意义上彼此欣赏?为什么不能中止民族国家之间的种种紧张关系,回到快乐原则之上?为什么不能削减军费,放弃军备竞赛,利用这些资金保护生态环境和历史文物，或者缓和贫富分化？为什么某些巨富已经拥有世界财富的一大部分，他们还要在商场之上锱铢必较？为什么不能压缩劳动的时间和强度而宁愿捐出大笔的利润作为慈善基金？如此等等。常识的意义上，这是一些显而易见的提问；然而，对于现代性叙事而言，这些提问却如同天方夜谭。根据工业主义、资本、市场、竞争、对抗这条逻辑，这些提问只能遭到理所当然的否定。这条逻辑如此有力，以至于任何国富民强的愿望都不得不纳入它的模式。

对于现代性叙事、全球化语境以及福山式的结论，现今的中国有否可能表现出某些独特的姿态？第三世界发展中国家的身份，悠久的民族文化传统，一个多世纪反复曲折的痛苦经验，巨大的市场、众多的人口和有限的资源，对于发展模式的持久考虑以及对于现代性问题的反思，极为强大而真实的渴求发展、渴求富裕的冲动，前现代、现代、后现代诸种文化因素在同一个空间的复杂交织……这些因素的综合是否隐含了某些前所未有的历史机会？全球化语境所制造的文化视野是否同时开启了抓住这些历史机会的可能？某种中国式的现代化是否可能挑战西方版的现代性叙事？

这样，我很乐意提到张旭东的论文《后现代主义与中国现代性》。显然，张旭东意识到了中国历史脉络内部的多重纠葛，意识到中国的"现代性"还将以不同的形式反复地出现，但是，后现代主义式的"反总体论"、"反宏大叙事"、反本质主义和价值相对主义无不包含了某种深刻的理论指向。在张旭东那里，这种"后现代"不是对于西方后现代话语系统的移译，不是试图同发达国家的学术话语衔接从而积累某种符号资本，相反，张旭东所谓的"中国后现代"指的是挣脱现代性叙事的某种理论想像："我们对'现代'、'自我'和'他人'的理解，我们对未来的想像，都可以放在这个新的历史背景和思想背景上来看。这在世界史和文化史的层面上暗示了后现代主义话语的潜在的解放性。"目前，中国的经济改革、政治体制、社会形态、文化风格均突破了经典的现代性框架，处于一种奇特而又微妙的无名之境。这时，后现代理论的不稳定性、无中心、多样化意外地显出了巨大的理论潜力。因此，"中国后现代"的"基本问题是把当代中国不但视为世界性'后现代'历史阶段及其文化的消费者，同时也视为这种边界和内涵都不确定的历史变动的参与者和新社会文化形态的生产者"。㉔换言之,这里所谓的"后"是逃出现代性话语之后所赢得的一个开放性的历史空间。

　　这些表述显得模糊、抽象甚至空洞。可是,在另一种意义上,模糊、抽象和空洞恰恰预示了闪烁未定的历史前景。现代性的叙事框架之内,许多方面的未来发展已经可以诉诸精确的公式和数字统计;这时,另一些向度的思辨性理论和概念突然插入,扰乱了既定的逻辑并且形成了一个进入别一种历史空间的缺口——模糊、抽象和空洞可以视为既定逻辑中断的症候。目前为止,人们还无法更为清晰地描述"中国后现代"这样的命题,然而,人们至少有理由承认,这种理论想像或许隐含了某些前所未有的契机。如果愿意表示某种程度的乐观,这即是乐观的所在。

注释:

① 参见阿夫里·德里克《全球性的形成与激进政见》,《后革命氛围》,中国社会科学出版社1999年,第3页,第11页;《全球主义与地域政治》,刊于《中国海南"生态与文学"国际研讨会发言摘要》。
② 高亮华《人文主义视野中的技术》,中国社会科学出版社1996年;哈贝马斯《作为"意识形态"的技术与科学》,学林出版社1999年。
③ 汪晖《韦伯与中国的现代性问题》,《汪晖自选集》,广西师范大学出版社1997年;《当代中国的思想状况与现代性问题》,《天涯》1997年第5期。
④ 汪晖《韦伯与中国的现代性问题》之第一节的标题即是"谁的现代性?"。
⑤ 韩少功《国境的这边和那边》,《天涯》1999年第6期。
⑥ 查尔斯·洛克《全球化是帝国主义的变种》,欧阳桢《传统未来的来临:全球化的想象》,均见王宁、薛晓源主编《全球化与后殖民批评》,中央编译出版社1998年。
⑦ 德里克《全球主义与地域政治》,《后革命氛围》第48、39、47、51、54、53页。
⑧ 参见弗·杰姆逊《处于跨国资本主义时代中的第三世界文学》,见张京媛主编的《新历史主义与文学批评》,北京大学出版社1993年,第232～233页。
⑨ 谢少波《抵抗的文化政治学》第五章,中国社会科学出版社1999年,第123页。
⑩ 同⑧,第234、235、240、245页。
⑪ 参见安东尼·吉登斯《民族—国家与暴力》导论,三联书店1998年。民族与国家并不能完全等同,这里无法更为详细地分辨,因而沿用常见的"民族国家"这一术语。

⑫ 汪晖《个人观念的起源与中国现代认同》,见《汪晖自选集》,第 43 页。
⑬ 刘禾《文本、批评与民族国家文学》,见《批评空间的开创》,东方出版中心 1998 年,第 295 页。
⑭ 同⑪,第 5 页。
⑮ 谢冕主编的《百年中国文学总系·总序》,山东教育出版社 1998 年。
⑯ 同⑦,第 51 页。
⑰ 同⑪,第 264、260 页。
⑱ 杜威·佛克马《走向新世界主义》,见《全球化与后殖民批评》,第 252 页。
⑲ 汤林森《文化帝国主义》,上海人民出版社 1999 年。
⑳ 白乐晴《为了确立民族文学之概念》,《全球化时代的文学与人》,中国文学出版社 1998 年,第 211 页。
㉑ 爱德华·赛义德《东方学》,三联书店 1999 年,第 426 页。
㉒ 白乐晴《民族文学的现阶段》,《全球化时代的文学与人》,第 40 页。
㉓ 这里例举的刘亮程散文刊于《天涯》1999 年第 5 期。
㉔ 张旭东《后现代主义与中国现代性》,《读书》1999 年第 12 期。

原载《文学评论》2002 年第 2 期

姚新勇

世纪的焦虑：全球化、文化认同、中国、民族主义……
——关于中国文化特性/认同思考的反思

这个长长的题目，并不表明笔者怀有一种无所不包的狂妄，想在一篇文章中把所有相关的问题一网打尽。相反，它却恰恰说明了当下思考中国文化问题的空前复杂性和笔者的困惑。我这里所欲思考的主题，或可以算是近几年来备受文学批评界关注的全球化状态下的中国文化的问题。作为一个从事中国现当代文学的科研教学的工作者，似乎自然也应该从狭义的文学－文化角度去思考这方面的问题，而不应该写下这样一个相当复杂且跨学科的题目。但是有两个理由决定了本文的思考不能只局限于狭窄的范围，而要将反思的视域扩展得更宽。这两个理由一是，文学－文化界对中国文化特性/认同（identity）的焦虑，不是个别孤立的现象，而是现实性的中国危机（这在某些人看来，可能不无夸张）的文学侧面的反映；若用不夸张的、中性语言表达，它则是全球化状态与中国文化特性/认同问题的一个侧面。理由二是，不仅狭义的文学－文化视角对此问题的审视存在相当的局限，而且其他视角也各自存在不同的局限，但它们彼此的长处、缺陷和不同侧重点，则又可以相互对照。

一

有关中国文化的特性/认同的当代焦虑，大约起自1990年代初，而且起初主要是由文学批评界表现出的。这种焦虑大致是围绕以下这些关键词来展开的："第三世界文学"、"中华性"、"东方主义"、"后殖民主义"、"全球化"。高度概括地说,这个展开的过程中主要出现了以下几方面的观点:一是在片面甚至误读第三世界批评、后殖民主义理论、现代性反思理论的基础上,鼓吹以第三世界、东方性、中华性的名义,同西方殖民主义和帝国主义的文化霸权相抗争;二是由世界性的全球物质文化和科技文化的全面扩张所引起的传统人文文化的危机,联系到中国人文文化的危机;三是将随全球化而来的文化危机,视为以美国文化为代表的西方文化在世界范围的急剧扩展,由此而导致的对包括中国在内的第三世界国家文化、东方文化的毁灭性灾难,并由此而产生中国文化特性/认同的焦虑。由上述几方面的观点,也引发了一些不同的争论。除此而外,是一些或简单或细致地介绍和辨析相关西方理论的文章。对于上述文化言说的整体情况,已有人从不同的角度做了梳理,并指出了其中所存在的一些问题。所以,我不准备在此处复述。我想指出的是,人们对相关讨论中存在的两个最主要的缺陷,则还没有明确、突出地提出,更缺乏正面的分析。第一个缺陷是,这些文学—文化批评的言说,都没有正视中国存亡的危机与中国文化特性/认同焦虑的内在联系。也就是说,它们没有正面、直接地从国家与文化的关系去思考问题。第二个缺陷是,缺少对中国民族文化特性/认同的强调与中国本身的多民族性特点之间矛盾的认识。而这两个问题,正是在更大的范围审视各种相关言说的连接点之一。

文学批评界所忽视的第一方面的问题,在一些"政治学"的文化言说中,却受到了极大的关注。或者更确切地说,在这些人看来,中国作为一个主权国家,所面临的被肢解、被摧毁的可能性,是中国当前最大的危机所在。因此他们明确打出"民族主义"的旗号,抨击以美国为首的西方势力,号召为保卫中国而战。这一派最突出的代表就是王小东,而最能显示该派集体力量的书,就是《全球化阴影下的中国之路》。在王小东们看来,中国虽然面临着诸多内外矛盾,但最为致命的一对问题是:在外,美国等西方大国亡我之心不死,想方设法肢解中国;对内,中国知识界(尤其是被冠以"保守主义"、"自由主义"的那些知识分子)盲目地崇尚美国,认为美国天然是无私、公正、讲道德的,一切惟美国为是,片面强调西方宪政制度的普遍性价值,对西方反华势力的阴谋,或不闻不问,或熟视无睹。王小东们之所以认为中国和美国之间的冲突难以避免,最根本的原因是地球生存空间的有限性。王小东说,现在世界上的国家大致可以分成三类:1.已经发达的国家(包括俄罗斯),2.发展潜力不大的国家,3.现在尚不发达,但发展潜力庞大的国家。在这三种国家内,哪类国家最容易与美国势力范围发生冲突并遭到排斥呢。显然是第三种。因为首先,排斥已经发达的国家是十分不容易的,要付很高的代价;其次,已经发达的国家虽然分享财富、占用资源较多,但它们的增长速度已经放慢,不易产生突增的额外压力。因此,保持现状是较容易的,也是可取的。不用被排斥。而第二类国家,由于发展潜力不大,不排斥它们,它们也不会有多少能力通过经济竞争来分享财富。但是那些第三类国家有可能出现极高的经济增长速度。这在无限增长的前提下将是带动全球经济的火车头,但在有限增长的前提下却会带来陡增的经济环境压力。因此它们必定要在地球这个有限的空间内,与美国势力范围发生冲突,并时刻面临着被它们肢解的危险。而中国恰恰就正是最大的第三类国家。

既然,中美之间的冲突不可避免,那么中国应该怎么办呢。王小东们认为,除了继续发展壮大中国的国家力量之外,现在的当务之急是要提倡一种民族主义,要建立一种尚武精神。这种尚武精神诗意的表达就是李白的《侠客行》中的那种侠客精神:所谓"三杯吐然诺,五岳倒为轻","十步杀一人,千里不留行"。当代中国国家精神的矮化,已经到了相当严重的程度,如果不以这种民族主义的尚武精神,改变中国国民精神的矮化状态,中国不要说发展、强大,恐怕仅仅连生存都难以维持。很明显,王小东们也是在思考中国的文化危机问题。不过他们不像文学批评界的文化言说那样抽象:他们所指出的国家和民族精神的危险是很具体的,他们所提出的相应文化对策——尚武的民族主义文化的特性/认同——也是很明确的。这无疑对更明确、具体地思考中国、中国文化的危机是有参考价值的。

二

笼统而言,王小东们的文化民族主义言说,遭受到的最严厉的批评来自于了他们一再批评的所谓的自由主义思想家们。不过由于实际被归为自由主义者的构成是相当复杂的,因此,在思考这两者的理论争锋时,需要进行更细致、分层次的辨析。同理,下面我可能仍然要用到自由主义这个泛称,但这更多的是出于一种习惯性的方便,而并不是把他们做实质性的整体来理解的。

首先王小东们的民族主义理论,很容易被视为国家集权主义,与纳粹德国和中国的"文革"联系在一起。而这样一种性质的政治理论和文化理论,在那些自由主义的学者们看来,显然同中国正在进行的市场经济体制和政治体制民主制度建设的努力是背道而驰的,是在把中国重新往过去封闭、专制的老路上拉。因此持自由主义观点的学者认为,中国的最大危机,并非是外部的威胁,而是传统体制还未得到真正彻底的改造,良性稳定的宪政民主制度还远未建立起来。因此,当前中国最主要的任务,就是要在进行公正、自由的市场经济体制建设的同时,加快政治体制的改革,不断拓展超越政府、国家直接控制和制约的社会公共空间,最终在中国建立起完整系统的自由市场经济体制和宪政民主代议制度。因此,民族主义和自由主义在国家权力的问题上,正好持相反的态度。前者主张加强国家的权威,以应对外来的威胁,后者则主张削弱国家的权力,拓展公民的权利空间。

"文革"阴影犹存,开放、商品经济建设是社会的主旋律,在这样的语境下,无论王小东们是否真的对国家极权主义抱有警惕,他们都不能不应对自由主义思想家们的质疑。于是王小东提出"民主主义"的观点来补充民族主义。用他的话高度概括就是:"人权是目的,族权是手段","要外争国权,就必须内修人权"。如果仅从这样的宣言来看,王小东似乎重国内的民主制度的建设强于重民族主义的追求。但实质上,他并没有回答,究竟应该建设怎样的民主制度,怎样避免或尽量减少民族主义的实践将可能对公民权利带来的损害。显然这样的问题,是不能以专有所长、学有所短为借口,一笔推开的。

就国家与文化的角度而言,秋风对民族主义的批判可能要算是最猛烈的了。秋风在《知识分子为何拒斥全球化?》中,把全球化实质性地理解为一种进步、客观、不可阻挡的历史发展趋势。认为凡是可以跟上历史前进步伐的民族或个人,都不会惧怕全球化挑战,反之,只有那么些跟不上历史发展的、面临市场自由竞争淘汰的二流人文知识分子们,才对全球化忧心忡忡。他们同那些将企业竞争的危险上升到国家安全高度的国有企业的垄断者一样,从所谓的民族精神、从精神存亡的高度来批判外国文化、知识、娱乐进入中国,以保卫民族文化为招牌,来拼命地维持已受到全球文化一体化威胁的文化垄断者和心灵垄断者的位置。而历史事实已经证明,国家不仅不是文化多样性的守护神,反而是多元文化的弑杀者。与国家对文化的摧残相比,以西方文化为主导的全球化,不仅未必会抑制、消灭本土的多样文化,相反全球化可能正是文化多元化的福音:它将冲击、消解强制性的国家主流意识形态文化,把那些被压制的边缘文化、少数民族文化解放出来。归根结底,"惟一可以维持文化多样性,给少数种族和亚群体以自由竞争的空间,而又不使之过分凸现个性从而陷入冲突的制度安排,可能就是自由宪政制度。这种制度能使民族国家内部的不同文化群体的价值、生活方式都获取公正的发育成长空间。"而这正是秋风的另一篇文章——《国家、全球化与文化多样性》所推导出的结论。可以说,这是我在国内各种媒体上所见到的讨论中国民族国家与本土文化多样性矛盾关系的最尖锐的观点。

  可以从两个方面来分析秋风文章的尖锐性。首先,这种尖锐性恰恰更清楚地暴露了王小东们对一些自由主义者的批评。他们过于简单地认同了西方资本主义的理论,把西方的制度、西方的文化、西方的价值标准和道德准则,都普遍化、客观化、理想化了,从而完全臣服于美国、西方的主流意识形态,放逐了对中国国家主权和民族危机的思考。客观地说,在相当程度上实际上担任了西方反华势力的文化代言人。但是另一方面,秋风的尖锐也的确击中了民族主义的要害,即他们都缺少对中国民族文化认同的强调与中国本身的多民族性特点之间矛盾的认识。这是那些文学-文化批评言说的重要缺陷,更是文化民族主义理论的阿基琉斯之踵。尽管王小东为他的民族主义找了很多的理由,但其最基本理由就是,在当今这个有限的生存空间中,惟一能够把中国人聚集起来以抵抗外来威胁的东西,不是所谓的中华传统文化,而是民族主义,因为它是以鲜明的种族差异的生物学基础为前提的。一个中国人可以完全为西方文化所浸透,如讲英语等等,但如果他想把自己与西方人的身体差异也消除掉,那恐怕需要许多代的混血。因此这难以消除的体质生物学特质,既是一个中国人很难被白种人接受的基本原因,又构成了中国人之间彼此认同的天然民族标志。也许我们不能完全否认这一点,但如果将此套用到中国内部,则至少是一种汉族中心主义的观点。以此推论,种族生物体质存在明显差异的维吾尔、哈萨克、蒙古族、汉族等,还能同时被视为中华民族的成员吗?问题分析到这个程度,可以说,王小东们的民族主义的文化精神建设,是一种比文学-文化范围中的中华文化的重建之言说更褊狭的文化危机的应对策略。

三

王小东们的中国民族主义认同中所存在的问题,从逻辑和理论上,似乎可以参考哈贝马斯的"宪政爱国"主义的理论。哈贝马斯无疑是中国当下自由主义的一个重要理论来源之一,我把他与王小东这样相当狂热的民族主义者拉在一起,似乎有些不大恰当。其实,这并非是硬拉郎配,如果我们还承认,爱国主义在当下还是有必要的,如果我们还承认,爱国主义并不一定要走到排他性的极端民族主义,还承认自由主义并不一定与爱国主义相排斥,那么,这种联系就是不无意义的。实际上,在一些当下的自由主义的具体言说中,爱国主义问题已然进入其中,只不过由于主流自由主义过度强调自由市场制度的建设,过度强调政治宪政民主制度的建设,而不恰当地忽略了在这两种建设进程中,所蕴含的中国国家主权倾颓的危险,从而造成一种爱国主义与自由主义两不相容的假象。这种假象,不仅客观上迷惑了公众的视听,而且也惑乱着他们自身。朱学勤就是例证之一。

被视为"新左派"对立面的中国自由主义,被染上相当浓的保守主义的色调,实际并非如此。且不说不少自由主义学者,从西方世界借用理论和制度范式大胆套用中国实际的做法,与哈耶克式的保守自由主义相去甚远;就是他们中的不少人,原本就不是文化保守主义者,而一直是批判精神相当强烈的思想解放的斗士,朱学勤就是其中突出的代表。这点并不难证明,只要读读他论卢梭的博士论文,读读他的《寻找思想史上的失踪者》,就可以一目了然了。如果说得更准确的话,近十年来,朱学勤可以说一直在用理性、平和的自由主义理念,调整自己心中的批判激情、浪漫激情,甚至是革命激情。这种调整的结果,是使其许多文章显得更为理智、冷静,但也存在扭曲正常的思维和理念追求的情况。

2000年5月,朱学勤为斯德哥尔摩大学"面对新千年的中国文化"学术讨论会所提交的论文《从明儒困境看文化民族主义的内在矛盾》,以顾炎武、黄宗羲、王夫之三大明儒为代表,讨论了一个所谓的"明儒困境",即他们从坚持保文化中国的文化民族主义的自矜,最后坠向政治犬儒沦为汉奸的反复转变。由此指出,文化民族主义的可疑性。朱学勤对这一文化民族主义的内在矛盾的思考,向上回溯到孔子,往下更怀疑为中国历史上多汉奸的文化原因之一。朱学勤的这种推论是否存在这样两个问题:第一,从文化人的思想行为史中所做的逻辑推论,是否会具体影响到民众爱国还是爱文化的心理之产生?第二,是否他自己内心对爱国的过分强调,从而"臆造"出了一个爱国还是爱文化的二难选择?因为,在孔子那里,所谓的夷狄之辨主要在文化意义,而非民族(种族)之别,更非国家与国家之别。尽管发展到明清之际,国家之别的含义大大加重。当然,朱学勤也承认这些差别,但是,他可能在不自觉中犯了偷换概念(逻辑)的问题:即一方面,他指出孔子先文化后国家之意念存在,另一方面,他又把其视为导致二臣或汉奸多出的文化原因。而之所以能做出这样的推论,还是因为他自己在心中有强烈的现代国家观念,甚至是现代爱国之观念,也就是说,他的现代国家意识,帮助他建构起了从孔子到晚明知识人的文化—国家观念的演化史,而并不一定是历史的本身演变。

姑且不论朱学勤这篇文章是否符合历史的实际,有一点是非常明显的,那就是,此文充溢着某种汉奸恐惧情结。这种情绪出现在朱学勤的身上并不奇怪,奇怪的是,针对明儒文化民族主义的悖论,朱学勤几乎是毫无质疑地引入了哈贝马斯的宪政爱国主义。如果按照他前面对明儒困境的推论逻辑,难道不可以追问实行宪政政治,就可以避免"明儒的"历史悖论吗?难道不见现在有不少宪政体制拥护者,实际并不关心爱国与否吗?我并不否定建立宪政爱国主义或宪政民族主义可能会是有益的尝试,而且我也心仪之。但我不能同意的是宪政爱国主义就不会遭遇他前面所揭示的历史悖论;严格地说,文化民族主义的悖论问题,恰恰隐藏于宪政爱国主义之中。而这正是应该讨论的具有当下现实紧迫性的问题。而与此相关的更直接的问题则是,自由主义是否与爱国主义不相融。答案当然不会是绝对的,但至少可以证明,自由主义可以与爱国主义结合。可是在此文中,朱学勤下意识地在逃避严峻的自我反思,即逃避他的爱国主义的自由主义情怀与那些非爱国主义的自由主义的冲突;把问题想像性地转换成了对传统文化主义内在矛盾的批判。更成问题的是,在文章的结尾,朱学勤竟然将笔锋一转,将批判的矛头对向所谓的"排外民族主义"。他说:"中国的 20 世纪是在排外民族主义中开始,这一世纪的最后一年恰好又重演了一次弱势而又短暂的义和团情绪冲动,而这一次的'拳民',显然不是阿 Q 的后代,而是赵老太爷的新子裔——90 年代的部分大学生与海外留学生。"

1990 年代部分大学生的民族主义、爱国主义情绪,是否是义和团的当代翻版,当然可讨论,但问题是,依照此篇文章的主题,最后所应反思的首先应该是宪政爱国主义,而不是什么排外的民族主义。须要指出,朱学勤之所以会在这篇文章中出现这样的逻辑混乱,显然是与他本能的爱国主义情结与当下自由主义的偏颇之间的冲突直接相关的。同时也与当代文化界简单二元对立思维的习惯(所谓自由主义对新左派正是其具体表现之一)不无关系。设想,如果朱学勤没有陷于简单的自由主义归类的误区,而是站在一种更独立、更辩证的立场思考,那么他一方面可以明确指出,对明儒困境的反思针对的是某些中华文化民族主义;另一方面又可以进一步反思引入宪政爱国主义所可能遭到的相似的历史悖论;最后再去分析"排外的民族主义"或王小东们的民族主义。如果真能这样的话,此文将会是一篇对当下几种民族主义思考的力作。

四

上面简要地扫描了几种有关中国文化特性/认同焦虑的言说,这当然不只是出于一般意义上的文化现象的梳理,也不是想对各种观点做些一二三四的评论就撒手而去。文章的一个基本用意,是想寻找各不同言说之间对话的可能性。那么我所寻求的对话究竟是什么意义上的对话呢？进而言之，从这种不同观点对话之企图，进一步扩展到不同文化之间对话的谋求之着眼点在哪儿？孙歌的《全球化与文化差异：对于跨文化知识状况的思考》，对不同文化之间的对话空间的开拓，相当有参考意义。孙歌讨论的是中日文化交流之间的个案，但其思考主题却是："当全球化被语焉不详地不断复制为一个既定前提的时候，有关全球化的了解反倒被搁置起来了。特别是全球化与'普遍性'、'国际性'等概念联系在一起的时候，对于中国人来说，最紧迫的任务被理解为与国际'接轨'，并由此衍生出所谓国际化与本土化两种立场。但无论是哪种立场，都忽视了一个最基本的问题，那就是全球化过程将带来的不是本土文化的开放或者消亡，而是本土文化的重新结构，在这个重新结构的过程中，本土文化的实体性将要受到挑战。"但在有关全球化的中国讨论中，却存在着一个普遍性的误区，"它们集中地体现在'跨文化'对话的活动当中。实际上，在近年来中国的'跨文化'活动中，本土文化与外来文化大多被理解为某种实体，开放文化和固守文化只是在对立的两极上强调了文化的实体性而已，因而，全球化的过程所带来的本土文化的自我否定和重新结构的可能性，被这种实体化的思维方式遮蔽殆尽，它基本上变成了一个轻松的叙述。"在这样的背景之下，孙歌等在1997年组织了一个部分中日知识分子之间的对话，名为"知识共同体对话"。其意图是在这样的对话中建立起"一种跨文化的共同性知识立场。这一尝试所试图面对的，则是在轻松的全球化叙述和谨慎的跨文化对话背后所隐藏着的、存在于中国和日本社会与知识界之间的尖锐的文化冲突。通过对这种文化冲突的触及……希望能够揭示全球化认识背后所隐藏的思维方式的误区，从而勾勒全球化文化互动的真实状态。"更进一步地定位，这种共同体对话的努力，就是要"建立一个真正意义上的跨文化知识空间，把一直被遮蔽的文化冲突和文化差异问题推到前台"。

　　我以为这种跨文化知识空间的建构，对于中国本土文化来说也是"一个迫切的课题"。因为不仅前面所分析过的现象已充分说明，中国知识界对本土民族文化的多样性之现实是相当麻木的，相当程度上以汉文化中心主义，抑制、忽略了其他各种边缘性地方文化或少数族群文化的声音。更重要的是，与中国危机紧密相关的中国文化的危机,在相当的程度上,不在于全球化的进逼和压力,而在于中国能否真正建立起拥有中国各民族共同指认的文化特性,以在它们之间培育起新的、经得起现实压力和未来考验的文化向心力。前苏东地区民族国家的解体,南斯拉夫的重新巴尔干化,很大程度上是由内部的文化离心力造成的,而外部压力,只不过是激发、加剧了这种离心力而已。那么在中国,相类的文化离心力究竟有多大,这个问题并不容易回答。但至少可以肯定的是,中国国内各民族之间真正落实在具体个体上的相互了解之程度是相当差的,彼此之间并不存在强有力的文化联系纽带。这并非危言耸听,任何人只要具有不同族群接触经验并有一定的敏感性的话,都不难得出同样的看法。

就拿我自己来说。我生长在新疆,在那里生活了近三十年。离开新疆后,曾迁徙数省。每到一个地方,都会遇到一个相同的尴尬:给不认识我的人介绍自己是新疆人,常常会被问到,"你是汉民还是回民?""你会说新疆话吗?"我真不知道自己哪点长得不像汉人,也不知道非汉语的"新疆话"是什么语言。而我所遭遇这种尴尬的地点,还往往是在高等学府里,那么一般人在这方面的无知就可想而知了。

边疆之外的世界如此无知,那么边疆之内的情况又如何呢?情况也并不乐观。1999年第1期的《战略与管理》杂志所刊载的题为《西藏:二十一世纪中国的软肋》这篇文章,就相当有力地说明了这一点。这篇文章从多种角度对西藏问题做了相当全面且直接的分析。应该说在一个公开性的杂志上,如此直接、正面地讨论敏感的西藏问题,是相当罕见的。而文章所涉及的藏民中的中国国家文化意识形态凝聚力衰退甚至严重缺失之问题,尤其值得人们关注。西藏和平解放之后,在内地所实行的一系列以阶级斗争为纲的社会改造运动,对西藏产生了很大的影响,尽管它在过去的确严重地挫伤过西藏人民的感情,但却又在一段时间内、在相当的程度上,以社会主义和毛主席的名义,替代了传统的西藏宗教信仰,为藏族同胞认同祖国提供了与汉族相同的文化关联。然而,改革开放以来,废除了以阶级斗争为纲的路线,"纠正了强制少数民族同质化的错误,给了少数民族保持传统文化和传统生活方式的自由,这无疑是非常值得赞赏的进步"。但是这种作法并没有能够加强藏汉人民间的文化认同,没有真正促进藏汉之间的联系,相反却更进一步拉大了彼此之间的距离,鼓励和放纵了西藏地方政权异质化倾向。

其实西藏地区所存在的这个问题,在其他边疆区域,也都不同程度、不同形式地存在。以阶级斗争为纲的文化意识形态言说,一方面帮助了国家对民族地区的社会改造,冲击了传统的地区民族文化;但是在另一方面,它也为1949年之后的新中国提供了一个具有普遍性的文化认同指向,实际起到了暂时凝聚各民族团结的作用。而当阶级斗争的意识形态被放弃之后,并没有代之以更有凝聚力的、富于全民族性的文化意识形态理论,各民族之间的文化联系呈现出严重的断裂性。因此,在新的历史条件下,如何重建中华各民族间的粘合性纽带,就是一个相当紧迫的任务。要完成这一任务,至少必须尽快在汉民族知识分子与其他各少数民族知识分子之间,建立起多个"真正意义上的跨文化知识空间,把一直被遮蔽的文化冲突和文化差异问题推到前台",让我们彼此间通过真正开诚布公的对话和交流,发现问题,尽弃前嫌,找到休戚与共、生死相依的共同性所在。这当然不会是容易的,甚至可能会充满危险,但是面对这个问题,犹如站立在地狱的边缘,任何犹豫和彷徨都是无济于事的。像驼鸟那样把头埋在民族大团结的陈词滥调的沙堆里,是根本不可能应对新的历史时代对中国、中国文化所提出的严峻挑战的。

原载《原道》2003年第7辑

陶东风

全球化、文化认同与后殖民批评

一 全球化时代的文化认同问题

全球化并没有像许多人担忧的那样导致世界的一体化（实质上是西方化甚至美国化），相反，它是一个始终伴随地方化、充满差异与断裂的过程。与此同时，多元文化主义、文化认同以及差异政治则已经成为当今世界人文与社会科学领域的热门话题，可以说，全球化更加凸显并加剧了全球性的身份认同危机。一种丧失自我确认的标准与定向、不知所措的分裂感与迷茫感正在困扰着包括中国学者在内的世界范围的知识分子。

对此的分析必须置于在冷战以后的后自由主义与全球化语境之中。与中国80年代知识分子主要以自由主义的"个体"、"自我"与"权利"观念为核心的政治认同话语不同，90年代的文化认同话语更多地关涉到民族文化（族性）认同或群体身份问题。也就是说，占据90年代文化认同话语之核心的不是"我是谁"的问题而是"我们是谁"的问题。如果说前者是在民族国家的框架内建构文化认同；那么，后者则超越了民族国家的框架，并进而在"我族"/"他族"的族性关系中确立自己的文化身份。在这个意义上，亨廷顿的"文明的冲突论"是有相当的洞察力的（尽管这本书存在的问题与它解决的问题一样多）。

亨廷顿之所以对文明冲突问题给予如此高度的关注，是因为在他看来，冷战结束以后，决定世界秩序的核心力量已经由原来的意识形态对抗（社会主义/资本主义），转变为不同文化（或文明）认同之间的对抗。文化认同的差异(亨廷顿认为文明或文化的差异根本上说是一种认同的差异),将成为未来世界冲突的主要根源。与冷战时期国家之间通过意识形态进行联合不同,在新的世界格局中,文化认同是国家之间结盟或对抗的主要因素:"在当代世界,'他们'越来越可能是不同文明的人。冷战的结束并未结束冲突,反而产生了基于文明的新认同以及不同文明集团(在最广的层面上是不同的文明)之间冲突的模式",①"全世界的人在更大程度上依据文化界线来区分自己,意味着文化集团之间的冲突越来越重要;文明是最广泛的文化实体;因此不同文明集团之间的冲突就成为全球政治的中心。"② 在亨廷顿看来,导致未来世界冲突的三个最重要的文明分别是西方文明、伊斯兰文明与儒家文明。在《文明的秩序与世界秩序的重建》中,他列举了种种亚洲人(包括中国人)自己的言论,结合世界政治经济新秩序以及亚洲经济的崛起,指出文化复兴思潮正在席卷世纪末的亚洲,而"这一复兴表现在亚洲国家日益强调各国独特的文化认同和使亚洲文化区别于西方文化的共性"。亨廷顿不无夸张地写道:"成功的经济发展给创造出和受益于这一发展的国家带来了自信与自我伸张……当东亚人在经济上获得更大成功时,他们便毫不犹豫地强调自己文化的独特性,鼓吹他们的价值观和生活方式优越于西方和其他社会。"在写到中国的时候,亨廷顿指出:70年代末开始,由于苏联模式的失败,新一代中国领导人改革开放,在知识分子中更出现了新一轮的全盘西化思潮。但是到20世纪末,中国领导人选择了"一种新的'中学为体,西学为用'的版本:一方面是实行资本主义和融入世界经济,另一方面是实行政治权威主义和重新推崇传统中国文化,把两者结合起来"。亨廷顿的说法尽管难免夸大或片面,但是,从东亚国家元首或政府首脑的"亚洲价值论"鼓噪,汉语文化界的"大中华文化圈"设想,到中国知识界的"21世纪是东方文化的世纪"之类言论,以及出版界的一系列说"不"图书热,至少表明亨廷顿及其他外国右翼人士的"中国威胁论"并非空穴来风,至少有一些中国的"爱国主义"人士在为他们提供证词。

认同依据的转移不仅提出了新的政治问题,同时也提出了新的学术问题。90年代中国学界经历着知识体系的深刻转型,这种转型体现出中国知识分子超越冷战思维模式、现代化意识形态与西方中心主义的努力,而它们均关涉全球化语境中文化认同与知识体系的重建。在关于后殖民主义、第三世界批评、社会科学的本土化(中国化)、现代性与中华性、五四白话文运动的功过等讨论中,都不难发现,重建知识体系与重建文化认同一直是紧相勾连、不可分离的。

二　文化认同与民族国家

显然,在关于文化认同与多元文化主义的各种论述中,常常以民族国家为基本的论述框架。在谈及尊重不同的文化认同、捍卫不同的文化选择的时候,人们常常是以民族国家为基本单位的。也就是说,我们常常把文化认同等同于民族文化认同,把多元文化等同于不同民族国家的文化。

但是,在民族国家的框架内论述文化认同问题显然存在矛盾与暧昧。如果把"民族文化认同"等同于民族国家的文化认同,那么作为现代政治概念的"民族国家"与"民族文化认同"显然并不重合。因为在大多数民族国家内部,常常存在不同的文化认同;而在不同的民族国家中,有些社会群体(如东南亚国家的华人)又会分享同一种文化认同。当代世界林林总总的文化认同并不与民族国家相配对。

这种将文化认同合并于民族国家认同以及由此而带来的矛盾与暧昧,曾经典型地表现于联合国教科文组织的相关论述中。正如汤林森指出的,由于这个机构本身的性质是各现代民族国家的对话场所(以民族国家为单位的国际组织),它关于文化认同的论述当然要以民族国家为框架。所以,当它谈到保障文化认同的多元性的时候,常常意味着保障民族国家文化的必要性。但是,教科文组织同时又有关于文化多元主义的论述,认为所有的(而不只是民族国家的)文化认同均有平等权利,应免于文化帝国主义的侵袭。这样就使联合国教科文组织的论述常常在两个对立的言述情景中摇摆:一会儿把民族国家认同等同于文化认同,一会儿又否认民族国家内部具有一种统一的文化认同。在联合国教科文组织1970年的威尼斯会议上,索拉那在开幕词中说:"在我们的议程里,至为根本的目的就是尊重所有人的文化认同。"③这表明:文化认同的论述基点是"人"而不是"民族国家"。会议报告指出:"大多数代表都强调人们对于其文化认同的意识,日渐增长,人们也循此而有了更为多元的看法,更加认同他们应有权利与他人不同,而他们也应当相互敬重彼此的文化,包括了弱势少数族群的文化。"④值得指出的是,这种多元主义的修辞是以"人类一家"这个普遍主义的假设为基础的。先有了"人类一家"的假设,而后才有对于差异的尊重。这也就是说,我们捍卫文化差异的底线是:作为共同的人类,不同的族群在一个基本层次(作为人)上是一样的。所以,多元的观点实际上取自"人类一家"的精神,也就是说差异政治的基础说到底竟然是共同的人性以及共同的人权。

然而,联合国教科文组织还有一个民族性的修辞并以之规范多元论。该会议的报告指出:"谈及文化认同问题,无法不同时重新确认民族国家主权及领土独立等根本概念。"报告常常将文化认同等同于民族国家认同——民族国家的种种价值、伦理、习俗等。相应地,所谓"文化自主性"也就被等同于民族国家主权,"文化自主与主权的完整行使不可分离"。这样实际上是在民族国家的论述框架中解说文化帝国主义或文化支配现象,因而文化支配也就成为"威胁民族国家认同的严重祸害"。⑤

问题是:由于民族国家内部常常有不同的民族或族群,他们都有自己的文化认同,这些认同之间有时差异甚大。因此,坚持文化认同的多元诉求与捍卫民族国家的文化自主显然并不对应,有时甚至对立。汤林森说:"政治意义上的归属于一个国家、拥有一本护照,远远不足以厘清认同的问题。"⑥教科文组织的报告还写道:"也有一些代表坚持,文化认同不能单单援用民族国家认同这样的术语,个人的、群体的、社区的,以及阶级的文化认同,事实上其本质是多面向的。"⑦即是说,多元宽容的精神不但应当适用于民族国家之间,而且也应当适用于民族国家内部的各民族、群体或阶级的不同文化认同之间。如果无视民族国家内部文化认同多元化的事实,而强行把它们统一于单一的民族国家认同,就可能造成民族国家内部的文化压迫。这是一种新的文化帝国主义。关键的问题仍然是:民族国家是一个政治概念,它与文化认同并不吻合(个别国家除外)。换言之,民族国家是根据领土国界而不是文化认同进行划分与辨认的,它也不是严格依据文化认同进行组合的(一国一族的情况在世界上非常罕见)。

联合国教科文组织的这个报告中存在的矛盾暧昧实际上表明了多元文化主义与文化帝国主义论述的矛盾与暧昧。因为后者总是在民族国家框架内讨论问题,把文化支配问题等同于一个国家的文化(比如美国)对于另外一个国家(如中国)的文化支配。这实际上是假设了一个民族国家的文化是同质的,一个国家只有一种文化认同。当我们说"中国文化遭受美国文化的支配或侵略"时,我们实际上制造了一个原本不存在的统一且同质的"中国文化"。事实上,多数的民族国家根本没有同质的文化实体,强行建构这种同质性神话,在民族国家内部语境看,无异于另一种文化压迫或文化侵略。正如汤林森说的:这种做法"在政治上产生的效果或许是点燃了另一种文化支配的形式……建构文化'他者'(other)或甚至是'敌人'的论述,如果必须依仗民族国家之疆界作为凭据,则任何一种文化势力,只要能够自行宣称代表'民族国家',或是透过巧妙手腕以民族国家的姿态发言,都能从中得到浮面而虚假的合法性。"⑧当代政治与文化生活的显著特征之一正是民族国家内部因不同的文化认同导致严重的政治与文化冲突,这种冲突应当本着民主多元的精神尊重其存在的权利;而统一的民族国家认同的建构恰恰会成为抹杀文化差异的权力话语。

同样道理,那个被指责为推行文化帝国主义的国家其内部同样存在多元的文化认同。所以要想有意义地谈论文化帝国主义或多元文化问题,不但必须阐明被支配的国家的多元文化状况,而且要正视支配国家的多元文化状况。文化帝国主义的论式恰恰忽视了这种多元性。比如,所谓威胁全球的"美国文化"到底是什么呢?正如汤林森指出的,美国是一个文化混杂的国家,并不像它的国名所暗示的那么统一(united)。把美国的文化一体化实际上是一种"美国迷思"。⑨因此我们必须先把所谓"美国文化"加以分解(比如英国文化、印第安文化、黑人文化、麦当劳文化等),然后才能谈论美国的何种文化在世界上横行霸道。如果我们像许多人论证的那样认为美国的麦当劳文化(消费文化)是实际上的文化霸权,那么,文化帝国主义的问题就转换成了后现代消费文化的扩张问题,而在这样做的时候,我们实际上已经把对于文化的空间分割转化为对于文化的时间/历史把握。

更有甚者,由于民族国家是以行政领土为标志建构的政治单位,民族国家的认同只是诸多文化归属形式的一种,因而,它可以与其他形式共存,但也可能矛盾。比如在西班牙1985年要求西班牙退出北大西洋公约组织的游行示威中,许多地方的示威活动把反美与本地的(如安德鲁西亚的、塞维尔的)而不是民族国家(西班牙)的文化认同要求联系起来。这表明在一个由许多族群组成的民族国家中,"人们既可以拒斥外邦的文化帝国主义,同时又否定他们居住的国家具有统一的文化认同。这样看来,作为对抗文化'他者'的文化帝国主义者,'民族国家'也就不再是惟一的依靠。"⑩出于政治与经济的利益考虑,国家当局当然要想办法刻意建构同质性的民族国家文化认同,这一工作本质上是一项国家意识形态工程,常常带有明显的文化暴力的印记。

如果我们在此简单地回顾一下安德森在其《想像的社区》中的观点,将会使得民族国家的本质显得更加清楚。安德森指出:民族国家是一个想像出来的政治社群,因为即使是最小的民族国家,其绝大多数的成员也是彼此不熟悉,也没有交往,甚至未曾听闻对方。但是在每一个人的心目中,却存在着"彼此共处一个社群"的想像。依据安德森的研究,这样一个想像性社群的出现与18世纪的资本主义文明,尤其是报纸的产生,有紧密的关系。报纸的出现带来两个重要的结果:一是所谓"国语"的出现,它使得关于使用同一语言的社群想像成为可能;二是中介化的"大众"想像的出现,这种"大众"被想像为阅读相同的全国性报纸的"国民"。这个过程又是范围更加广阔的整个社会现代性过程的一部分并为后者所催化。这个现代性的过程包括:世俗的理性精神、依据日历的时间观、科技发展、大众传播、识字人口、政治民主化与民族国家。

安德森论述的引人入胜之处在于把民族国家认同置于社会现代性的过程之中,表明民族国家认同并不是一种自然地依附于母国的文化归属感,它必然涉及繁复的文化建构过程,起源于特定的历史条件。民族国家的认同与文化帝国主义现象(如资本主义的扩张、现代传媒的发展等)是同时出现的,因而很难说民族国家的认同在文化帝国主义的冲击下被腐蚀。这表明我们应当历史地了解文化帝国主义,而不是局限于空间观念与共时框架。也就是说,论述文化帝国主义与多元文化主义的最佳方法并不是透过"民族国家"这个模糊的词语来进行,而是审度现代性如何在特定的空间及历史中播撒。空间化的论述是一个"想像出来的论述",因为它将"我们的民族国家"这个"想像出来的社群"对立于"帝国主义国家",由此导致许多迷思(如"中国的文化"/"美国的文化");把文化帝国主义视作现代性本身的文化播撒则代表了一种历史的论述,旨在揭示一种全球性的运动。这样的论述包含一个更基本的观点:惟有在现代性的学术理路之中才能有意义地谈论"文化认同"这个想像出来的问题。

最后值得指出的是,关于多元文化主义与文化帝国主义的论述还含有尊重文化自主性的含义。然而什么是自主性?安德森指出:自主性是一个政治与道德的原则,它只适用于有道德意志的主体(个人与集体两个层次)。在个人层次上,自主性是指个人自由的现在的生活目标与生活方式、文化价值的权利;而在集体组织或国家的层次,自主性概念与"主权"契合,是指在一个特定的疆域中自行规范而免于外来干涉的权利。联合国教科文组织的界定是:"文化自主性与(民族国家的)主权之行使不可分离。"这表明自主性的概念适用于行动者或行动的主体,因为只有行动的主体才有自主与否的问题。[11]

这样,当我们赋予文化以"自主性"的时候,我们所说的"文化"必须能够行动,必须是动因或行动者(agents)。但是事实上文化并不能够行动,能够行动的是文化的"代表"——个人或机构。这样就出现了一个"谁在那里发言?"的问题。一个文化的"代表"常常代表"整个文化"发言。但是谁有权利代表文化?代表什么样的文化?显而易见的一个事实是,一个社群的自诩的"文化代表"可能并不真正代表该社群的大多数人,他/她可能反对进口西方的文化产品,但并不是大多数人都如此。由于"文化"没有自我意志,因而也就谈不上自主性(的维护或失落)。我们只能说某特定文化中的个体或某文化机构的代表认为文化帝国主义剥夺了他(们)的自主,但是不能说整个的文化这样。而且一个民族国家内部的文化多元性质决定了不同的个体与机构对于这种"剥夺"的看法与评价必然差异甚巨。这样,真正重要的问题就转变为到底是谁在代表"文化"说话——尤其是以民族国家的名义?显然这种代表资格的问题涉及民主体制与文化公共性的问题。只有以真正的民主体制与公共空间为制度保障,才能保证代表资格的合法性。也就是说,根本的问题是必须把文化的选择与决策的权力交给人民,让人民来决定自己的文化发展方向。否则谈论文化自主或文化多元问题是没有意义的。

三 本真性幻觉

文化认同及与此紧密相关的民族性问题,是后殖民批评与多元文化主义者关注的核心问题。重建民族文化认同是它们的一贯立场与持续努力目标。中国和西方的多元文化论者与后殖民主义批评家都认定,西方资本主义的文化扩张导致了第三世界民族文化传统与文化认同的危机,使得他们的文化身份变得模糊、分裂,产生了深刻的身份焦虑。这种重建认同的努力当然是可以理解的,但是它的实际意义(无论是政治意义还是学术意义、理论意义还是实践意义),则取决于我们从什么样的立场、方法与路径出发来着手这一重建工作。我们已经看到,从民族国家的理论框架出发进行这种重建,隐藏着理论与实践上的矛盾与暧昧。另一个误区则表现为许多后殖民批评家所普遍持有的本质主义的认同观与身份观。

一个基本的、显而易见的事实是,冷战的结束以及全球化的加速发展已经使得国家(或民族)之间的文化交往变得空前剧烈与频繁,不同民族文化之间的互动与杂交成为当今世界文化的基本"特色"。⑫其结果必然是:任何一种纯粹、本真、静止、绝对的民族文化认同或族性诉求(即所谓"本真性"诉求)都是不可思议的;而对于一种多重、复合、相对、灵活的身份或认同的把握,则需要我们放弃基于本质主义的种种认同观念与论式(具体表现为以我/他、中/西、我们/他们等一系列二元对立模式),尤其是要抛弃狭隘民族主义情绪——后者总是把一个民族的族性绝对化、本质化,用一种更加灵活与开放的态度来思考认同问题。遗憾的是,在90年代中国知识界,恰恰随处可以发现本质主义、民族主义乃至新冷战的幽灵。下面不妨以中国90年代的后殖民批评为例来做进一步的论析。

众所周知,受后结构主义的影响,西方的多元文化论者、后殖民主义批评家以及女权主义者,对于"认同"与"族性"等概念一般都持有不同程度的反本质主义态度,致力于解构诸如西方中心主义、普遍主体以及文化同质性的神话;然而中国 90 年代的后殖民批评却在运用解构主义理论批评欧洲中心主义与西方现代性的同时,又悖论式地持有另一种本质主义的身份观念与族性观念,把中国的民族文化与所谓"本土经验"实体化、绝对化,试图寻回一种本真的、绝对的、不变的"中华性",并把它与西方"现代性"对举,构成一种新的二元对立。从而告别"现代性"的结果必然是合乎"逻辑"地走入"中华性"。在这方面,《从现代性到中华性》[13]一文具有相当大的代表性。一方面,该文在批评西方现代性与西方中心主义的时候,诉之于后现代与后殖民理论,以中国已经置于多元化、碎片化的、众声喧哗的后现代社会为由指斥"现代性"普遍主义话语的不合时宜;而另一方面,却又用这种"后现代"的理论制造出一个新的民族主义话语,复制着本质主义的中/西二元模式。结果是:用以解构西方"现代性"以及西方中心主义等所谓"元话语"的武器("后学"理论),终于又造出了另一个中心或元话语——"中华性"。这只能表明,中国式"后现代"与"后殖民批评"话语的操持者离真正的后现代精神还相当遥远;同时它也告诉我们,一种在西方第一世界是激进的学术理论话语在进口到像中国这样的第三世界时很可能会丧失它原有的激进性与批判性。[14]

  这种以寻求纯粹的族性身份为标志的"本真性"诉求也在 90 年代中国学界关于人文科学的所谓"失语"恐慌中鲜明而不乏滑稽地体现出来。作为一种对于中国知识分子自身文化境遇与文化身份的一种自我诊断,"失语"论者断言中国的人文科学研究,乃至整个的中国文化,都已经可悲地丧失了"自己的话语",而其原因则在于近现代以来西方文化的入侵以及中国文化的所谓自我"他者化"(即自觉地西方化)。从这个意义上说,"失语"论者与西化论者一样延续了自我/他者、中国/西方的二元论式,虽然在价值取向上迥然不同。《文艺争鸣》杂志在 1998 年第 3 期推出了一组笔谈《重建中国文论话语》,其"主持人的话"曰:"在世纪末的反思中,中国文论界开始意识到一个严峻的现实:中国没有自己的文论话语,在当今的世界文论中,完全没有我们中国的声音。……找回自我,返回文化的精神家园,重建中国文论话语成为当今文论界的一个重要课题。"同期中李清良的文章《如何返回自己的话语家园》指出:"没有自己的话语,也就等于说丧失了自己的精神家园。建设新的学术话语体系,其实质是向其固有的文化精神回归。"这是"一种根本性的返家活动"。那么是谁导致了中国文论与文化的家园的丧失?一方面是西方文化霸权,另一方面,也是更为重要的,是中国知识分子对于这种霸权的完全彻底的臣服以及由此导致的对于传统文化身份的彻底否定。因此,后殖民理论在中国不但被用做对于西方的文化霸权的批评,更被用做对于中国知识分子的所谓"自我殖民化历史"的清理。⑮

我之所以把这种"本真性"诉求称之为一种"幻觉",乃是因为它实际上是部分中国后殖民知识分子的一种虚构,而在这种虚构背后隐藏着的则是一种把民族文化完全视做一个静止的空间实体而否定其时间纬度的思维方式,以及新的冷战意识与对抗意识。打破上述幻觉的主要方法依然是在关于文化认同的论述中引入时间－历史的纬度。如上所述,如果只以共时－空间的脉络来审视民族认同或多元文化主义问题,就可能想像出两种截然不同的文化:"我们的文化/生活方式"与"他们的文化/生活方式",它的根本缺陷是未能体认文化的活动的、变化的、动态发展的性质。显然,"我们的生活方式"、"自我"、"我们的精神家园"等等从来不是固定不变的,而本质主义的、执著于同质性空间概念的族性认同话语则要求我们将此过程想像成是固定的、静止的。事实上,"我们的"文化的内容与时俱变,民族文化身份的建构是一个长时间选择、提炼的过程。特定时期的所谓"我们"、"我们的文化"都是在特定文化记忆的选择基础上进行的人为建构。其间,国家的文化机构与媒介扮演了关键性的作用。

这种建构而成的"我们的文化"就是霍布斯班所说的"发明出来的传统"。霍布斯班的意思是:许多现代社会的传统虽然貌似"历史良久",实际上却是晚近出现的,甚至是国家机器刻意"发明的"。比如英国在19世纪重建国会的时候,刻意选择哥特式的建筑;再比如比利时现在所谓的"母语"(佛来明语),实际上也不是真正的母语。这种发明出来的传统与所有的传统一样都是为了提供一种"永恒不变"的感觉,在整个传统的羽翼下,关于民族国家的认同的文化幻觉得以张扬。它们不过借助根深蒂固的"传统"而获得权威性。⑯可见,这些发明出来的传统本质上是一个现代性的现象,"传统"事实上只是今人的一种文化建构,而远远不是什么远古的或原始部落的规范习俗,文化帝国主义威胁到的不是什么现在的社会文化,而是我们心目中的"过去文化"。

从空间的角度说,当代世界中的"我们的文化"或"我们的身份"也不可能是什么纯粹"本地产生"的,它一定包含了外来的影响,这种外来的影响在成为总体化的一部分以后也仿佛变得像"自然而本土的"。想像一种"恒定"的"我们的文化"实际上模糊了文化的变化的本质,抗拒外来文化的实质不过是抗拒变迁而已。拉美地区的民族国家是由欧洲殖民者所创,在这个意义上可以说它的民族国家文化是拉丁文化;但是这些地区又有本地的美洲文化。这样就为文化正统性、本真性的论述带来极大的困难。同样,中国的民族国家创建于近现代,它的民族国家文化在很大程度上已经混合了西方文化(无论是三民主义还是马克思主义)。中国的民族国家文化是,而且必然是只能是一个"混血儿"。

与上述本质主义的"本真性"幻觉相关的是另一种幻觉,即全盘西方化的幻觉。不管我们在理论上是否赞成全盘西方化,它都绝对不可能是一个社会历史或文化上的事实。⑰当然我们不能否定由于现代性起源于西方,随着现代性的扩展,非西方国家也都不同程度地经历着西方化;但是非西方国家对于现代性的接受同时必然伴随对于西方现代性的重构与改造,而不可能是什么"全盘西化"(何况即使在"西方"国家内部,现代化也有区别)。因此,认为中国的现代化就是西化,把中国的现代史概括为全面"他者化"的历史(中国的后殖民主义批评家几乎一致地这么认为),或断言中国的现代文论完全丧失了自己的话语,并不完全合乎事实(只要翻翻中国现当代的文艺理论教科书就可以发现,它是一个集古今中西于一体的大拼盘,其中不仅有西化的中国古代文论,也有中国化的西方文论)。断言"中国已经不是中国"或"中国文化已经没有自己的话语"在很大程度上只是为文化本真性诉求制造的虚假前提(寻求"本真性"必须先要论证"本真性"已经全军覆没,重返家园的前提是"无家可归"或"国破家亡")。

更严重的是,"中国自己"的文化或文论诉求由于取消了价值的纬度或以民族的纬度(是否是中国的)替代价值的纬度(是否是合理的、好的、有价值的),最终无法为民族化/本土化诉求提供高于狭隘民族主义的合法性证明。我们总不能说只要是本土的就是好的。"只要是中国的就是好的"与"只要是西方的就是好的"一样荒谬,而且是同样性质的荒谬。

　　文化交往的历史必然是一个双向的对话过程,尽管不同的国家因为国力的差异不可能是文化交往中的平等对手(因而设想任何民族间的文化交往中不存在权力问题是幼稚的);但是一种完全彻底的"他者化"的情形作为一种情绪化表述或许是可以理解的,但作为一种事实描述则是不可思议的。对于全球化也应当如此看待。一味地强调全球化的同质化方面必然忽视全球化同时也是一个异质化的过程。就拿今日令国人忧心忡忡的所谓中国文化的"麦当劳化"来说,作为一种西式快餐,麦当劳确乎已经遍布中国的大中城市,这是一个显然的事实。但是由此断言中国文化的麦当劳化,乃至危言耸听地惊呼殖民主义的卷土重来,只不过是一种情绪的宣泄,并没有多少经验的依据。因为在中国,所谓中国文化的麦当劳化与麦当劳的中国化是同步发生的现象,在中国吃过麦当劳的人想必都知道,中国人并不只是把麦当劳当做一种速食快餐(吃完就走),他们常常拖家带口或三五成群地在那儿边吃边聊。同时,中国的麦当劳店还经常根据中国的"国情"主动地采取"本土化"的策略(比如举办"读书俱乐部",用中国传统的文化符号/象征进行装饰等)。这种带有独特的中国文化特征的用餐方式必然使得麦当劳这种起源于西方的快餐中国化。结果是中国的麦当劳既不同于传统的中国饮食文化,也不同于它的西方"原型"。⑱有论者写道:"在美国,以快捷、价廉取胜,并被大众广泛接受的麦当劳,虽然在北京也得到了热烈的欢迎,但其中被赋予的意义与其美国祖源地却有很大的不同。在北京,麦当劳的'快捷'慢了下来。光顾北京麦当劳的中国顾客平均就餐的时间远远长于在美国麦当劳顾客平均就餐的时间,作为美国便捷快餐店象征的麦当劳,在其北京的许多顾客眼里是悠闲消遣的好场所。麦当劳店里宜人的温控环境和悦耳的轻音乐,使不少中国顾客把麦当劳作为闲聊、会友、亲朋团聚、举行个人或家庭庆典仪式,甚至某些学者读书写作的好地方。"麦当劳的中国化成为麦当劳公司的一种自觉的行为,"他们力促适应中国文化环境。他们努力在中国百姓目前把北京麦当劳塑造成中国的麦当劳公司,即地方企业的形象。"由北京麦当劳的这种个案研究所得出的理论启示是:"对'全球化'不能理解为一体化,或者是全盘西化、'美国化'、一种单向的同化。这样理解全球化只是一种虚幻、一种神话。"对于在本土/西方的二元框架中思考的人来说,麦当劳的"自觉"本土化行为正是充满了了讽刺。

更值得注意的是,有些多元论者与后殖民主义者以及贱民理论家们,在批判西方中心主义的同时,走向了族性原教旨主义,制造了一种颠倒了的身份等级体系,这种文化政治"只不过是把自律、理性、普遍主义与特殊主义、非理性、他者这种二元对立的两个项的价值或相对价值变换了一下。强调种族性的价值促进了主体的二次中心化,并支持所论及的群体的基础主义或本质主义;就此而言,对主体位置进行如此阐述实际上与后现代主义或第二媒介时代并无多少关系。"⑲众所周知,后现代主义与后结构主义对于启蒙主义的主体观念的批判是现代性批判的重要内容。在后学看来,笛卡儿以降的理性自律主体是与具体的群体与实践相联系的西方文化形构,并不具有不容置疑的普遍性,它也不比其他民族或文化中的主体形构具有优先性。在这个意义上,后殖民主义与多元文化主义无疑秉承了后现代与后结构主义的批判精神,力图将西方的价值观相对化,指出普遍主义价值观背后的西方中心主义。但是,与后现代主义与后结构主义不同的是,多数后殖民主义批评没有能够彻底地告别基础主义与本质主义,他们在批判现代性的本质主义身份观、主体观以及此中隐含的西方中心主义的同时,又制造了第三世界"他者"的本质主义的身份观并赋予这种身份以特权。

也有一些后殖民批评家对本质主义身份观与族性本真性幻觉有着比较自觉的警惕。比如赛义德在他为《东方主义》1995年的修订版所撰写的《东方不是东方》这篇著名后记中,着重批评了有些第三世界读者对于《东方主义》的基于本质主义的误读。在这些读者的眼中,似乎赛义德在批评东方主义把东方与西方"本质化"的同时,力图建构一种真正的、本真的"东方"。赛义德重申了自己的反本质主义立场,并表明自己从未宣扬过什么"反西方主义"。赛义德指出:"这些关于《东方主义》的漫画式替代令人不知所措,而本书作者及书中的观点明显是反本质主义的。我对一切如'东方'、'西方'这种分门别类的命名极为怀疑,并且小心翼翼,避免去'捍卫'乃至讨论东方或伊斯兰","我并无兴趣更没有这种能力去阐明到底什么是真正的东方,什么是真正的伊斯兰"。这就是说,不但西方的东方学者不可能建构一个本真的"东方",就是东方人自己也不可能做到。关键在于:像"东方"、"西方"这类术语根本就不是什么"恒定的现实",而是"经验与想像的一种奇特的结合"。赛义德师承维柯与福科的历史学与知识论传统,认为每种文化的发展和维持都需要某种对手即"他我"的存在,某种身份——无论是东方或西方——建构最终离不开确立对手和"他者",每个时代、每个社会都一再创造它的"他者"。然而,赛义德强调:"自我或'他者'的身份绝不是一件静物,而是一个包括历史、社会、知识和政治诸方面,在所有社会由个人和机构参与竞争的不断往复的过程。"这也就是说,所谓身份、认同等都不是固定不变的,而是流动性的、复合性的,这一点在文化的交流与传播空前加剧、加速的全球化时代尤其明显。在这样的一个时代,我们已经很难想像什么纯粹的、绝对的、本真的族性或认同(比如"中华性"),构成一个民族认同的一些基本要素,如语言、习俗等,实际上都已经全球化,已经与"他者"文化混合,从而呈现出不可避免的杂交性(hydridity)。我们只能在具体的历史处境中、根据具体的语境建构自己的身份。此可谓后现代身份观。

值得进一步追问的是:为什么这些变动不居、异常丰富的身份建构难以被人接受呢?为什么大多数人拒绝这样一个基本信念:人的身份不仅不是与生俱来的、固定不变的,而且是认为建构的,有时甚至就是制造出来的?在赛义德看来,根本原因是它"动摇了人们对文化、自我、民族身份的某种实在性及恒定的历史真实性的朴素信仰"。因此对于《东方主义》的误解的深层原因还在于:"人们很难没有怨言、没有恐惧地面对这样的命题:人类现实处于不断的创造和消解之中;一切貌似永恒的本质总是受到挑战。"而这种对于永恒本质的执迷是爱国主义、民族主义与沙文主义的根源,也为东方主义者与伊斯兰教徒共同拥有。这样我们就可以理解,为什么赛义德为解构本质主义(对于东方主义的解构本来就是为了解构这种本质主义)而撰写的著作,却被伊斯兰与中国的民族主义者用来建构一种新的本质主义——在中国就是"中华性"或"中华主义"。在这个意义上,第三世界的此类读者与东方主义者拥有共同的预设(虽然立场相反)。

可见,不排除民族主义情绪,就很难不导致对于《东方主义》或后殖民主义的误读。对于许多带有民族主义情绪的第三世界读者来说,后殖民主义批评的特殊"吸引力"在于迎合了自己心中的"本真性"诉求以及民族复仇情绪。正如赛义德描述的,"我记得较早的阿拉伯人的一篇评论,将本书作者形容为一个阿拉伯主义的拥护者……他的使命是用一种英雄的、浪漫的方式与西方权威徒手格斗。这尽管有些夸张,但确实表达了阿拉伯人长期遭受西方敌视而产生的某种真实情感。"中国的读者对于《东方主义》的热中在很大程度上也是如此。这种阅读同样违背了赛义德的初衷。他指出:"我从不以为自己在助长政治和文化上对立的两大阵营之间的敌意。我只是描述这种敌意的形成,试图减轻它所造成的严重后果","我的目的……并非是要抹杀差异本身——谁也不能否认民族和文化差异在人与人关系中所起的建设性作用——而是要对这样一个观念提出挑战:差异意味着敌意,意味着一对僵化而又具体的对立的本质,意味着由此产生的整个敌对的知识体系"。⑳

值得指出的是,90年代中国文化界与学术界对于"中国身份"的寻求是一次后殖民与全球化语境中的带有极大商业炒作成分的文化或学术做秀。有学者敏锐地分析了90年代中国的民族主义(从《中国可以说不》类图书、各种各样的突出"中国"身份的广告,到中国足球)。结果发现了"国货"、"中国身份"等民族主义的表征符号与美国及西方跨国公司所代表的"世界""和谐共存",社会主义英雄形象王进喜的照片与"可口可乐"、"金利来"广告图片"交相辉映"的"后现代景观"。"中国"形象与"中国"身份于是成为被跨国公司加以利用的资源。这无疑是一个绝妙的讽刺。㉑其实,中国说"不"类图书也只有在中国与西方/美国的半推半就的暧昧关系中才会成为畅销书。我觉得学术界的后殖民批评也颇有这样的味道。它与其说是对全球化进程中"中国"身份愈益模糊的焦虑反应,还不如说是自觉认同国际国内学术市场逻辑的投机行为。

注释:
①② 亨廷顿《文明的秩序与世界秩序的重建》,新华出版社1998年,第135

③④⑤ 汤林森《文化帝国主义》,中译本,台北时报文化企业公司,第 139 页,第 141 页,第 142 页。
⑥⑦ 同③,第 140 页,第 141 页。
⑧⑨⑩ 同③,第 44 页,第 45 页,第 53 页。
⑪ 同③,第 184 页。
⑫ 阿帕杜莱《全球文化经济中的断裂与差异》,汪晖等主编《文化与公共性》,三联书店 1998 年,第 521~555 页。
⑬ 张法等《从现代性到中华性》,《文艺争鸣》1994 年第 2 期。
⑭ 参见拙文《文化研究:西方理论与中国语境》,《文艺研究》1998 年第 3 期。
⑮ 这是中国后殖民批判的一个值得注意的特点。相似的文章还可以举出许多,如 1993 年第 9 期《读书》上的一组介绍赛义德的文章。关于"失语症"与重建本土话语的讨论还可以参见:曹顺庆、李思屈《重建中国文论话语的基本路径及其方法》,《文艺研究》1996 年第 2 期;曹顺庆《21 世纪中国文化发展战略与重建中国文论话语》,《东方丛刊》1995 年第三辑。值得指出的是,在一个学术全球化的今天,所谓第三世界"本土文化"恰恰具有可观的市场价值。因此,我们不难在一片"弘扬"之声的背后嗅到一丝商业气息,一丝学术投机者的铜臭味。他们以第三世界的"本土消息提供者"的身份换取西方学术机构的欣赏与美元(在美国当然是少得可怜,而在中国则多得可观),不自觉地被殖民了一把。
⑯ E. Hobsbawn, *Introduction: Inventing Tradition*, Cambridge University Press, 1983. 参见汤林森《文化帝国主义》,第 176 页。
⑰ 林毓生先生最近指出:"西化"是一个伪命题。参见《"西化"本质上是一个假问题——林毓生教授来华讲学》,《社会科学报》(上海)2001 年 11 月 22 日。
⑱ 关于这个问题的研究,可以参见《读书》杂志 1999 年第 11 期翁乃群的文章《麦当劳中的中国文化表达》。该文介绍了美国加州大学人类学系阎云翔的研究成果《麦当劳在北京:美国文化的地方化》,指出:"阎云翔通过在北京麦当劳的田野调查,给读者讲述了麦当劳地方化(localization)的过程,并分析了中国消费者与麦当劳的经营管理者及其员工如何在互动中将这一原本'地道'的美国饮食文化赋予中国文化的意义。"同时,台湾的学者也在研究麦当劳在台湾的本土化问题,参见何春蕤《台湾的麦当劳化:跨国服务业资本的文化逻辑》,载《身份认同与公共文化》,陈清侨编,牛津大学出版社 1997 年。
⑲ 马克·波斯特《第二媒介时代》,中文译本,南京大学出版社 2001 年,第 55 页。

⑳ 均参见赛义德《东方不是东方》,《天涯》1997 年第 4 期。当然,赛义德自己也并没有完全克服本质主义与反本质主义的矛盾。而且由于其反本质主义的立场,他对于西方东方学家的本质化东方的批评失去了规范性的基础。也就是说,当赛义德断言任何关于东方的言说与表征均为话语建构的时候,他事实上已经把自己也置于被解构的处境,即赛义德自己也不可能用一个真正的东方去取代东方学家的歪曲的东方。换言之,任何"东方"都只能是歪曲的东方。参见拙文《用什么取代东方学》,《中华读书报》1999 年 9 月 15 日。

㉑ 戴锦华《隐形书写——90 年代中国文化研究》,江苏人民出版社 1999 年,第 189～196 页。

原载《文化研究》2002 年第 2 期

沈湘平

全球化的意识形态陷阱

一般地,全球化(globalization)是描述和指称这样一种人们经验到的事实与趋势:由于生产力和科技的发展导致人类活动突破时间与空间的局限,人们活动之间具有了极强的相关性,世界因之联为一体。用安东尼·吉登斯的话说是一种时空分延(time-space distanciation),它"使在场和缺场纠缠在一起,让远距离的社会事件和社会关系与地方性场景交织在一起"。①在马克思主义视野里,全球化是随着生产力的普遍发展和与此相关的世界交往的普遍发展,人类活动逐渐摆脱民族和地域的局限,形成全球范围内的全面依存关系的趋势和过程。②显然,从人类发展的整个历史长河来看,全球化是人类前进与发展的必然趋势。然而,历史不能割断,现实极其复杂。当我们深思熟虑地考察谁在进行全球化、以谁的模式进行全球化、全球化最基础的标志是什么、全球化过程中谁付出最多等问题时,就将发现今日全球化并不止是一个"自然的历史过程",它存在着意识形态的陷阱。

一

全球化的历史前提是人类各群体地域性的存在。这种地域性的群体表现为民族、国家(需要说明的是,这里的"民族、国家"并不是如西方学界有特定含义的"民族—国家"或地区)。所以全球化是指以民族、国家、地区的群落方式存在的人类的全球化。全球化发轫于欧洲,③它一开始就具有两个鲜明的特征:一是它伴随着资本主义而诞生、发展与壮大,甚至可以说,没有资本主义的产生,就不可能有真正意义上的全球化。因为在那个时代只有资本的内在扩张本性（此为真正的资本主义精神）才能以时间消灭空间，突破地域的局限；二是显著的欧洲中心主义特点，他们当然地把欧洲区域性的经验上升为世界普适模式，从自我中心向外围浪潮般席卷全球，尤其是使得以往（民族、地方）的历史成为世界历史。然而，在此过程中，人类的历史都是以欧洲人的口吻（主导叙事）展开着，落后国家、民族和地区是被迫卷入世界的，民族历史进入世界历史的过程就是一个西方模式——具体而言，就是资本主义的生产模式——的推广过程。

以世界历史的眼光来看，全球化起始于资本主义是必然的，马克思在《共产党宣言》中已对此做了经典的论述。但当其他的全球化模式，特别是作为资本主义全球化的替代模式产生后，资本主义的推广就不再是一个自然的历史过程了。19世纪以来，其他的一些全球化模式也曾产生过，如共产主义、纳粹主义和一些宗教性模式。纳粹主义只是欧洲中心主义的极端表现；宗教性模式更多地属于原始性的世界一体思想，它的活动很激烈，但不具现代意义；共产主义是近百年来惟一一种曾严重威胁西方全球化模式的新模式，它明确地表示：消灭资本主义模式正是真正走向全球化的前提。由于众所周知的原因，共产主义模式在落后的民族和国家进行实验，它固有的消灭资本主义的针对性和作为落后地区对强势的本能排拒，以及"二战"后世界性的非殖民化运动，曾一度使资本主义全球化模式遭受重创。这更强化了西方资本主义全球化模式的意识形态性。他们在军事包围、经济遏制、和平演变的同时，更诉诸学理的辩护。沃勒斯坦认为全球化是资本主义以西欧北美为中心，扩展到前苏联、中国之周边，最后完成资本主义的一统天下。亨廷顿在渲染基督教文明与伊斯兰文明、儒教文明之间的冲突后，认为美国应采取大西洋主义方针，同欧洲伙伴合作，捍卫并发展共同的独特文明的利益和价值观。当共产主义运动受到挫折时，西方则欢呼"不战而胜"（尼克松），宣告"历史的终结"（福山）。

"不战而胜"后的资本主义丧失强劲的对手，他们视野内的全球化只不过是资本主义在"收复失地"的基础上，对世界的重新排列，权利与福利的再分配。所以，今日舶来的"全球化"绝不只是客观的描述（反映），而是"力求根据资本主义现代性所勾勒的幻景来改造世界。它表达了对全球政治经济权利关系是一种构想,即通过霸权排除不同于其发展主义前提的其他一些可能性考虑。"④今日全球一体化也"绝不是某种自然规律或某种不容选择的线性技术进步的结果。倒不如说,这不过是西方工业国一个世纪以来曾有意识地推行并且至今仍在推行的政府政策的必然结果。""这种全球化对于大多数国家来说是一个被迫的过程,这是它们无法摆脱的一个过程。对于美国来说,这却是它的经济精英和政治精英有意识推动并维持的过程。"⑤马克思在《共产党宣言》的一段话更有穿越时空的经典意义:"资产阶级……迫使一切民族——如果它们不想灭亡的话——采用资产阶级的生产方式;它迫使它们在自己那里推行所谓文明制度,即变成资产者。一句话,它按照自己的面貌为自己创造出一个世界。"⑥

二

20世纪90年代,全球化进入全面加速阶段,其标志是多方面的,但基础的应该是技术和经济的迅速一体化。网络和数字技术使得全球人突破了时间和空间的局限。网络化、数字化及知识经济为人类进入一个知识、信息资源与产品共享的时代提供了可能。但如果我们认为这是一个给全球人,尤其是给不发达地区人们带来平等福祉的现实的话,那就大错特错了。事实是西方发达资本主义国家(尤其是美国)在前沿的知识、信息上处于垄断地位,不发达国家则处于"信息贫困"状态。有资料显示,目前全球有因特网用户1.3亿,发达国家占1.2亿,广大不发达国家共有1000多万,只占7.8%,而占世界人口四分之一的中国只有230万户。在世界软件出口排名榜上,前三位是处于绝对优势的美、德、日。这种状况使旧的国际政治经济秩序在信息时代得以延续和巩固。西方资本主义国家所倡导的"知识工业全球化"就像工业革命时期形成"世界工场"一样,是对不发达地区的资源的掠夺和制成品的倾销。不过是资源由"硬"变"软",由财富的掠夺变成通过"购买大脑"方式进行的人才掠夺;制成品由物质产品变成知识产品,由传统工业品变成芯片与软件。也就是说,技术的改进并未改变工业革命以来的国际生产关系(地域性的共产主义存在只是全球资本主义体系的部分质变,也未从根本上改变这种国际生产关系上的资本主义性质),以数字技术为代表的新技术只是资本主义新的积累方式。

技术只是支持"全球化"的手段,全球化作为资本主义改造世界的一种方案,首先是全球经济的一体化,而这个经济一体化当然既不是传统社会主义的计划经济,也不是今日社会主义的市场经济,而是资本主义的市场经济。它是要通过国际资本和商品的无障碍流动将资本主义的逻辑——资本积累、竞争和利润最大化——贯彻到世界的每个角落。应该说,"一球两制"时代,彼此都学习了对方一些有益的东西,但并不是对等的。由于国际间资本主义生产关系的存在,由中心而外围的全球化是"自上而下"(globalization from above)的全球化,外围的不发达地区始终是这一对话的被动接受者。他们不光是接受了西方全球化模式的话语方式,而且遵循着西方(尤其是美国)的技术逻辑和经济逻辑。难怪许多学者指出,迄今为止具有重大意义的与其说是全球化,还不如说是世界的美国化。

三

尽管无论是从全球化形成的历史来看,还是从今日全球化的事实来看,全球化的意识形态性是十分明显的。但自从冷战结束,特别是前苏联、东欧剧变后,西方资本主义国家改变了策略,总是试图掩盖其意识形态目的以迷惑世界,达到其真正的意识形态目的。最为突出的是以自觉解构"欧洲中心论"的面目出现,承认多元方式的存在合理性。"欧洲中心论"鲜明的霸权、侵略色彩使得它在世界上已臭名昭著。今天,西方似乎以高风亮节、自我批判的态度来反省与解构它。作为对全球化的认识论诉求,以后现代思潮为代表的当代西方反思都强调差异、例外、边缘、多元和无中心。这种观念仍是西方式地理解目前体系分裂状态的方法,而并非对现实的反映。资本主义模式的全球化已根深蒂固、"方兴未艾",不可能有其他模式的平等机会。资本主义在经济、军事、国际政治上的霸权依然如故,特别是美国在国际上的家长做派毫无收敛,更是最好的证明。这些理论的目的正如弗雷德里克·杰姆逊自己一针见血指出的一样,"实际上,关于后现代的理论……具有明显的意识形态使命,为了自我解脱,它们论证说,这种新社会不再遵从古典资本主义的法则,即工业生产的首要地位和阶级斗争的无处不在。"⑦事实也确实如此,例如吉登斯在其《现代性与自我认同》中就宣告了"解放政治"的终结。它的作用与福山的"历史的终结"可谓彼此呼应,相得益彰。

应该指出的是,在当代西方反思中,也存在着矛头指向资本主义的激进的批判思潮,这其中还有如雷姆逊等自称为马克思主义者的学者。但由于他们坚持自己边缘化的学院研究,对自己的思想进行有规则的合并,以及理论工作的日益商业化,他们激进的批评不能构成对资本主义全球化模式的威胁,反而提醒了西方采取更为现实、灵活、隐蔽的手段与方法,客观上成了推动这一模式扩张的力量源泉之一。

通过话语霸权和网络技术"于无声处"推广其文化和生活方式,这也是全球化时代资本主义意识形态的隐蔽新特点。资本主义在始终把持全球化霸权的同时,他们总是将自己独特的自我经验上升为全人类经验,自觉地占据了精神生产的制高点。从而向欠发达地区倾销他的意识产品。无论是后现代主义、可持续发展、知识经济,乃至全球化本身,都是资本主义世界产生的话语,他们具有最强的解释力。另一世俗的话语霸权来自好莱坞电影等娱乐业的文本生产。文本生产不能脱离空间生产,因而不可能没有文化、生活方式,甚至阶级等意识形态的意蕴与差异。网络技术则将这种意识形态即时地(just-intime)以"无意识"的方式侵入他国。这倒是恰如德里达新近指出的,全球资本主义和传媒大一统的"新国际"是用前所未有的战争手段来谋取世界霸权。霸权与暴政的根源并不在于强大的军事力量或邪恶的政治制度,而是始于语言。⑧

四

尽管"全球化"就字面来理解,应该是全球不分种族、地区毫无遗漏的卷入。事实上,在现代以技术为手段的全球化中,一些极不发达的、在整个人类活动过程中始终处于边缘的地区被排斥在这一进程之外。另一些欠发达地区是在现代化的过程中卷入全球化的。现代化尽管也是西方的话语，与全球化亦难解难分，但它毕竟是一种内发模式，可以是民族、国家、地区内部的事情，因此它有足够民族性去抵制"西化"。尽管存在种种为地域性辩护的论争，"全球化"本质上则是要超越这种地域，而目前这种超越的模式恰恰是西方的。在全球化的时代，欠发达国家的现代化摆脱不了国际的资本主义生产关系，而且只有接受西方的种种发展规则（如市场化）才有可能获得生存空间和发展机会。因此，在这样一个全球化的时代，欠发达国家走上了一条"全球化＝现代化＝西化"的骑虎难下的道路。尽管有人说全球化并不排除差异与多元的存在（前面我已指出这是西方全球化意识形态陷阱的重要方面），但不可否认的是，欠发达地区追赶发达地区本身是一种趋同的活动，而且欠发达地区也往往将自己多大程度上已符合西方的某一标准作为自己发展的标志。也就是说欠发达国家已把西方的模式内化为自己的需要。从而客观上形成这样一种状况：资本主义全球化是东西方合谋的结果。然而，这种"合谋"自始至终都伴随着与之相反的过程，即不发达地区一直在为解构欧洲中心论和捍卫世界的多元性模式而抗争。全球化是历史的必然趋势，但它的结果是给人类带来福祉还是灾难，却取决于以何种状态和方式求得全球化。人类历史已经一再证明，一个因霸权而缺乏争论与意见的单向度社会往往潜伏着不可挽救的危机。从此角度来说，不发达地区的抗争绝不光是民族利益使然，而是具有了使全球化模式内涵多元化，以尽量避免人类发展不必要的代价的意义。但面对冷战后西方所向披靡的全球化模式，不发达地区的抗争显得散乱和力不从心，对多元和独特性的强调更多是一种守势的保存，而在一个飞速发展的时代里，只有发展才有真正的保存，而发展又很难超越西方的模式。全球化时代的不发达地区陷入两难的尴尬境地。

五

中国坚持建设有自己特色的社会主义道路，同时又仍属于不发达地区。面对加速行进的全球化浪潮，我们最为深刻地体认到全球化的资本主义性质和身处其中的尴尬。通过上述考察，我们至少可以得出如下几点启示：

一、要区分规律性全球化与西方全球化模式。随着生产力和交往的普遍发展，人类趋向全球化是一种规律。但走向全球化的模式有多种。今日全球化既具有客观规律性的一面，即它毕竟反映了一定生产力的要求，又有西方资本主义把持霸权、有意识推广的一方面，即排斥一切非西方的发展模式。所以，我们一方面不可能置身于全球化之外，成为一块"飞地"，而应积极投身于其中。另一方面对于西方模式的合理性应该进行反思，绝不能静观其变、听之任之，甚或亦步亦趋。

二、对全球化过程中西方的意识形态渗透应保持清醒认识，尤其是对依托于前沿技术的文化侵略与生活方式颠覆，应有有效的应对策略。面对全球化时代西方意识形态的渗透，一部分国人根本就没有意识到；另一部分人则以汉、唐、元、清中国文化对外来文化的溶解而盲目自信，总以为征服者将自然地被我大中华文化所征服；还有一部分人（主要是学者）意识到了这一问题，也进行了学术性的批判，但大多仆从于西方后现代主义、后殖民主义视野的精英式文化论争，缺乏中国特色的独立思考。看来这方面要做的事情还很多。

三、全球化时代中的中国，作为一个文化古国和文化大国，不应满足于保存普遍性中的特殊性，而应当对整个全球化的塑造有所作为。我的意思并不像某些新儒家宣称的那样，要使中国文化成为全球文化，也并不奢望在短期内能像大卫·波德预见的那样由捍卫"乌托邦"的世界无产阶级建立一个"自下而上的全球化"（globalization from below）以替代资本的"自上而下的全球化"，⑨而是说我们至少不能总是被动地卷入，而应当在以文化进行自我认同的同时为全球化做出建设性贡献，以与我们的历史和理想相称。

四、发展自己是立于全球化时代的硬道理。不发达地区在全球化时代的尴尬处境的原因是多方面的，但其中内在的制约点在于"不发达"。这种"不发达"是经济、文化等多方面的。所以，要改变在全球化中对话的地位，越过全球化的资本主义意识形态陷阱，走出尴尬境地，就必须把高远的理想化为脚踏实地的行动，在挑战中寻找和掌握机遇，以迅速发展和强大自身。这是最切实际和不动声色的抗争。

注释:

① 安东尼·吉登斯《现代性与自我认同》,三联书店1998年,第23页。
② 参见《马克思恩格斯选集》第1卷,人民出版社1972年,第39~51页。
③ 学界较为一致地认为全球化始于15世纪的欧洲。可参阅 Roland Robertson,"Mapping the Global Condition: Globalization as the Central Concept", *Theory Culture & Society*, Vol. 7(1990)。
④ 阿里夫·德里克《全球主义与地域政治》,《马克思主义与现实》1998年第5期。
⑤ 汉斯·马丁和哈拉尔特·舒曼《全球化陷阱》,中央编译出版社1998年,第148页,第297页。
⑥ 同②,第255页。
⑦ 弗雷德里克·杰姆逊《快感:政治与文化》,中国社会科学出版社1998年,第154页。
⑧ 陆扬《政治与解构》,《读书》1998年第12期。
⑨ Dave Broad, "New World Order Versus Just World Order", *Social Justic* JUSTIC, Vol. 25, No. 2 (1998)。

原载《现代哲学》1999年第2期

杨中芳

现代化、全球化是与本土化对立的吗？
——试论现代化研究的本土化

中国社会心理学的本土化这一概念的提出已经有十多年了，相当多的人已经能够接受在研究现代中国人的心理时，应该把自身的"历史/文化/社会"情境放在思考架构之中。尽管接受的理由有正确的，也有不正确的，但是一直以来的难题是：要如何将这个框架放在对研究课题的思考之中呢？经过几年来的深思，我得到的一个小小的结论是：研究现代化这个课题应是一个很好的途径。因为研究现代化这个问题时，我们主要是探讨"传统"如何在受到另一些"新元素"的刺激影响之下做了某种程度的改变而成为"现代"。这样一来，我们不但必须注意到我们原有"历史/文化/社会"的"传统"是什么，同时还必须认清哪些是影响我们的"新元素"，更要探看它们对传统产生什么样的影响（例如接纳、包容、排斥、回归、反思、反叛、整合等），最后还要看这些影响产生什么样的"现代"及现状。那么，现代化的研究正是在一个"现代"的时间点，把"历史/文化/社会"包括进去来研究当时的各种社会行为及社会现象。其思路就与本土思路非常接近了。所以，在我过去几年的写作中，一向主张现代化研究应是进行社会心理学本土化的重要课题（杨中芳，1993）。本土化不是去翻老账，找古董，再把它们包装成值钱的货品来卖，而是把可能影响我们应对现代生活的新的、旧的概念，从文化传承这个角度，去看它们在现时生活中的运作及意义。而这个思考路线不正与现代化研究相同吗？

也正是从这个观点来看，我认为个人的社会化与现代化事实上应是一体之两面，只不过是从两个角度来看同一个过程罢了：前者着重传统传递的过程，后者着重新元素入进的过程。两者是同时进行的,而且是一起进行的。而我们在做现代化或社会化的研究时,都应把另一个放在思考架构之中,由两者的互动去看现代人如何形成其信念及价值体系,如何操作其日常生活。更重要的是,个人在社会化或现代化的过程中不应再被看成是被动的接受传统或新元素的机器,而应将现代人看做一个有选择能力及变通能力的自主个体,通过前面所说的接纳、包容、排斥、回归、反思、反叛、重组、整合等,在应对日常生活之际,不但形成自己的、新的、现代的价值信念体系及生活方式,也做到既把传统秉承了下来,也做出了创新的转化。

  从刚才这番陈述可以看出,社会心理学工作者对现代化的兴趣应是超过一般关心现事,或希望国家富强之上的。依我之见,对现代化的关注应是每一个采取本土研究定向的社会心理学者在研究任何问题时都一定要涉及并考虑的。也正因此,遍览有关现代化研究的理论及模式,成为我探索如何将"历史/文化/社会"放入本土研究时的一条主要进路,希望从中得到一些灵感及启示。然而,当我粗阅了过去近百年来有关中国现代化研究之论述及分析之后,发现它们大都需要"本土化"。原因是它们大都在研究及论述中,未有把中国具体的"历史/文化/社会"情境放在问题的思考之中。自己的文化传统往往被认为是一成不变的,如不是造成中国落后衰弱的原因,就不须要摒弃及忘记的,也就是中国之所以为中国的根基,因此是必须保护及复兴的。至于自己的文化传统到底是什么,哪些是阻碍发展的,哪些也许是促进发展的,都不愿做具体分析。

  事实上,我们不可能主观地在一夜间改头换面成一个崭新的"中国人",与原有文化传统完全隔绝。也不可能恢复到"三代"那个理想的境界之中,完全与现代世界上其他国家隔离。现代中国人是生活在现代而非古代,但是现代的中国人并非由太空降到现代。我们过去的历史,不管我们想不想要它,都是永远跟着我们的。研究现代中国人的行为必须考虑此现实,尊重传统在现代化过程中的位置。但是,这并不是"倡古"或"复古"。

  许多人误认为用本土的思路去研究社会心理是回去走五四运动时的"中国本位"现代化路线,亦即不愿去对当前世界主流社会心理新趋势——"全球化"做理解。其实,本土化的提出正是因为在我们试图挣脱传统时,传统老是"尾大不掉"地跟随着我们,才让我们认识到脱离传统去研究中国人的社会心理是不切实际的。例如,大陆试图打破"大锅饭"制度已经十多年了,但是真正"多劳多得"的奖金制度仍然建立不起来。这可能说明是传统根深蒂固的"平均主义"及"以人际和睦为首要价值"的思想仍在运作。惟有当我们对这些"传统"思想在现代生活中的运作有了充分认识,我们才能想出真正改变这些传统的可能途径。从这个角度来看,本土化非但不是在"提倡"传统,反而是试图要寻求加速改变传统的可能途径。

余英时(1982)曾批评由社会科学的角度来看现代化问题往往有"没有时间性"的毛病。他认为,如果我们从历史的角度来看,文化传统本身也是在不断地改变的。劳思光(1993)也曾指出,现代化既可视为是新元素如何变成传统的过程,也可视为是文化传统如何接受新冲击而改变的过程。任何促使中国现代化的新元素,不管是内部产生的,还是由外界"全球化"趋势所带来的,并不是与传统呈"非你即我"的对立状态,它们是使传统再生更新的冲击。从这个角度来看,现代化是传统之重建。蒙培元(1992)曾指出,"只有立足于当代,从历史意识、主体意识、开放意识和批判意识出发,积极对待传统,理解传统,才能实现民族精神与时代精神结合,也才能使民族精神之花结出现代化的丰硕之果"。这些具有真知灼见的学者的看法,都支持我们在思考现代化的问题时不能把传统,亦即我们自身的"历史/文化/社会"情境抛弃。这也正是我在此要提出现代化研究必须本土化的原因。

本论文主旨就是在上述这个论点的基础上,探讨一个在现时走向社会主义市场经济的现代化过程中,社会心理学工作者如何更有意义地来研究现代化这个问题及研究些什么问题。我将先简单地回顾一下现有现代化研究的特点及缺失。然后再指出此类缺失是由于对现代化的概念未有厘清所致。于是我提出一个新的研究现代化的思考架构,把传统与现代化、全球化之间的关系加以澄清。在概念厘清后,我才进一步讨论社会心理学工作者可以着手进行研究的方向。

对过去现代化研究之检讨

有关过去中国现代化问题的争论及研究,已有许多专著做各种收编及总结(金耀基,1979;陈崧,1989;罗荣渠,1990;甘阳,1989a、1989b),我在此不能尽述。不过,他们大致是围绕着以下四个主题来讨论及争辩的:1.现代化的终极状态(目标)亦即"现代"应该是什么?2.他们应该与中国文化传统存在什么关系,亦即如何现代"化"法?3.中国人在现代化进程中的个别差异,亦即谁是"现代人"?4.我们要如何使中国的现代化早日完成,亦即如何改造中国人?下面我就此四个主题逐一加以评述。

(一)"现代"应该是什么?

现代化中的"化"是指一个变化过程。现代化本是由"非现代"变化成"现代"的过程。现代化论述之第一主题总是围绕着什么是"现代"这个问题在打转,亦即现代化到底是要"化"到什么样子或状态才算是"现代"的了。有好一阵子,争论总是在于现代化是否应等同于"西化"。最近,则把"西化"改为"全球化"了。也就是说,现代化是要把中国"化"到与西方现代的情况一样,或"化"到与目前部分学者对未来所憧憬的"世界村"一样。

稍有自尊的非西方国家对要"化"到与"西方"一样这一论点自然采取否定的看法。大家共同认为西化除了是指把经济提升到西方已发展国家的工业化水平之外,还指接受了西方文化的生活方式及价值信念体系。这当然是许多独立国家所不愿也不能接受的终极状态。中国提出在四大领域进行现代化(工业、农业、科技、国防),但坚持要推行具有社会主义特色的现代化,相信原因也在此。

不管这终极目标是设在什么地方,最终是否能达到这个目标,并不只是说说就可以了。过去的讨论好像总是认为说说之后人们就可以做到。这是中国人讨论现代化问题最大的一个毛病(林毓生,1988;余英时,1982)。要不要"西化"也不是说要就要,说不要就不要。我认为,实事求是地看,西方文化的入进是世界潮流,在各个非西方国家皆如此。即使现今在中国大陆许多方面也在一定程度上受到西方物质及精神文明的影响,而且有愈来愈甚的趋势。那么不谈西化,又如何可以反映现时的状况呢?

然而,这里指的"西化"或"全球化"是指受冲击而变化的来源之一是西方的,并不是指中国现代化的终极状态一定会和西方文化一样,或与全世界其他文化一样。我认为我们不需要否认现时西方物质及精神文明对全球其他地区的影响,因为这些西方国家确是目前最富强及最具权力支配别国的国家。其影响力正在渗入全球的每一个角落。然而,这个当前趋势并不一定会使全球的各文化都"全球化",成为全球都一样的文化整体。因为各文化虽然都在同一时间受到相当普遍性、全球性潮流的冲击,各文化自己仍然有其自身产生改变的其他因由。更何况每一个文化都有其独特的文化传统,有其如何去接受或整合这些新潮流的独特方法,而使每一个文化都即使受到相同的冲击,也会有其"具有特色"的"现代"状态(Friedrich,1977)。

这个论点有待在下一个小节讨论,当我对现代化这个概念本身在过去的被误用及误解做一些澄清之后,才会更加清晰。在这里我只想先指出,过去人们讨论这个问题时,常把在现代化过程中刺激文化传统做较大改变的新元素看成是其变化后之"现代"终极状态。其实,我们都知道黄色加了蓝色后是变为绿色,而非蓝色。在这里,我们可以称黄色为传统,蓝色是新元素,但混合变化之终极状态却是绿色。同样的,我们不必否认受世界之主流趋势的冲击及影响,但也不必认定因此我们现代化后的"现代"就是"西方文明"或"全球一致"。

(二) 如何现代"化"法?

现代化要如何"化"呢?这个问题过去一直是在新、旧能否整合及如何整合才最好等问题上反复讨论(陈崧,1989)。有关后者则在"中体西用"(沈寿康,1896)、"全盘西化"(陈序经,1929)、"中国本位"(王新命等,1935)、"西体中用"(李泽厚,1987)、"中外为体,中外为用"(周策纵,1993)等策略上绞尽脑汁。(有关大陆在80年代在这方面所做的讨论之总结,见陈来,1989;刘述先,1988、1989b等)在这里现代化的过程被看成是只能用一种形式来进行改变不可。然而过去的历史事实告诉我们在受到外来刺激元素的冲击时,许多这些新元素都曾经过一个依附于原有传统的阶段,然后再逐渐演变成传统的一部分。而在依附的阶段,这些新元素必须改变自身以求更能被接纳。而传统本身也不是老以等速在吸纳新元素,它是在反复的放松及收紧过程中去容纳或排斥新元素,并且在紧要关头改变自己以适应新的环境需求。佛教之传入中国是一个最好的例子(方立天,1987;张立文、徐荪铭,1987)。而这两者都是通过生活其中的人主动去挑选、调适及整合而成的。所以主观地、宏观地去讨论哪一种方式最好,并不能保证人们一定会用那种方式去进行"化"。

总之,过去有关"化"的问题的探讨,太过宏观、主观及单一化。因此,一直停留在"纸上谈兵"的阶段。社会心理学在现代化研究中所可能提供给哲学家及历史学家作参考的资料正是"人"的各种适应及整合的可能途径,亦即"化"的可能途径。而且这些途径可能是多元的、不等速的,它们是在同一时间在现代化过程中进行的。

(三)谁是"现代人"?

对社会心理学工作者而言,当然最感兴趣的还是上述现代化研究中的第三个主题,有关谁是"现代人"的研究。在这方面,自从50年代掀起了对人的"现代性"的研究兴趣之后,无论在概念上还是在方法上,都遭遇相当大的挑战(Gusfield,1967、1968;Stephenson,1968;杨国枢、余安邦、叶明华,1991)。所以有好一阵子,有关这方面的研究寂静下来。之后,社会学家逐渐用"社会变迁"取代了"现代化"这个名词。而社会心理学家则完全放弃了研究这类问题,把兴趣转移到对个人内在基本社会心理历程的研究(例如社会认知)。在这些研究里,一个重要的假设是这些基本历程是不会因时因地而异的,因此也就不存在现代化的问题。

为什么这方面的研究不能继续下去呢?主要是因为研究者的主题始终是放在要找出什么是使一个人变成"现代"的心理素质(Inkeles,1966、1969)。这里一个基本假设是一个社会的现代化要靠其中生活的个人之现代化。而个人能否现代化,主要取决于其心理素质。这类研究的做法是先找到"现代性"最高的人,然后找出这些"最现代"的人具有什么心理素质。以为如果把这些心理素质组合到其他比较落后的人身上就可以使整个社会迅速地向现代化迈进了。那么什么样的人是"最现代"的呢?那就要取决于研究者对"现代"的定义了。前面提过"现代"可以按一个抽象的理想而定义,也可以按现实社会中正在冲击其改变的新元素来定义。不管是用上述哪一种定义来界定"现代",常见的研究方法是依既定的现代定义制成"现代性"量表(Smith & Inkeles,1966;杨国枢、瞿海源,1974)。凡在此量表上得分高者,亦即具有符合"现代"的思想及价值信念者,就是"现代性"高的人,也是"现代人"之所专指。

　　结果,不分中外,不管用什么量表,所谓"现代人"都是一种人(瞿海源、文崇一,1975;黄光国、杨国枢,1972):年纪比较轻、教育程度比较高、思想比较开放、信息来源比较多、媒体接触比较频繁的人!这样的结果应该不会让人特别惊讶吧!因为如果现代化是指传统受外来新刺激元素冲击之后的改变过程,那么,那些容易接收新信息的人自然最有可能成为"最现代"的人。

　　然而,用这方法所找到的"现代人",实在是太笼统了。他们是泛指那些在任何场合、任何时间,针对任何问题都走在"新"的尖端的"先进分子"。对他们进一步的了解可能会发现,他们也并不完全一样。他们接受"新"的原因及方法可能也不同。有些人求新可能是为了"标新立异",让人侧目,觉得很"出风头"(例如现在北京一些穿着出奇时髦的女士)。有的则可能为"反传统"而求变(例如多数的大学生)。另一些人则可能为针砭时弊而求新(例如一些社会思想家)。我们虽然还未做过研究深入探讨这个问题,不过可想而知,这些为不同目的而求"新"的人,在接纳"新"时所采取的途径可能不同。例如,"标新立异"及"反传统"两族可能会以"全盘西化"的方式,而"针砭时弊"族则有可能采取"取长补短"的方式。

　　以上所想指出的是,我们目前对"现代人"的研究尚不够深入,始终停留在表皮,只研究了那一批现代性最高的"现代人"是谁。其实,我认为更值得研究的是这种现代人到底还可细分为多少不同种类,以及他们各以什么方式接纳新元素、如何整合新元素及旧有的传统。近年来,已有学者注意到现代人并不一定是指那些抛弃传统的人,而有"传统性"量表的出现(杨国枢、余安邦、叶明华,1991)。虽然,许多用"传统性"量表的研究都显示"传统人"是那些年纪大、教育程度低、思想比较保守、职业位置比较低、信息流通量低者,不过至少这一量表的出现让我们可以将生活在"现代"的人分为四种(现代但不传统、亦现代亦传统、不现代但也不传统、不现代但很传统),而不只是两种(现代与非现代)。想必他们各自融合传统与新元素的方式均不相同。

　　这些有关"现代人"的研究也间接地促成了现代化研究的另一个普遍缺陷,那就是忽略了一个社会之现代化,除了靠这些"先进分子"之外,还须靠绝大多数的人跟进才行。而这些大多数人中,有的很容易被说服去跟进,我们可以称他们是"紧跟分子",有些则可能属"落后分子",要用强拖死拉才会跟进。还有一些可能是"顽固分子",就是不肯跟进。而在某一时间的切面,这四大类人应该是同时存在的,而他们都应该是"现代"人的一部分。这些不同类型人的现代化过程可能不只是时间上的差别,他们可能在整合传统及新元素之方式上也有其独特之处,而这些独特之处可能可以更进一步追溯到其他心理素质的不同。那么,现在学者从他们所专注研究的那一类"现代人"(亦即"先进分子")身上所找到的心理零件,是不是在装在普通大众身上时也能使另类的"现代"人现代化,就成为一个问题了。

我这里试图说明的是,"现代人"的研究不应只研究现代性高的那一小撮人,特别是集中去研究像大学生这样一个正值"反传统"年龄,为"反传统"而可以接受任何新东西的族群。我们还应该研究的是那些芸芸大众,因为他们才代表某一时间切面的"现代"之现状或平均数及整个社会文化传统改变的大方向。因此,我认为过去社会心理学有关"现代人"的研究只集中在探究"最现代"的人是谁,而没有注意到许多其他种类的"现代"人也都在或快或慢地进行改变,是在概念上的一项缺失。

(四)如何改造中国人?

过去现代化研究的第四个主题是有关如何改造中国人使我们可以迅速地达到现代化的目标。一些学者在沉痛地指出中国人羸弱的"病根"之后,常常开下了一剂剂的"药方"(温元凯,1986;温元凯、余明阳,1986)。在这些"药方"不被采纳或医治无效时,又常常痛斥病人不听话。然而,任何一个好医生都知道,药方必须依病人特殊的体质及当时的状况来开。现代化的医生往往罔顾这一基本原则,忽略了中国人是在中国文化传统中长成的,现代化的药方必须在这个基础上去调适,才可"病愈"。这里,再次让我们看到过去有关现代化的研究及讨论的主要问题是不能把"应然"与"实然"分开。

现代化是在多方面、多种人身上,以不等速在进行之中。例如,只要新的东西可以带来更多生活上的舒适,在物质的层次,通常现代化得很快。例如,我在边远的呼和浩特可以买到欧美最先进的洗发水及化妆品。在制度的层次,表面上可以做到"有样学样"的地步。但制度背后通常是有一整套的基本理念为依据的,而这些理念又常是依一个文化对一些事物所持有的世界观而形成的。对这些价值及信念基础的认识及认可却又需要一个长时间的学习及培养,因此制度上的现代化是一个缓慢的过程。例如,我们在大陆常见到一个新盖好的几星级的现代旅馆,在一年内已变成一个肮脏、混乱、吵闹的场地。我想这是因为我们过去将旅馆视为歇脚、睡觉、吃饭的场地的理念与把旅馆看成是休闲、享受、娱乐的场地之现代新概念可称是背道而驰的。这样,如果我们不改变对旅馆的价值与信念,再现代的建筑很快也要变得"落后"了。

所以我们一方面说现代化是多方面、多种人,以不等速在进行中,另一面也看到"配套"的重要性。在物质、制度及理念上必须有某种程度的协调才能使中国真正走向所预想的"现代"。而在这三者之中,又以理念层次的改变最为困难,因为它是传统及惯性影响最深的层次(Kahl,1968)。而前面那些现代化医生所试图改造的正是在此一层次。他们只提出了改造后的美景,却没有提到如何可以达到此美景。

我们社会心理学者的工作正是可以提供个人在价值、信念及态度等理念层次改变的可能途径及指出其局限性,让我们认识到"人"在现代化过程中并不只是一个可被改变的对象,他本身有主动性去挑选改变的能力,也有其局限性而不可能完全无条件接受任意加诸的改变。而这个局限性除了包括生理的之外,其过去生活的经验及历史(亦即其所持用的传统)也是重要因素。因此,在思考加速改造中国人时,不能不在自身特定的"文化/社会/历史"情况下去探讨,否则只能是空谈。

总结以上对现代化研究及论述的重点回顾,我们可以说它们大都在几个问题上陷入了纠缠不清的困境。我大致把这些问题分为五个:1.现代化是不是要把传统丢掉?2.现代化是否等同于西化?3.现代化是不是全球化?4.现代化是指个人还是集体?5.现代化是指应然还是实然?我个人的意见是,这些问题讨论之所以会陷入困境,主要起源于大家对现代化这一概念本身的认识模糊不清,或存有误解。因此要试图开解这些困境,首先必须把现代化这个概念做一番重新思考,把它与相关概念之关系加以澄清及整理,之后再根据澄清后的现代化概念来看看现有困境产生之症结。

现代化概念之重新思考

首先,我想我必须把在本文前面所用的现代化一词的涵义简单述说一下。在这里,"现代化"一词可分广义及狭义两种。广义的是指一个社会,一个文化或一个人从任何一个时间点(t1)至下一个时间点(t2)所做的改变过程。在前一个时间点上此文化、社会或个人的状态可通称为"过去"或"传统",而它们在后一个时间点的状态通称为"现代"。这两个时间点的距离可以是一秒钟,也可以是一世纪。而此后一个时间点的状态,相对于再下一个时间点而言却是"传统"。

根据这样的一个对现代化的定义,我们可以说时时刻刻都在现代化,因此也不存在"要不要"现代化的问题。只要时间在流动,现代化就在进行中。在这广义的现代化概念中,"终极状态"这个概念并无意义。因为任何状态皆是依时间而定的,而时间是一直持续没有终极点的。

对社会科学家而言,比较有研究价值的现代化过程,当然是当 t1 与 t2 之间发生巨大变化,而致使 t1 与 t2 的状态形成巨大差异的时候。两者的这个差异通常是因为 t1 的"传统"受到一些"新元素"的刺激及冲击所引发而产生的。因此狭义的现代化是专指在两个特定时间之内,由于受到一种特定的新元素的刺激而使 t1 点的状态变为 t2 点的状态的过程。有些时候,这种狭义的现代化的 t1 及 t2 点均为过去,因此其 t2 点的状态是可以名状的。这样,这一种特殊的现代化又可称之为 XX 化,而 XX 即是 t2 时的状态。例如,西方 19 世纪末叶由产业革命所带来的巨变,到 20 世纪中已给西方国家带来了高速工业发展、资本主义及个人主义。因此西方社会科学家通称他们这一个时段的发展为他们的"现代化";这个现代化亦可称为是工业化、资本主义化及个人主义化。

值得注意的是,狭义的现代化是由社会科学家按自己的理论及观点自行拟定的,因此对于 t1 及 t2 两时间点的确认,及在这两个时间内的"传统"状态、"新元素"及"现代"状态到底是什么都可以是见仁见智、付诸争论的。例如,上述西方社会科学家所界定的"现代化",大部分学者共同认为始于 19 世纪末叶,是受产业革命的冲击,但对于此现代化是否已经结束则争论不息。有些学者认为西方现在已由这个特定"现代化"时期,进入另一个新的,叫"后现代"的"现代化"时期,至于"后现代"这个终极状态到底是什么却又争论不息。而另一些学者则认为西方现在仍在前一个"现代化"时期,根本没有进入什么"后现代"阶段,因此其终极状态并没有停留在资本主义及个人主义,而是仍然在发展改变之中(见Giddens,1990)。

这些争论非本文主要想谈的,故姑且不论。这里只是指出这种历史的现代化是狭义的现代化的一种,在论及它时,必须把其时段(t1及t2)、传统状态、新元素及现代状态描述清楚,才不会在一片"现代化"呐喊声中进入混战。

另一种狭义的现代化是指正在进行中的现代化,亦即大家对其t1始点有多少共识,其新元素也通常有目共睹,但因这个新元素的冲击是正在进行中,所以其t2时间点是在未来的什么时间及其终极状态会是什么则很难说,是未知数。目前在全球各发展中国家,包括中国,所进行的现代化可说是属于此一类。这些现代化皆有其自身不同的t1时间点,不过大致都在20世纪初中叶,冲击它们的"传统"进行改革的新元素,一方面是西方的物质及精神文明,透过媒体扩散,权力膨胀,在刺激、改变这些国家;另一方面是当地执政者对某些设想的终极状态(例如民主、科学)的大力鼓吹及推动。至于其t2在什么时间及其所预想的"现代"终极状态会不会呈现,则不得而知,所以在这种现代化中,所带来刺激的新元素,充其量只能说是终极"目标",而不能说是终极状态。这类现代化有时也被称为是"西化"或"民主化"、"科学化",主要是指这些新元素是想要达成之终极目标,并非指未来一定可以达到"与西方文明一样"或"民主"、"科学"的状态。这是应然与实然的差别。

这里我们也可以看到这种正在各发展中国家里进行中的"现代化"与西方历史的"现代化"是不同的。前者的现代化是受刺激于外来的力量如西方文化的入进,或本国人之要求借外援以富强自己,而西方的现代化则是由内部工业的发展而自然引发的。而且,前者的终极目标是应然,而后者之终极状态是实然。同时由于目前各发展中国家所正在进行的现代化都有不同的"传统",而且其融合"新元素"的途径也不尽相同,因而其现代化所走的道路也会不同。所以我们可以把中国人正在进行的现代化称之为中国的现代化,以区别于西方的或其他国家的现代化。

总而言之,在这一新思考架构中,现代化被看成是一个有时间性的概念,由四个主要的元素构成:代表"过去"的"传统"状态(简称"传统"),代表当前冲击"传统"的"新元素"(简称"新元素"),代表已达到的冲击结果的"现代"状态(简称"终极状态")及代表预想在未来达成的现代化目标(简称"终极目标")。惟有当我们认请了这四个元素之间的关系,但又不相互混用时,我们才能摆脱前述的困境。

开解现代化研究的困境

依据对此一"现代化"概念的重新思考,并厘清了与"现代化"有关的一些概念之间的关系,以及分辨了"中国现代化"与"西方现代化"的不同之后,下面让我们来看看过去有关中国现代化的讨论及研究所经常陷入困境的那五个问题如何可以获得解决。

(一)现代化是不是把传统丢掉?

过去在我们谈论现代化时,争论是不是要把传统丢掉。根据以上对现代化定义的澄清,我们看到这个争论是无谓的,是对"传统"、刺激其变化的"新元素"及变化后的"现代"状态等三个概念的混淆,总认为带给"传统"刺激的"新元素",例如西方思想,就是"现代"。那么,现代化就是完全放弃"传统",而完全接受那些"新元素"。其实"新元素"只是影响我们由"传统"走向"现代化"的刺激中介。但是,"现代"在受到它的影响下会变成什么样子,正是我们要研究的,而不是已经知晓的。

根据前文对"传统"的定义,我们可以看出它是不能被丢掉的,它只可以被改变。这样,传统就不是一成不变的死东西,文化成员在继承之时也会以其自身特别的思维方式来迎接新冲击,并对传统做出选择及修订,使其自身产生创造性的转变及再生。与其把传统与现代对立起来,不如把"现代"本身看成是包括"传统"或是改变过的"传统"。那么现代化的过程可以从两方面来探研:1.传统本身接触新元素后,演变成下一个时间点的现代;2.新元素摇身变成为下一个时间点的传统的一部分。

(二)"现代化"是不是等同于"西化"?

根据以上对现代化概念的澄清,我们可以看到,过去"西化"的争论都是出于对"现代化"的另一个误解,认为我们研究现代化必须从决定"现代"这个东西是什么来下手,再做"有目标的"现代化

（劳思光,1993），亦即从订下现代化的终极目标是什么来着手。前面说过,过去在这个问题的讨论上,大家争论了一百年仍然没有进展。一般人在去了一趟欧美,回来谈现代化的"现代"就是指要把中国变成像那些"进步"国家一样的有高楼大厦、私家车、游泳池。另一些民族意识比较高的,谈"现代"就是指要中国"富强壮大",不再被外国人欺负。比较稍有社会科学知识的人,则把现代化当成工业化,把西方工业化后的社会状态看成是中国将来"现代"的样板。前面对"现代化"的澄清,让我们看到正在进行中的现代化其终极状态是预料不到的,所提前订下的目标是刺激其改变的"新元素"而已。而其未来的终极状态取决于许多其他与文化或非文化相关的因素。

　　早期的西方社会科学家对其他国家现代化的研究也是犯了把终极目标当为终极状态的毛病。当时研究旨趣主要在于如何使世界其他各落后地区变成像先进国家一样的"现代"。因此把现代化等同于西化。在这些研究中他们对"传统"没有太大兴趣,但对现代化之后的"现代"却有相当明确的想法。"现代"就是"西方文明"。因为依据西方文化自己的现代化过程,是产业革命之后的一个逐渐经由工业化,走向资本主义及个人主义的道路。这条道路既然使他们富强起来,想必也是其他落后国家必须走的富强道路。他们给这些落后国家的药方是：放弃传统,改头换面,变成与西方人一样的"现代人"。

　　晚近港台学者大受韦伯（Weber）理论的影响,把基督教精神看成是使西方现代化的动力,依此,努力来寻找过去十多年亚洲经济起飞的类似"基督教精神"的动力,甚至把"儒家精神"硬套在"基督教精神"的框架来比较,都是缘于同样的误解,把西化的"终极状态"作为自己发展的"终极目标",而且认为只有一个"传统"及一个整合途径可以使之达到此一共同的"现代"之结果。

　　在前小节中,我们分辨了西方已发展国家的现代化与我们发展中国家目前所面临的现代的不同之后,我想我们已清楚地看到如果以如何达到另一个文化已达到的某一"终极状态"为自己目前现代化的"终极目标",恐怕也不会让我们在未来得到与他们的"终极状态"相似的结果。因为对另外一个文化一百多年前成功地现代化所需的"时代精神",未必会在一百多年后在自己的文化中也出现。即使有,它也未必会是促成改变的动力,因此也不见得会得到与彼文化相同的现代化结果。因此,如果我们放弃对终极状态的关注与追求,以现代化的过程中比较抓得住的"传统"及影响传统改变的"新元素"为研究主题,来看这两者是采取什么样的方式来整合我们的"现时的"状态,则可能更会有成果。

(三) 现代化是不是全球化?

在现代化研究中,另一个相当引起争论的问题就是有关"全球化"的问题(Karsh & Cole,1968;Sampson,1989;Yang,1988;金吾伦,1992)。许多人认为由于工业化及商业化是目前大势所趋;全世界交通四通八达,大家相互观摩学习的机会很多;加上大众媒体在世界各个角落被接受,文化的差异会越来越小,现代化的终极状态因此会越来越接近。那么,在未来的一个 t2 时间点,现代化的终极状态就会是"全球一致",而这个现代化就是全球化了。既然有这样的可能,我们可以无须去注意现代化中所显现的文化差异,因此也不必担心本土化的问题了。这个论点可以说又是一个将"终极状态"与"新元素"相互混淆的谬误。我认为"全球化"是指我们在接受新元素的冲击上有全球一致性的趋势,而非指全球现代化终极状态的一致性。当然我这里并不是说,黄色的水在经过千万次与蓝色的水混合之后不会变成蓝色。但是以人类文化变迁之缓慢来看,这个可能性在极遥远的将来。我们自然不能因为这一遥远的可能性而放弃所有现时对现代化的研究。更何况,在现代化研究中要不要考虑"传统"及文化差异,根本与此"全球化"是风马牛不相及的事。

目前对于"全球化"这一概念尚有另外一个理解。那就是,全世界由于交通、通讯的发达已变得愈来愈相互依赖了。大陆原料可能在香港设计,墨西哥制造,美国销售。因此,各个国家彼此相互连成一体,全球化并非指"全球一致",而是指"全球一体"。桑普森(Sampson,1989)指出正是因为这个"全球一体"的趋势,西方国家的人们不应再持有过去"自足式"的个人主义价值观,因为"全球一体"下的人们必须要具有"包容性"的集体概念才能在那个环境中适应生存。从这个观点来看"全球化",发展中国家的现代化非但不会走向"全球一致"的西化,反而会走向一个各国相互了解、互相尊重及包容他人的多元文化的终极状态。那么,"全球化"与要研究文化差异就非但不是背道而驰的事，反而是相辅相成的事。

（四）现代化是指集体还是个人？

在社会科学领域中有关中国人现代化的研究，还有一个经常让人混淆的现象，那就是，大家讨论问题的层次不同。有些人在讨论时以集体层次的文化作为讨论单位，而另一些人则集中在讨论个人层次的现代化。例如在论"中国"要不要民主、科学，"中国人"要不要放弃儒家伦理时，论者的"中国"及"中国人"都是指集体。论者很少想到中国人也是"个体"，有其个别差异，现代化也是一个逐渐由个人现代化累积而成的社会现象。而个人在现代化进程中有快也有慢，因此在一个文化的集体层次上来看现代化是一个渐进，而且并不一定是一个永远前进的过程。对这个整体过程的了解必须对其中个人的现代化有相当的了解。

再者，社会心理学家往往把整个文化的现代化看成是个人现代化的总和或结果。因此他们的兴趣主要是集中在要了解在现代化方面为什么有个别差异，这些个别差异因何而来，有什么心理适应后果。他们对那些最先接触新元素的"先进分子"及那些最迟接受的"落后分子"到底是谁很感兴趣，也热衷于用测量工具去找出这些人来。然而，要了解由这些工具所测得分数之意义，必须要放在整体文化现代化的大气候下来看才有意义。不然，个人所测的现代性，很难加以定位。更何况，在大气候迅速改变的情况下，例如中国现时的情况，这些研究工具也必须经年更换，不然原来用来测量现代性的，可能很快就变成测量传统性的了。这样当然就更谈不上个人在现代社会的适应问题了。

以上的讨论试图说明，在了解集体层次的现代化时似乎不可忽略个人的经验及局限性，而在了解个人层次的现代化时，又不能不放在集体层次的大框架下去寻求意义。这样才能把现代化的问题研究透彻。

（五）现代化是指实然还是指应然？

在过去讨论中国人现代化的研究中，除了少数心理学工作者之外，绝大多数论者把讨论放在对现代化的终极目标"应该"是什么这个题目上，例如，中国人应该"全盘西化"、"中体西用"或"西体中用"。但是，很少有人会问：中国人实际上能否朝着这些远大的目标走呢？这显示了把"应然"与"实然"混为一谈或把"实然"避之不谈的现象。劳思光(1993)曾指出,在讨论中国文化的出路时,我们最好把叙述与价值分开,也把"有目标的发展"与"自然的发展"分开来,也就是要把理想的与实际的分开。我认为这是非常必要的。同时,我也非常赞成余英时(1982)所说的,我们现在不要再"临渊羡鱼",而要去"退而结网"才是。"应然"是容易说的,但是"实然"能不能做到及要如何去做就不能只是凭空说说就算数,必须要有实证的基础。

我认为要研究个人在实际生活现代化过程中所产生的改变,可以采取两个途径。其一是先就在集体层次及在应然的层次,对大家共同理解的文化"传统"与外来之"新元素"加以确认。从而找出它们两者之间冲击的症结所在,然后再降到日常生活的层次去看这些冲击可能带来什么改变,产生了什么样的矛盾,什么问题。继之再在这个基础上,去实际观察个人如何去适应(选择、排斥、融合、调适等),这样才知实然会是什么样的。其二是由现时社会中所产生的一些矛盾问题及现象着手,去看它们反映了什么"传统"与"新元素"的冲击及所产生的问题。然后再从个人如何解决这些问题去看中国人如何整合"传统"与"新元素",使之成为"现在"。

研究现代化的新进路

从以上对过去现代化研究特点的总结,我认为社会心理学工作者可以用一些新的思路来思考如何进行现代化的研究。

(一) 不把传统看成是一成不变的,现代看成是传统的延续及演变。这个延续及演变过程包括包容、吸收、重组、排斥及整合等,而社会心理学的研究重点应该放在个人如何进行这个延续及演变的"过程"而非结果。

(二) 放弃寻求"现代"这个远在未来、捉摸不定的概念,把精力集中在了解可抓得住的、有关文化传统本身是什么及外来新元素有哪些的研究上。从对以上两者在集体层次的了解中,我们可以进而去看个人在实际操作日常生活时所必须面对的具体新、旧冲击,从而进一步找出:1.哪些外来元素可以及会以什么形式被接纳进入文化传统之中,无需造成个人价值、信念及态度的重大改变(旧瓶装新酒);2.哪些文化传统元素是可以及以什么方式改变以图把新元素包容下来(新瓶装旧酒);3.在遇到文化传统与新元素有不可消解的冲突时,个人将采取什么方法来化解冲突。

（三）认识到中国人有自己化解冲突的方法，因此即使面对"全球化"的冲击，也会走出不同的现代化道路。林毓生（1988）曾指出近百年来中国人的现代化争论，虽然是以否定传统为主流，但其反传统的方式却是相当传统的。总结中国人在现代化这个问题上的惯性思维方式不外有二。其中之一是倾向于"借思想文化以解决问题"。经常试图不切实际地以空想，甚至梦想来解决实际问题，或倾向于以一个主义替换另一个主义，没有考虑具体情况及实际可行性的习惯。其二是整体思维，以为中国的问题可以用四个字或八个字"一网打尽"，问题的原因可以用四个或八个字"一针见血"，解决办法也可以用四个字或八个字"一笔勾销"。从这样的一个论点去看，我们似乎不能排除中国人在现代化的进程中，也是依中国人自己的思维方式在那里进行更新的可能性。所以更深入去研究中国人的现代化，可能还必须走进中国人的思维习惯中去探索。

（四）理解到一个文化在现代化中，牵涉到不同的人、在不同的方面、以不同的步伐在向前迈进，甚至有些人及有些方面一直在原地踏步。因此，社会心理学工作者，在探讨现代化过程中新旧交替的可能途径时，可能要：1.多元化，不只是宏观地去把现代化看成是一个整体的过程，而是把它看成是在多方面，多种不同人身上，进行不等速改变的各种进程；2.特殊化，要集中精力在较小的领域（例如男女平等）针对个别族群（例如男性）进行深入探研，找出其不能快速进行平等化的原因及可能进行的途径；3.具体化，从实际现象及问题出发，不要老在抽象的层次看病、开药方。

（五）社会心理学工作者的主要研究课题，可以集中在对中国人价值、信念及态度体系的了解，及对改变这些体系的可行途径的探研。从而协助把现代化的研究由应然拉回到实然的层次。另外，研究个人对改变的心理承受力及适应问题也将对中国当前的现代化做出贡献。

具体应该研究些什么题目？

有了以上研究现代化的新进路之后，下面再让我谈一下要研究些什么具体的题目。我将它们分成宏观的及微观的两大类。

（一）宏观现代化调查

虽然社会心理学对现代化的研究兴趣主要是集中在微观的层

次上了解个人的心理改变历程,但是前面已经屡次提到集体层次的大环境对研究个人现代化是重要的。因此我们应该与其他领域学者如社会学家及人类学家合作,对中国社会这个大环境做一个整体的认识。在这里,我认为至少有三类的宏观研究是值得我们去做的。

1. 对文化传统与新冲击元素的确认

前面已经举出理由说明,现代化的研究与其把重心放在争论未来的现代状态会是什么,倒不如把精力放在对文化传统与新冲击元素的性质之确认及其可能进行整合的途径上。研究的方法可以是用一般调查及深入访谈法,深入了解个人在处理日常生活中,现代化到底带来了什么矛盾及困难。例如,有关孝道的价值变迁。我们从过去有关孝道困境的研究中发现,被访者都不否定孝这个价值,但苦恼的是在现代的生活中,无法像过去一样地尽孝道。从这里我们看到孝道本身仍然在中国人的心目中是重要的价值,问题是要重新界定孝是什么,要怎么做才算尽了道。这个价值的现代化可能要走的是我们前面讲的"新瓶装旧酒"的途径。另一个值得确认的例子是当面对全球化的大趋势,全人类对"人"的概念都需要及将会做相应的改变这一形势(Sampson,1989;金吾伦,1992)。中国人在这方面所需要及将会做的调整恐怕跟桑普森所指西方人必须由"自足式个人主义"到"包容性的个人主义"的改变不一定相同。对中国人而言,包容性正是儒家传统精神之所在,所以在这方面已相当足够。但是,在开放性方面却有不足(蒙培元,1992)。如何主动开放,由"一元性"走向"多元性",可能会是要我们采用"旧瓶装新酒"的改变途径了。

总之,类似这样宏观的确认研究可以帮助我们寻求值得进行的微观研究题材,也可以帮助我们看到自己的研究在整个现代化进程中的意义,因此是我们不可或缺的基础研究。

2. 具体考察一个新元素入进之过程

具体对某一个新元素的进入一个社会单位(例如一个村庄、一个家庭或一个学校)的过程做一个详细的参与观察或考察。从而了解到新元素被吸收、接纳或排斥等宏观的过程,包括广度、深度及速度,并从中了解到哪些人是先驱者,哪些人是跟随者,有关信息是如何进行流通,个人是如何被吸引去接触及吸收新元素的。

更重要的是了解到中国现代化过程的特点及其中所出现的特殊问题。例如,乡村的婚礼如何由"照个相订终身",到五六年前的"三个轮子九条腿",到现在的"中、港、台婚礼习俗大汇演"。中国人传统的"节俭"美德去了哪里?还是中国人向来就有"炫耀"的欲念?两者之间的关系何在?在现代化过程中,两者又如何运作?

3. 对一些具体社会问题的研究

从对一些社会问题的具体了解,到追究背后最基本的新、旧价值矛盾的产生。例如,新加坡最近的一个热门话题是自从李光耀总理提出男女受教机会平等之后,许多女性因教育程度太高,而有嫁不出去的困境。这里显示向西方学来的男女平等概念,虽然在受教育层次得到接纳,但是由于根深蒂固的男女不平等观念,令男人不敢、不愿意娶教育程度高于自己的女性。这令李光耀感慨地说他当初应该花多一些资源用在教育男子及他们的父母亲身上,促使他们接受平等观念才对。这个社会问题显示传统是多方面的,其现代化的速度并不相同,使相矛盾的传统及新观念在一个社会并存,往往是带来社会问题的原因。从这里,我们可以更进一步去探讨那些背娶比自己学问好的女子的男性,他们在价值、信念及态度上如何去处理这个"传统"与"新元素"的冲突。

(二)微观现代化研究

1. 对各价值信念改变的探研

前面已经说过,在中国,目前的现代化是有其特殊的历史背景的。1949年之后社会主义是治国的主导思想,十年"文革"造成了一些相当深远的心理影响,改革开放以后,许多新的元素都在同一时间涌进而非渐进,加上世界政、经主导潮流的巨变使像中国这个正在开放中的国家也身不由己地不得不变。这种独特的"社会/文化/历史"背景,使大陆人民在现代化过程中产生了许多特有的矛盾及冲突。

在遇到一些与原有传统价值体系背道而驰的新元素时,个人如何对自己原有体系进行重整,是研究社会变迁的一个重要环节。例如,我在进行一个非正式的调查中,发现大多数中国人,包括那些深受西方教育及西方思潮影响,并在其他领域都持相当开放态度的人,对杀人的凶手还要给予"人权"的保护或有"免于一死"的法律保障这一"西方式"的人权观念颇不能接受,觉得不可思议。

这里,西方"人权"的概念显然与中国人的"只有义务,不讲权利"或"先尽义务,才享权利"的人权观念大相径庭。像这一类的价值冲突,在西方国家以经济优势逼使我们就范于他们的"人权"观的今日,会对中国人的人权观有什么影响,是一个非常重要的而且值得研究的现代化问题。

2. 对不同类型的现代人的心理研究

前面提过,这些在现代化过程中接受新元素的广、深、速度不同的群族可能各自有其不同的现代化的进程及接受新元素的理由和方法,值得分开来研究。另外,在同一个时段里,这些不同群族如何相处、如何自视及视他人,应该是一个相当重要有趣的社会心理研究课题,对维持社会稳定应该会做出贡献。例如在现时"向钱看齐"的热潮中,在一个村子里有钱的、没钱的、羡慕的、眼红的如何自处及彼此相处,就是一个相当须待解决的问题。

3. 现代人心理适应的研究

前面提出社会变迁太快,各方面的现代化"不配套"都使我们在现实生活中感到迷惑、焦虑及压力(Inkeles & Smith,1976)。这些压力不但会影响我们现代化的进程,同时也会产生社会问题,是值得社会心理学工作者特别注意的。其实就是那些所谓的走在时代前端的"现代人"(亦即我所指的"先进分子"),他们在一个"枪打出头鸟"的社会里,一定也不是生活得很舒服的,他们一定也有他们的适应问题。

就以知识分子是否要"下海"一事为例,以我个人经验而言,有不少知识分子向我表示,他们一方面对目前社会的"向钱看齐"感到无比的痛恨,因为在此之际,"知识"如果不能变成收入就被看不起;另一方面,又看到了"有钱能使鬼推磨"的规律已在社会上普遍流行,而自己正是那批因为无钱而无法改善自己生活的"落后分子"。这种看到了自己不能适应新的社会潮流的无力感,常产生对现实生活的不满,无法专心从事现有工作,不能调适自己去处理新型的人际关系,甚至可能导致与外界隔绝的危险。这些心理适应问题,想必不只是在知识分子族群中才有。那么,设法了解及协助解决这些问题应是社会心理学家不容忽视的研究课题。

4. 跨地区现代化研究

在有共同传统文化基础的几个现代华人社会中,由于它们的政治、经济及发展历史不同,其在现代化过程中之价值整合及心理适应的问题自然也会有不同。许多学者鉴之而得到的结论:在时间上,比大陆进行现代化较早的港、台经验不能照抄。这一点我完全同意。大陆以马克思主义为主导的政经体制及十年"文革"、二十年的改革经验都不是港、台社会所经历过的。所以大陆学者要研究本地的现代化就必须要"本土化",把这些特殊的历史轨迹放在研究思考之中。

不过,这并不表示两岸三地不可以做比较研究。这种比较可以让我们看清楚华人何以之会成为华人及华人社会在现代化的过程中,可以及可能有什么样改变的可能性(Tsai,1986;Yang,1988)。这不正是一个研究"传统"与"现代"整合最好的实验场吗?例如,香港社会因受殖民教育的熏陶,国家民族观念不强,在意识形态上并不认同中国文化,但是他们在日常生活的实际操作却比其他华人社会更"中国化"。反观新加坡华人社会则又是另一番景象。虽然新加坡提倡以儒家价值观治国,新加坡华人也较认同中国文化,但在他们日常生活操作中却较其他华人社会"西化"得多。这些现象,如被进一步确认,就正说明现代化是在不同的华人社会各以其自身"文化/社会/历史"所塑造的、独特的整合方式处在演变之中。

又如,中国从 1980 年初开始实施"一胎化"的政策。这个政策将在不久的将来影响到整个社会的结构及政治和经济的发展。"独生子女"在心理上的特征对整个"中国人"性格之改变当然是我们心理学家最关注的问题。由于台、港并未实行此政策(虽然过去也有过节育的号召,不过晚近港、台已到了鼓励生育的阶段,而新加坡更有鼓励优生的政策出现),四地区下一代子女性格的比较研究将是一个具有深远意义的工作。

再如,现时在大陆进行改革开放,"台独"思潮涌现,香港回归祖国怀抱之际,三地人民如何看待自己及确认自己的身份,亦即如何以一个"华人"来看待自己,将是另一个相当具有时代意义的现代化研究题材。

5. 中国人特有思维方式之研究

中国人特有的思维方式,在一定程度上决定了其所会走的现代化道路。这一点前面已经充分说明,在此不赘述。在这里只想指出几个例子说明有关这部分的研究现已开拓了几条的进路。例如,成中英(1986)曾指出中国人对和谐与冲突在哲学上有其独特的看法,他所提出的"和谐化的辩证观"有可能帮助我们理解中国人处理冲突的特殊方法,从而让我们看到中国人会如何整合"传统"与"新元素"。黄晒莉(1995)最近对人际冲突解决模式的研究就是受到成氏理论之启发。又如,文崇一(1986)从社会学及历史的角度提出中国人对变迁看法的模式,也可以提供我们灵感去探讨中国人在现代化过程中可能遵循的变迁轨迹。晚近一些本土心理研究对思维方式的探讨(杨国枢,1997),将来也可能会给探讨如何整合"传统"与"新元素"的研究者提供一些可行的进路。杨中芳与赵志裕(1997)有关中庸之道的研究就是在朝这个方向探进。

本文试图说明目前现代化的研究急需本土化,亦即急需把自己的文化传统及时间的观念放在其思考架构之中。现代化是一个进程,它不可能脱离传统及历史而独立。而且,即使世界各文化在现代化中所迎接的新冲击是相同的,它们也会以其文化所独有的方式来回应这些新元素,以致产生不同的现代化结果。全球化并不等于"全球一致"化,而是"多元一体"化,因此中国的现代化仍然需要在自身文化传统的基础上来研究之。

注释:

① 方立天《佛教和中国传统文化的冲突与融合》,张立文等主编《传统文化与现代化》,中国人民大学出版社1987年,第113~114页。
② 文崇一《中国变迁观念的探索:模式的分析》,台北《中央研究院民族研究所集刊》1986年第62期,第1~50页。
③ 王新命等《中国本位的文化建设宣言》,《文化建设》1935年第1卷第4期。
④ 甘阳主编《中国当代文化意识·反叛篇》,台北:风云时代1989年a.《中国当代文化意识·寻路篇》,台北:风云时代1989年b.
⑤ 成中英《迈向和谐化辩证观的建立:和谐及冲突在中国哲学上的地位》,见成中英编著《知识与价值与和谐:真理与正义的探索》,台北:联经1986年,第3~40页。
⑥ 余英时《中国文化的重建问题》,见余英时著《史学与传统》,台北:时报出版社1982年,第165~183页。
⑦ 李泽厚《中国现代思想史论》,东方出版社1987年。

⑧ 沈寿康《匡时策》,《万国公报》1896年。
⑨ 周策纵《中外为体,中外为用:中国文化现代化刍议》,香港中文大学三十周年校庆讲座,1993年。
⑩ 金吾化《现代化的主导意识与全球整体意识:关于中国现代化趋向之思考》,《当代》1992年第80期,第12~21页。
⑪ 金耀基《从传统到现代》,台北:时报出版社1979年。
⑫ 林毓生《中国人文的重建》,见林毓生著《中国意识危机》附录三,贵州人民出版社1988年,第357~424页。
⑬ 陈序经《全盘西化的辩护》,《独立评论》1929年。
⑭ 陈来《思想出路的三动向》,甘阳主编《中国当代文化意识·寻路篇》,台北:风云时代1989年,第371~379页。
⑮ 陈崧《五四前后东西文化问题冷战文选》,中国社会科学出版社1989年。
⑯ 黄光国、杨国枢《个人现代化程度与社会取向强弱》,台北:《中央研究院民族研究所集刊》1972年第32期,第245~278页。
⑰ 黄晒莉《中国人的和谐观/冲突观:和谐化辩证观之研究取径》,《本土心理学研究》1995年第5期,第47~71页。
⑱ 张立文、徐苏铭《中国传统哲学与儒释道的融合统一》,同①,第135~154页。
⑲ 劳思光《中国文化路向问题的新检讨》,台北:东大1993年。
⑳ 温元凯《现代化与中国国民性改造》,《人的革命:中国现代化中的思想与文化问题》,香港1986年12月18~21日。
㉑ 温元凯、余明阳《现代化与中国传统文化"潜结构"的改造》,同⑳。
㉒ 杨中芳《如何深化本土心理学兼评现阶段本土心理学研究》,《本土心理学研究》1993年第1期,第122~183页。
㉓ 杨中芳、赵志裕《中庸思维初探》,在第四届"中国人的心理与行为国际学术研讨会"上发表之论文,1997年5月29~31日在台北举行。
㉔ 杨国枢主编《中国人的思维方式》,《本土心理研究》1998年第7期,第2~164页。
㉕ 杨国枢、余安邦、叶明华《中国人的个人传统与现代性:概念及测量》,杨国枢、黄光国主编《中国人的心理及行为(1989)》,台北:桂冠1991年,第241~306页。
㉖ 杨国枢、瞿海源《中国"人"的现代化:有关个人现代性的研究》,台北《中央研究院民族学研究所集刊》1974年第37期,第1~37页。
㉗ 刘述先《思想文化危机还是现实危机》,《九十年代》1988年4月号,第82~91页。《有关'现代'与'后现代'的省思》,见刘述先著《大陆与海外:传统的反省与转化》,台北:允晨1989年a,第225~236页。《关于"儒家

思想与文化危机"的再反思》,见刘述先著《大陆与海外:传统的反省与转化》,台北:允晨1989年b,第217~224页。

㉘ 蒙培元《如何理解民族精神》,《学术月刊》1992年3月号,第7~11页。

㉙ 瞿海源、文崇一《现代化过程中的价值变迁:台北三个社区的比较研究》,《思与言》1975年第12(5)卷,第1~14页。

㉚ 罗荣渠主编《从"西化"到现代化:五四以来有关中国的文化趋向和发展道路论争文选》,北京大学出版社1990年。

㉛ Friedrich, C. J. *Tradition and Authority*, London: Pall Mall, 1972.

㉜ Giddens, A. *The Consequences of Modernity*, Stanford, Ca: Stanford University Press 1990.

㉝ Gusfield, J. R. "Tradition and Modernity: Misplaced Polarities in the Study of Social Change," *American Journal of Sociology*, 1967, 72, pp. 351~362.

㉞ Gusfield, J. R. "Tradition and Modernity: Conflict and Congruence," *Journal of Social Issues*, 1968, 24, pp. 1~8.

㉟ Inkeles, A. "The Modernization of Man," In M. Weiner(Ed.), *Modernization: The dymamics of growth*, New York: Basic Books, 1966.

㊱ Inkeles, A. "Making men modern: On the Causes and Consequences of Individual Change in Six Developing Countries," *American Journal of Sociology*, 1969, 75, pp. 208~225.

㊲ Inkeles, A. & Smith, D. H. "Personal Adjustment and Modernization," In G. A. DeVos(ed.), *Responses to Change: Society, Culture, and Personality*, New York: van Nostrand, 1976, pp. 214~233.

㊳ Kahl, J, A. "The Modernization of Values," In J. A. Kahl, *The Measurement of Modernism: A Study of Values in Brazil and Mexico*, Austin, TX: University of Texas Press, 1968.

㊴ Karsh, B. & Cole, R. E. "Industrialization and the Convergence Hypothesis: Some Aspects of Contemporary Japan," *Journal of Social Issues*, 1968, 24, pp. 45~64.

㊵ Sampson, E. E. "The Challenge of Social Change for Psychology: Globalization and Psychology's Theory of the Person," *American Psychologist*, 1989, 44, pp. 914~921.

㊶ Smith, D. H. & Inkeles, A. "The OM, Scale: A Comparative Sociopsychological Measure of Individual Modernity," *Sociometry*, 1966, 29, pp. 353~377.

㊷ Stephenson, J. B. "Is Everyone Going Modern A Critque of a Suggestion for Measuring Modernism," *American Journal of Sociology*, 1968, 73, pp. 265~275.

㊸ Tsai, W. H. "The Modernization of Four Chinese Societies: China, Taiwan, HongKong, and Singapore," *Journal of Sociology* (National Taiwan University), 1986, 18, pp. 163~190.

㊹ Yang, C. F. "Familism and Development: An Examination of the Role of Family in Contemporary China Mainland, Hong Kong, and Taiwan", In D, Sinha & H. S. R. Kao(eds.), *Social Values and Develepment: Asian Perspectives*, New Delhi: Sage, 1988, pp. 93~123.

㊺ Yang, K. S. "Will societal Modernization Eventually Eliminate Cross－Cultural Psychological Differences," In M. H. Bond(ed.), *The Cross－Cultural Challenge to Social Psychology*, Newbury Park, CA: Sage, 1988, pp. 67~85.

原载《社会学研究》2002年第1期

庞中英

另一种全球化
——对"反全球化"现象的调查与思考

导 言

当前,有关"全球化"是非的争论汗牛充栋,以下文字不想再卷入这种是非过程,而只关注"反全球化"(anti—globalization)①现象,因为这个问题并没有受到中国学者的充分注意。需要说明的是,研究反全球化并不表明作者拥护或反对全球化的立场。全球化与反全球化问题不是能用是非来决定的。本文是作者从"中立"的角度对最近几年世界范围的"反全球化"现象做的一项调查研究,目的是为了全面而客观地进一步认识全球化问题,加深对今日世界问题的理解。

全球化与反全球化相伴而生。如同全球化概念的宽泛性与模糊性一样,反全球化也是不同的人有着不同理解的概念,它可能指对全球化的否定,对全球化片面性的批评,对全球化(跨国公司、自由贸易、科技创新与国际经济体系全球扩张)的担心,对全球化代表的新阶段资本主义(即"全球资本主义")的回击,对全球化加剧的贫富鸿沟、社会分裂、环境灾难的不满,等等,不一而足。总之,全球化与反全球化可说是一个事物的两个方面。因此,我的观点是,同全球化一样,反全球化是非常复杂的问题,在某种意义上,它是另一种全球化,需要深入观察与研究。

目前,全球化更加深入到世界各地,以西方为基地的跨国公司与原来的南方、外围、第三世界全球化等地理、政治与经济实体的互动,加上南方、外围、第三世界的分化,以及以非西方为基地的跨国公司的成功,使"全球经济"越来越名副其实。但是,全球化的中心与动力源仍然在西方和其他经济发达地区。全球化主要是公司(资本)领导、科技促进、市场发动、政府支持为主题的全球化,相应地,反全球化的中心与动力源也在西方和其他发达地区。

本文主要考察反全球化的内容、特点、原因与前景,并由此对世界问题做一些新思考。

谁在反全球化?

行动与言论是判断是否存在反全球化现象的惟一根据,而不是看它们是否贴上"反全球化"的标志。当前的反全球化示威与论点涉及许多方面,但归纳起来,大多数人最集中关注的两大问题是全球正义(global justice)与生态环境维持。

在行动方面,"反全球化"已经成为一场"全球运动"(global movement),原因在于最近几年来,全球范围的反全球化运动不断,一些重要的全球会议已经接连不断成为示威者所称的全球行动日(global days of action)目标。示威者声称他们的行动是非暴力的直接抗议(non-violent direct action),但实际上往往与警察发生不幸的暴力冲突。

既具有讽刺意味又十分有趣的是,反全球化运动本身已经全球化了。反全球化运动的组成人士来自全球各地的联合会与工会、环保组织等形形色色的非政府组织,有土著人(indigenous)、社会主义者(socialist)、性别平等主义者(feminist),甚至无政府主义者(anarchist),他们为了共同的反全球化目标而走到一起。

近一年多世界各地的反全球化示威有:

1999年11月30日到12月初,美国太平洋城市西雅图,世界贸易组织(WTO)贸易部长会议在此召开,它雄心勃勃地要发起新一轮多边自由贸易谈判,但没有想到的是,会议内部南北国家分歧严重,会议外部发生举世震惊的反全球化示威。WTO的会议无果而终,连一直在寻求取得国会赋予谈判自由贸易协定权力的美国总统克林顿也不得不站在示威者一边说话,因为沉寂了很长时间的美国工会组织,以及向来是民主党支持者的环境保护主义者是这次抗议活动的主角。这次抗议活动虽然让西雅图一片混乱,麦当劳快餐店被砸,许多示威者与警察受伤,但却把全球化带来的一系列社会与环境问题充分揭露出来。

2000年1月底,瑞士小镇达沃斯,世界经济论坛年会在此如期召开,反全球化的示威与来自世界各国的各界精英同时抵达,示威中还夹杂着诸如砸掉麦当劳餐厅之类的过激行动。

2000年2月14日,泰国首都曼谷,联合国贸易与发展会议(UNCTAD)在这里召开,反全球化的示威游行再一次爆发,但示威者针对的并非贸发会议,因为贸发会议向来与IMF等国际经济组织的观点相左,基本上站在发展中国家或者第三世界一边说话,他们示威的矛头仍指向国际货币基金组织。

2000年5月1日,英国首都伦敦市中心,爆发大规模的反全球化与反资本主义的示威游行。

2000年9月中旬,澳大利亚墨尔本,悉尼奥运会开幕前夕,世界经济论坛亚太地区会议在此召开。一些非政府组织发动了大规模示威,同样导致与警察冲突,参加示威的抵制奥运会联盟(the Anti — Olympics Alliance)扬言要进军悉尼,要求举行真正的奥运比赛(而不是商业化的)。

2000年9月上旬,纽约,联合国千年高峰会议,联合国总部前最重要的示威是反全球化运动,有的抗议者把他们的行动叫做"人民峰会"(People's Summit)。

2000年9月下旬,捷克首都布拉格,世界银行与国际货币基金组织年会在这里召开。来自世界各地的反全球化分子跟踪而来。示威者要求关闭世界银行与国际货币基金组织,加快改革国际金融体系进程,取消第三世界国家的沉重债务。示威者认为IMF和世界银行是全球资本主义的工具,因为它们竭尽所能控制第三世界,使这些国家更加贫穷。这次示威是布拉格自1968年苏联入侵捷克以来发生的最重大国际事件。

2000年10月20日,韩国首都汉城,第三次亚欧会议(ASEM),爆发大规模反全球化示威,参加者达2万之众,除大批韩国人士外,他们代表着阿姆斯特丹跨国研究所(Transnational Institute in Amsterdam)、绿色和平国际、以法国为基地的"取消第三世界债务委员会"(Committee for the Cancellation of Third World Debt)、以日本为基地的"食品安全与环境网络"(Network for Safe and Secure Food and Environment)、以菲律宾为基地的"反对走私妇女联盟"(Coalition against Trafficking in Women)等非政府国际组织。针对官方的亚欧会议,示威者发起了亚欧会议人民论坛(the Asem People's Forum)。②

除了上述大规模的街头示威外,网络上的反全球化运动更加活跃。反全球化者通过网络空间研究与讨论全球化问题,在网络中广泛表达对社会公正与环境恶化的关心,协调全球反全球化行动。反全球化的著名网站很多,例如《摧毁 IMF》(See http://www.destroyimf.org/)、《跨国公司监控》(See http://www.essential.org/monitor/monitor.html)、《全球人民行动反对自由贸易与 WTO》(Peoples' Global Action against "Free Trade" and the WTO)(See http://www.agp.org/agp/index.html)、《社会主义选择》(Socialist Alternative)(See http://www.vicnet.net.au/%7Esocalt/),至于像绿色和平国际(Greenpeace International)(See http://www.greenpeace.org/)、世界自然基金(Worldwide Fund for Nature/World Wildlife Fund,WWF)等环境保护组织都建设和维护着影响广泛的网站。

通过传播媒体,人们目睹了街头反全球化现象。其实在言论方面,反全球化的各种观点如同主张全球化的同样多。马克思主义、左派、自由左派、生态主义、女权主义、和平主义等等都是全球化的批评者,他们的观点五花八门。代表性的流行观点有:(1)全球化的主张者认为,全球化是人类独一无二与历史的机遇,但反全球化的观点则认为,现在的全球化严格意义上应叫做"公司全球化"(corporate globalization),这样的全球化不是社会一体化而是社会解体的力量。(2)公司主导的全球化使国家与国家之间、人与人之间、地区与地区之间的不平等、不公正进一步加剧。(3)地球环境将因全球化而不堪重负,地球环境将因为全球化而受到最后的致命一击。发达国家普遍把传统部门("旧经济")转移到第三世界,推动第三世界的工业化进程,结果全球工业化的结果就是人类环境的末日。(4)全球化不过是发达国家要求发展中国家开放市场的说辞,是发达国家的伪善(hypocritical),因为发达国家在向发展中国家开放市场方面总是很保守。马哈蒂尔总理说:"西方国家要求亚洲国家具有更大的透明度,但却对自己的全球资本主义牌号遮掩与不让质疑,现在是到了打破此种禁忌、公开讨论它们的问题的时候了。"③

反全球化现象的若干特点

当前,世界范围的反全球化存在以下几个特点:

(1) 在原南方、外围及第三世界里,反全球化的情况很复杂。传统与理论上,马克思主义与依附论都是全球化的批评者。一些第三世界国家的反全球化声音较大,如马来西亚、古巴。马来西亚总理马哈蒂尔与古巴国务委员会主席卡斯特罗都是反全球化的著名人士。古巴最近几年发起召开一系列抵制、批评全球化的国际会议,甚至包括 2000 年 4 月在哈瓦那召开的 77 国集团会议,古巴方面也不失时机地宣传反全球化的观点。坚决反全球化的"第三世界网络"(The Third World Network)(See http://www.twnside.org.sg/)还以马来西亚为基地。马氏对全球化的批评非常著名,但受到西方主流舆论的不断曲解。其实,他并不是盲目排斥全球化,而是反对全球化的霸权一致性与一体性,以及全球化带来的金钱全面世界统治。"赞成全球化,但反对霸权一统性(hegemonic uniformity and conformity)。赞成大家共享丰足的物质财富,但反对金钱的全面世界统治。"④应该说,最近的反全球化行为主要发生在西方世界。

(2) 就地区而论,东亚不如欧美,东欧不如西欧。原因是东亚与东欧仍处于"西化"与"爱西"阶段,特别是年轻一代认为全球化是好事。⑤美国与欧洲是全球化的中心,也是反全球化的中心。美国绿党及其领导人纳德、改革党及其领导人布坎南(均是 2000 年美国总统选举的候选人,从反全球化的角度看,他们的竞选实际上是一场反全球化的政治运动),法国总理若斯潘等欧洲"中左翼"领导人均是全球化的重要反对派人物。法国反对美国式的全球化,反对对其他国家的"全球化强加"(imposing globalization)。

(3) 就产业而言,更多的反全球化力量来自原第一与第二世界的"旧经济"而不是"新经济"部门。由于利益分配不均,利益受到严重损害的当地人民以及环境破坏的直接受害者最直接地反全球化,跨国公司在有关国家设立的化工厂、核电厂使所在地的民众直接反对全球化。如印尼最东部的西巴布亚土著人反对美国一矿山跨国公司(Freeport)的掠夺性开采,因为当地人民承担了跨国公司的代价,但好处却由跨国公司与雅加达当局所得。

(4)反全球化与冷战后全球范围上升的民族主义、排外主义的力量与情绪普遍联系在一起。在一些情况下,包括政治家在内的当地人比全球其他人更反对全球化,如西欧(德国与奥地利比较典型)的当地人反外来移民;而在另一些情况下,当地人不如全球其他人那样反全球化,如捷克首都布拉格的当地人参与反全球化的不多。在欧洲,一些人号称是所谓"主权主义者"(sovereignist),⑥他们更关注国家主权遭受的全球化挑战和压力。在美国,一些人则呼吁全球化时代的民族主义,例如美国改革党总统候选人、专栏作家布坎南,反对自由贸易(包括北美自由贸易协定与世界贸易组织),反对美国更多参与全球事务。

(5)一些从全球化中受益较多的发展中国家,如印度、巴西、墨西哥、中国等,即西方媒体经常称呼的几个"全球化成功故事"(globalization success story),目前反全球化力量相对较小。而在遭受金融危机重创的发展中国家,如泰国、韩国、印尼、菲律宾等(可以叫做全球化失败故事),反全球化的运动与言论很多,金融危机已经过去一段时间了,但这些国家一些人士与组织仍把危机之主因归咎于全球化。

(6)反全球化作为新的政治与意识形态,与全球化作为政治与意识形态针锋相对,体现了后冷战时代新的意识形态。美国总统克林顿(代表"新民主党")、英国首相布莱尔(代表"新工党")、德国总理施罗德(代表社会民主党)以及新西兰前总理(工党出身)世界贸易组织总干事穆尔,在过去几年主张所谓进步意识形态(the ideology of progress),他们自称是进步派(the progressive)的代表。进步意识形态认为,全球化带来的是进步,比如富者会愈富,穷者也会变富,因此有助于许多世界问题的解决。而反全球化者虽然承认进步派所指的一些进步(比如性别平等与强调普遍人权),但认为,如果与"灾难"相比,"进步"简直相形见绌。他们所批评的当然是越来越扩大的全球贫富差距与最近十年急转直下的地球生态环境恶化。更进一步,一些反驳全球化"进步观"的人士认为,全球化让世界富裕了,但并不是所有人都富了,大多数财富流向少数人,同时,富裕并不代表一切,物质上的富有与精神上的退化同步发展。反全球化人士指责进步派冷酷无情,因为进步派手中的王牌是全球化的所谓不可规避性(必然性)(inevitability),这些人士常引用布莱尔在英国工党大会上的讲话为例说明这点。布莱尔曾说:"推动未来的变化的力量是不可能阻挡在国家边界上的。不要尊重传统。(这些力量)不等于任何人与任何国家(民族),他们是世界性的。"⑦

(7) 全球化的负面后果直接催生了许多非政府组织,这些非政府组织的宗旨与使命就是反全球化。⑧

(8) 全球化对世界许多相对弱势的大小文化、文明、传统构成最强大的空前挑战,一些文化、文明、传统不得不面对着消失的命运。一些反全球化行为(包括主张"文明对话"的力量)的目的就是为了弱势文化、文明、传统在全球化时代的生存与延续而斗争。

为什么要反全球化?

就术语而言,"全球化"完全是个新近的概念,它首先与主要的是一种市场力量推动的经济过程,不是一种公共(政府)政策。但是,全球化本身不是政策,不等于政府就不存在促进全球化的政策。20世纪90年代初以来,西方国家普遍推行旨在全球范围强加西方宏观经济管理规则(即新经济自由主义)、促进以放松政府管制(deregulation)为核心的自由化(liberalization),要求发展中国家(包括前苏联集团国家)开放市场,参与全球经济。冷战结束后,美国克林顿政府直接推动了此种全球化。克林顿政府有一个雄心勃勃的全球化计划,其实质是对自20世纪70年代末与80年代初美英(里根—撒切尔政府)的新经济自由主义的继承与深入,不过它抓住了世界历史在20世纪80年代末展示的前所未有的机会——中国、苏联、东欧以及其他政府管制型发展中国家的经济改革与对外开放。因此,目前这样的全球化被反全球化者描述成是西方的、跨国公司与经理阶层的、不顾社会与环境(母国、东道国与全球)代价的、以获取最大限度的市场占有份额为目标的、只有物欲而缺少价值追求的,这是对全世界的最大挑战。一个时期,这样的全球化被认为是不可逆转的。回顾最近十年,"全球化"一词,无论在西方还是在非西方,确实是从20世纪90年代早期开始的,此前并没有像今天这样普及的全球化概念。

联合国秘书长安南2000年4月发表《千年报告》。该报告的第一部分重点谈及全球化问题。他认为:"很少有人、团体或政府反对全球化本身。他们反对的是全球化的悬殊差异。第一,全球化的好处和机会仍然高度集中于少数国家,在这些国家内的分布也不平衡。第二,最近几十年出现了一种不平衡现象:成功地制定了促进全球市场扩展的有力规则并予以良好实施,而对同样正确的社会目标,无论是劳工标准,还是环境、人权或者减少贫穷的支持却落在后面。更广义地说,全球化对许多人已经意味着更容易受到不熟悉和无法预测的力量的伤害,这些力量有时以迅雷不及掩耳的速度造成经济不稳和社会失调。1997—1998年的亚洲金融危机就是这种力量造成的20年来第5次严重的国际货币和金融危机。人们日益焦虑的是,文化完整性和国家主权可能处于危险之中。甚至在最强大的国家,人们不知道谁是主宰,为自己的工作而担忧,并担心他们的呼声会被全球化的声浪淹没。"⑨

该报告从一个最具典型的方面解释了反全球化现象。但是该报告似乎忽略了,全球化带来的不仅是一个"全球化的利益"分配问题,实际情况要复杂得多。例如,全球化的反对者或批评者就提出了更尖锐的问题:"谁的全球化"(whose globalization)。

"反全球化"与这种公司(或资本)的全球化直接相关,其中亚洲金融(经济)危机是个转折点。虽然言论大量存在,但反全球化行动在金融危机前并未引起重视,也没有形成气候,虽然在某些方面也取得了一些效果。⑩金融危机结束了一些东亚国家政府主导的依靠跨国公司进入与贸易带动的"经济奇迹",凸显了这些国家经济结构的脆弱性,打击了东亚国家参与全球化的积极性,直接导致大规模的亚洲型反全球化运动的爆发。亚洲金融危机被认为是上述意义的全球化的第一次失败。⑪马来西亚总理马哈蒂尔此后多次谴责西方的"新经济殖民主义",他认为由新的、殖民主义的经济形式构成的威胁必须引起警觉。经济危机的要害是直接受到它影响的人民如何受苦,而不是那些华尔街的、国际机构的专家的信念与理论。如果经济殖民主义的威胁被真实地感觉到了,那么人民走上街头反击就只是个时间问题。如果外国对当地产业的控制被认为是过分了,人民将争取重新获得控制权。示威、大规模游行可能升级,也有可能转化为暴力与破坏。

"第三世界化"使反全球化具有广泛的社会基础。所谓"第三世界化"(Third Worldization)是指一种全球趋势,即原来的"第一世界"出现了贫困化与边缘化(虽然这种贫困与边缘化不能与穷国类比),但同时原来的第三世界却出现了大批可以在全球经济中进行竞争的新富。如美国与加拿大贫富两极分化日益明显,而墨西哥则出现很多世界级的跨国公司与亿万富翁。⑫在发达世界,一方面跨国公司为增加竞争力向外转移投资,另一方面原有"福利国家"制度在土崩瓦解,外来移民又大量进入,这样当地居民把自己失业与收入下降的原因自然归结为全球化。在第三世界,富者是进入全球经济体系了,但穷人与土著居民则承受着不幸,在国际货币基金组织强加的经济调整(紧缩)计划下,那些不能面向出口的或者竞争力不强的大批中小企业普遍萧条甚至破产,金融危机又使得亿万普通人收入大幅降低、度日维艰。总之,无论富国还是穷国,虽然全球化提供了巨大的机遇、潜力与可能,但同时也产生了人类必须面对的新挑战与新威胁,对大多数人来说,金融、经济、教育、就业、收入、健康、文化、环境等等方面都变得更加不确定与不安全。这就不得不让他们对全球化做出一些否定性的反应。

反全球化的未来

反全球化确实是个很笼统的概念,但问题不在于这个概念,而在于为什么在反全球化旗号下聚集起这样多的力量,为什么全球化成为了问题以及问题的焦点。反全球化一方面揭露了当今在"全球化时代"世界问题的严重性,另一方面,一些人又简单地把世界危机、矛盾、冲突都归结到全球化头上。从狭义的全球化角度看,全球化成了世界问题的替罪羊,但既然这个时代冠之以全球化时代,反全球化当然具有逻辑的合理性。因此,反全球化不仅是对当今世界矛盾的不满、喧嚣和攻击,而且它是对人类与世界利益做出的巨大贡献,因为它揭露出触目惊心的问题。

当前反全球化与拥护全球化双方各执一词,是两种差别很大的认识问题与解决问题的方法,但谁都说服不了对方,不仅如此,双方相互厌恶。反全球化运动与观点鱼龙混杂,有些行为与观点是错误的、过激的、非理性的,找错了对象,例如攻击国际经济体系及其会议,诉诸暴力,完全"厌恶全球化"(Global-phobia),追求轰动效应。其实,全球化的问题确实不能完全归之于这些政府间的国际经济组织。⑬全球化也不是能够简单反对的,有的学者指出,把已经全球化的经济与社会倒退到地方、民族的几乎是不可能的,而解决全球不平等与环境问题的惟一出路是全球方案与政策。⑭有的反全球化行为虽然切中当今世界的要害,但没有提出可行的解决(危机)的方案。不应该把遍及世界主要城市的反全球化示威做扭曲的报道与解释,因为参与运动的多数人士不是主流媒体所说的"新法西斯主义者"与"极端主义者"(用革命的方式推翻资本主义,如布拉格示威的口号)。⑮反全球化中,一些极端行为与言论是不可避免的,但却不是反全球化的主流。

总的来看,当前的反全球化,已经对世界经济与政治的发展产生了重要影响,但它并未解决全球化产生的问题,全球化与反全球化两大势力的对立在升高。全球化的主张者没有也不会根本改变其必然性逻辑,而反全球化者也不可能接受这样的逻辑,双方对立将继续,因此,预料反全球化现象还要深入发展。但有一点是肯定的,类似西雅图或者布拉格那样的激进街头暴力抗议可能要降温,反全球化力量在重新思考他们的策略与手段,以使抗议取得真正的效果。

由反全球化现象引发的一些思考

当今世界经济表面上"繁荣",背后隐藏的问题与危机不是只有反全球化力量才看得到的。在曼谷联合国贸发会议上,联合国对全球化做了第一次全面的反省。2000年6月底,日内瓦联合国特别大会指出了贫困与不安全问题正在上升,世界绝对贫困人口已经从5年前的10亿增加到现在的12亿,除亚洲外的所有第三世界的贫困率与收入不平等都在增加。工业化国家与30多个最穷国家的人均收入相差至少74倍,世界上3个最富有的人的财富超过60个穷国国民生产总值之和。⑯在布拉格抗议示威时,IMF与世界银行官员极力显示他们对第三世界问题的同情,对抗议者指出的问题并没有异议,会上各国中央银行行长、财政部长(特别是来自西方七国的),对遏制全球资本主义的不稳定势头忧心忡忡。虽然草草收场,但布拉格会议谈论最多的是金融危机刚爆发时许多反全球化人士要求的对全球经济的监管、调节与透明,改革国际金融体系以及对石油价格上扬的深刻担心(但对降低石油税没有松口)。

反全球化是对冷战结束后美国一度流行的至今仍占上风的"历史终结"(the end of history)、"美国胜利"(The US triumphalism)的莫大嘲讽。20世纪90年代欧美各国"中左翼"政治势力上台后走"第三条道路",表面上是对20世纪70年代末开始的自由放任主义的一种矫正,以确立面向21世纪的新政治,但实际上"第三条道路"的出发点仍然是工业化国家的利益、其所代表的选民与跨国公司的利益,其政策选择是最大可能地以"市场"的名义所推动的自由贸易,要求劳工与中产阶级为"竞争力"做出最大的让步,压迫发展中国家别无选择地放松管制,已经充分说明了这一点。不过,虽然做得不好,但欧美"中左翼"毕竟认识到全球化的加速发展必然导致反全球化运动的兴起,所以才提出协调新劳资、国资矛盾的"第三条道路"。

新的世界矛盾正在这种反全球化运动中孕育。新的全球矛盾不是别的,仍然是穷者与富者的对立。但它以新的各种形式,诸如社会抗议、贸易争端、民族冲突、宗教对立等形式表现出来。在全球化加速的情况下,未来世界的危险性是公司(资本)的统治、技术的统治与少数集团、少数国家的统治,即无须全球民主的全球治理(global governance without global democracy)。因而新的世界矛盾与冲突不可避免。反全球化的迅速发展正说明这一点。我认为,未来世界不是没有冲突与战争,而是将面对新形式的冲突与战争,包括世界范围的冲突与战争。

环境问题与全球化的关系不一定是直接的,但最近10年加速的全球环境恶化(包括自然资源枯竭)却正好与加速的全球化一致,因此,应该研究全球化与全球环境变化的关系。如果全球化最后导致的是全球大多数人们没有得到利益,甚而失去家园、失去基本生存保障,那么全球化的后果将不堪设想。

全球化使得民族认同与民族主义问题空前突出,许多国内冲突(暴力与非暴力的)与民族(文化)认同关系极大。150多年前马克思与恩格斯(他们关注与强调的是阶级与阶级斗争问题,而不是民族问题)说过"工人无祖国",具有讽刺意味的是,今天的世界现实是:不是工人无祖国,⑰而是跨国公司与那些不愿意打领带的精英阶层(men who don't wear ties)无祖国;那些无法在全球经济中支配自己命运的人更需要民族认同与民族国家。多元文化、认同、文明如何与单一经济共存是世界性挑战。

"全球化要具有人性面",这是目前世界的共同呼吁,但全球化的人性面不是靠联合国呼吁就能产生的,目前制约全球化黑暗面的只有这微弱的"反全球化"力量,这可能迫使政府与公司不得不增加全球化的人性面,特别是善待全球化中的少数者(minorities)问题。所谓少数者,是指那些在全球化中最没有竞争力的、最容易受到伤害的群体、边缘化的最不发达国家与民族(族群、部落)、被排斥的人群、试图保护自己的特性不受影响的团体与个体等等。

注释:

① "反全球化"这个词语何时出现,无从考证,它也许是西方主流媒体专横而简单的发明,具有相当的贬讽之意,它们把那些多少质疑甚至反对正统的"全球化"意识形态与推动全球化的政策(如美国、跨国公司与国际经济体系代表的)的行为都无端地描述为反全球化(against globalization)。抗议全球化的示威者和言论者很少使用"反全球化"一词。很多情况下,在西方媒体与公众争论中,"反全球化"与"反经济自由化"、"反全球资本主义"、"反全球经济"、"反自由贸易"、"反美国化"等等提法差不多。考虑到"反全球化"作为一个术语已经大量流行,本文使用它,并从中立与客观意义上理解它。

② See Chua Lee Hoong, "The Other Asem: Voices Go Unheard in the Noise," Singapore: *The Straits Times*, November 5, 2000.

③ See Mahathir Mohamad, "A New Deal for Asia," Malaysia: *Pelanduk Publications*, 1999, p. 9.

④ See Mahathir Mohamad, *A New Deal for Asia*, p. 139.

⑤ 有关这一点可看美国《新闻周刊》在2000年9月IMF与WB年会前的特别报告《东方爱西方》。

⑥ See "Anti-globalism Masks a Different Reality: Statism is Weakening in France Just As in Other Democratic Countries," *The Asian Wall Street Journal*, July 11, 2000.

⑦ See Madeleine Bunting, "Protesters at Seattle WTO meeting are No Econuts," *Guardian News Service*, *The Jakarta Post*, November 30, 1999.
⑧ See "Citizen's Groups: the Non-governmental Order," London: http://www.economist.com/editorial/freeforall/current/sa5268.html.
⑨ 安南《我们:联合国人民》,联合国(中文版)2000年4月3日。
⑩ 其中一个成功是对经济合作与发展组织(OECD)的《多边投资协定》(Multilateral Agreement on Investment)计划的抵制。该协定曾被称为与贸易自由化相匹配的投资自由化协定。一时间,OECD各国出现了大批反该协定的(anti-MAI)组织与活动。1999年OECD知难而退,最终放弃了该计划。
⑪ 关于这方面的观点很多,如《国际先驱论坛》专栏作家William Pfaff评论到的那样"The West's globalization drive is proving a massive failure", See *International Herald Tribune*, September 29, 2000.
⑫ See Roger Burbach and William Robinson, "The Fin de Siècle Debate: Globalization as Epochal Shift," *Science and Society*, Spring 1999.
⑬ Center for Trade Policy Studies Director Brink Lindsey 指出,示威者谴责全球化是错误的,他们所攻击的机构并不能为他们厌恶的政策结果负责。见 Cato Daily Dispatch, "Anti-Globalization Protesters Take to the Streets Again," September 26, 2000, See http://www.cato.org/dispatch/09-26-00d.html.
⑭ See Martin Shaw, "The dead-end of anti-globalization protest", 2 May 2000, http://www.sussex.ac.uk/Users/hafa3/protest.htm.
⑮ See Madeleine Bunting, "Protesters at Seattle WTO Meeting Are No Econuts," *Guardian News Service*, *The Jakarta Post*, November 30, 1999.
⑯ 联合国特别大会引用的数字不是反全球化运动与批评者提供的,而是世界银行、国际货币基金组织、经济合作与发展组织等准备的。
⑰ 美国一项调查显示,家庭年收入越高越对全球化做积极评价,反之则多属消极评价。(Andrew Kohut, "How Americans Fell About Globalization," *The New York Times*, See *The Indonesian Observer*, December 6, 1999.)

徐振东

为什么要"反"全球化

事实上,"反"全球化并不是反对全球化本身,而是反对全球化进程中的不平等以及由不平等带来的种种人为弊端。

(一)国际游戏规划的不公正、不透明性,必然导致很多不良后果,引起受害者的强烈不满和抵制。

在经济全球化进程中,必然会涉及更深层次的问题。如,全球规则、垄断行为、资源流动、环境保护等的规范,需要在全球范围内建立统一的经济运行规则。但是,制订全球化规则的国际货币基金组织、世界银行、世界贸易组织等这类重要的世界性经济组织被大国所控制。在制订全球化规则和制度时,它们只以发达国家为模型,在这些国家已经实行的国内规划的基础上修修补补,然后推广到全世界,并要求世界上所有国家和政府向这些规则看齐。所以,在全球化过程中,很多发展中国家说世界性的经济组织只是发达国家的御用工具,是富国推行价值观念、经济模式乃至政治模式的"代理人",它们很少考虑穷国的利益和要求,而只考虑自身的利益,毫无公平可言。最典型的例证就是,东亚、俄罗斯与拉美等地发生金融与经济危机过程中,发达国家所控制的这些国际金融机构与这些国家讨论实施援助计划时,往往提出极苛刻的条件,威逼各国服从。所以,遭受危机打击的国家及其国民表示了强烈的不满,在印度尼西亚、韩国和马来西亚等国都先后发生了针对国际金融机构的抗议、游行示威活动。

大国制定出来的全球化规则不仅缺乏公正性,还缺乏透明度,没有供发展中国家发表观点的有组织的论坛,更没有让发展中国家发表自己意见的机会。联合国越来越成了大国发号施令、坐而论道的场所,美国甚至还不以此为满足,公然绕开联合国单独行动。发达国家凭借其雄厚的经济实力和对发展中国家金融服务业的大量介入,通过投机活动时常向发展中国家转嫁金融危机。由于资金的积累和运作,金融活动有了更多的流动性、随意性和投机性,发达国家利用游戏规则缺乏透明度的误区,迫使发展中国家开放金融市场,使得金融机制尚不健全、资本也不雄厚的发展中国家在全球性金融危机中,资本大量缩水、外逃,经济遭受严重打击。

(二)经济全球化加剧了发达国家与发展中国家间的不平衡,南北差距拉大,这使在世界财富不断增长中反而变得贫困的国家及其国民对全球化产生了不满。

尽管发达国家和发展中国家在全球化进程中都获得了发展,但这种发展却是一种更加不平衡的发展。这种不平衡一方面表现为经济发达国家与发展中国家之间的南北差距继续拉大;另一方面,也表现为发展中国家之间的贫富两极分化,尤其是造成那些处于几乎被遗忘角落的发展中国家更加贫穷落后。

全球化使南北差距扩大,"全球化加大了国与国之间以及一个国家内部的贫富差距","不论全球化给北半球带来如何有益的影响,它对南半球大部分地区的作用却微乎其微"。据联合国开发计划署1999年度《人类发展报告》,占全球人口1/5的发达国家拥有全球生产总值的80%,占全球人口3/4的广大发展中国家仅占18%。那些经济发达和适应能力较强的国家,利用全球化带来的经济和技术机会,以不受约束的市场经济为准绳的全球化规则使穷国更穷。现在的金融体系及其自由化仅使那些已经享有并且主宰世界经济的国家受益,代价却由发展中国家特别是由它们当中最穷的国家承担。目前,全球最不发达国家共有48个,这些国家大都远离世界或所在地区经济中心,它们参与经济全球化的程度远远低于经济较为发达的发展中国家。20世纪90年代初,占世界人口总数10%的最不发达国家在全球贸易中所占的份额只有0.6%,到1997年则仅占0.3%,达到无足轻重甚至可以忽略不计的程度。因此,发展中国家中的最不发达国家确实面临着被边缘化的危险。

(三)国家内在社会矛盾与全球化进程中外部因素引起的矛盾纠缠在一起,导致人们对全球化的不满和反对。

新经济和经济自由化的发展,政府职能的转变,一方面使企业获得了更大的活动空间,另一方面又使战后西方普遍存在的那种社会再分配方式受到削弱,因而导致贫富两极分化加剧,社会矛盾增加。

国内社会矛盾与国际因素引起的矛盾纠缠在一起,使全球化进程出现的矛盾复杂化。比如,德国由于统一给西部增加了就业压力,再加上国内产业结构的调整,就业问题就一度恶化,一部分德国人把失业问题归咎于外国移民或外国来的劳工,对全球化产生抱怨,产生了排外情绪,甚至出现了新纳粹分子借机闹事现象。又比如,美国的种族歧视一直是没有从根本上予以解决的问题,政治地位低下、经济生活贫困以及受教育少的美国黑人,对美国政府在全球化进程中忽视国内问题而极力推行全球霸权一直表示强烈的不满。

这说明在全球化的进程中,无论是发达国家政府还是发展中国家政府都将注意力更多地集中到了经济的增长上,而轻视了对增长的财富进行合理分配的问题。但经济增长的成果未必能够自动改善社会服务,其间存在着必不可少的政治环节。例如,韩国在注重经济增长的同时忽视了社会安定,因而当1997年的经济危机来临时,付出了沉重代价。经济衰退定期发生,我们需要做到"在经济衰退时保证安全"以及在"经济增长时保证公平"。消除贫困和剥削需要做大量工作,绝不能仅仅依赖经济增长。各国政府忽视了对国内矛盾的解决,致使内外矛盾交织,国内问题趋于复杂化,最终影响到该国对外经济关系的发展,出现"反"全球化的现象。

(四)不平等贸易使发展中国家贸易条件恶化,对外经济发展的代价上升。

尽管在经济全球化进程中,发展中国家增加了制成品出口,但初级产品和半制成品仍是主要的出口产品;与此同时,发达国家由于技术进步,产品创新,分工加细,其内部贸易量增加。减少贸易壁垒是适应发达国家贸易关系发展需要的,但发展中国家很少出口技术密集型产品,难以从中获益。发展中国家面临的另一个不利因素是发达国家对夕阳产业的保护,这种保护在多边贸易体制中被合法化,也使发展中国家处于不利地位。一个发展中国家在仓促实行贸易自由化的时候,实际上是让小规模的国内企业同跨国公司对抗,这种贸易自由化对发展中国家的经济发展可能具有极大的破坏作用。

在发达国家和不发达国家之间的自由贸易,必将使前者更强而使后者更弱。外国投资者在不发达国家建厂投资是以取得利润为目的的,投资的结果,是从不发达国家获取大量利润。另外,流向不发达国家的资本,主要被导向于初级出口产品的生产部门,为发达国家摄取大量的工业原料开了方便之门。所以,在世界贸易组织会议上发展中国家的贸易代表发出了强烈的不满,并呼吁广大发展中国家团结起来,争取建立新型的国际经济秩序。

(五)跨国公司的趋利性、垄断性和掠夺性带来的破坏性。

作为全球生产的载体,跨国公司总是将其资金投向效率最高、回报最丰的产业中去。这种趋利性在客观上会给东道国的经济增长增加动力,但对东道国的产业结构却会产生很大影响。对于发达的东道国来说,会因为东道国产业结构高度成熟而较少负面影响,即便有负面影响,东道国也能利用较强的经济实力予以引导和调节。但对于大多数发展中东道国来说,就可能产生较大的冲击,或使脆弱的产业结构崩溃,或使本已单一的产业结构更加单一化。而面对富可敌国的跨国公司,一些发展中国家却无力引导或调节。这样,在全球化的进程中,发展中国家实际上很难完全控制本国的产业结构。

由于生产力和科技水平的差异及总体上的垄断性,发达国家跨国公司通过经济的全球化大举进入和占领发展中国家的市场,依仗技术和设备的优势,利用知识产权等措施和法律手段,掠夺性地大量开发和廉价占有发展中国家的生产资料、人力资源,使发展中国家在经济的持续和良性发展方面受到严重影响,资源得不到有效地开发、利用和保护。例如,发达国家的跨国公司对巴西进行大规模的直接投资,虽带动了巴西的经济增长,但对巴西热带雨林的大规模乱伐,使巴西的自然资源遭到严重破坏。

跨国公司的趋利性、垄断性和掠夺性在全球化进程中带来破坏性,但并没有一个强有力的国际组织对其行为进行合理的规范和有效的控制。所以,当这些破坏性引起的矛盾长期积累到一定时候,就可能导致人们对全球化产生反对意见。

(六) 缺乏监管的国际游资扰乱一国经济金融的稳定性。

90年代以来,世界经济已经过渡到无形的信息和金融全球化。在金融全球化的进程中,原有金融市场风险随着市场的扩大而增加,特别是由于存在信息不对称和道德风险,金融市场上的风险随市场的全球化扩展而增大。大量投机性短期资本流动,来得快,去得也快,往往对一些国家和地区造成突然冲击,使其陷入金融、经济动荡或危机。国际投机家往往挟巨资以造市,借支配地位以牟暴利,加剧市场波动。目前,全球国际游资高达7万亿美元左右,每日有1.2万亿美元在全球流动。只要其中任何一个小部分冲击任何一个经济规模较小的国家或地区,都可能引发金融动荡。1994年的墨西哥金融危机,1997年席卷泰国、印度尼西亚和韩国的东亚金融危机,1998年-1999年俄罗斯和巴西的金融危机,无不与这种资本流动有关。

缺乏监管的国际游资经常与金融市场开放的国家或地区的宏观调控逆向而行,使得这些国家或地区或多或少地丧失了宏观经济决策的独立性和对宏观经济的调控能力。一国为抑制通货膨胀而采用紧缩性货币政策提高利率时,国际游资会伺机而入,从而迫使该国增加货币供应量,削弱紧缩货币政策的效力;而当一国因经济衰退而采取扩张性货币政策降低利率时,国际游资又会大量逃离,使增加本国货币供应量的目标无法达到。另外,国际资本还可能造成虚假繁荣,制造错误信息,对货币政策产生误导。

上面谈到的这些弊端只是全球化进程中所有弊端中的主要弊端。这些弊端是人们在全球化进程中忽视众多约束条件而产生的,而不是全球化本身的弊端。所以,我们可以从分析中看到,"反"全球化的实质不是反对全球化本身,而是反对全球化进程中各种人为弊端及其造成的严重后果。人们完全可以通过不断的努力采取各种措施,逐步消除这些弊端。

原载《世界知识》2001年第9期